Omslagontwerp:	Varwig Design
	Erik de Bruin
	Hengelo
Druk:	Koninklijke Wöhrmann
	Zutphen

ISBN 90-76968-64-0

© 2005 Uitgeverij Ellessy
Postbus 30227
6803 AE Arnhem
www.ellessy.nl
www.nickneem.nl

QUILLEN

Deel 2:
De kracht van Xin

Nick Neem

ELLESSY
JEUGD

1

Toen Tob Timp op de eerste dag van de herfst wakker werd,
kletterde de regen tegen het raam. Het was nog half donker
buiten. Hij knipte de schakelaar van zijn leeslampje aan en
keek op de klok. Zeven uur. Het was zaterdag en hij had zich
voorgenomen om lekker uit te slapen, maar toch was hij vroeg
wakker geworden. Met het aanbreken van het nieuwe seizoen
was er aan de rust van de afgelopen weken een einde gekomen. Hoewel de gebeurtenissen van de afgelopen zomer hem
niet in de koude kleren waren gaan zitten, was hij vreemd
genoeg blij en bezorgd tegelijk.[1] Hij, Tob Timp, had met de
komst van de herfst een nieuwe opdracht in Quillen te ver-
vullen. Patricia Woeswel, de eigenares van het landgoed Witvleughel, had hem dat een paar dagen geleden duidelijk gemaakt.
'Beste Tob,' had ze gezegd, 'er wacht je een volgende uitdaging. Ik voel dat het kwaad weer in kracht toeneemt.'
Meer had ze niet willen vertellen, maar daar was Tob aan gewend.
Patricia liet alleen maar los wat ze echt los wilde laten. En
dat was heel wat meer dan de andere bewoners van Quillen.
Die zwegen in alle toonaarden over wat er in het dorp gaande was.

Tob ging rechtop zitten. De regen was gestopt. Buiten op de
vensterbank van zijn slaapkamerraam hoorde hij iets, een scherp
slepend geluid dat hem kippenvel bezorgde. Hij duwde de dekens
van zich af en aarzelde. Durfde hij het gordijn open te trekken? Wat verschool zich buiten op de vensterbank? Was een
van de duivelse katten die hem van de zomer naar het leven
stonden teruggekeerd? Hij slikte een brok in zijn keel weg.
Met klamme handen zette hij zich af op zijn matras en slingerde zijn benen uit bed, om op de rand te blijven zitten. Daar
was het geluid weer. Nu tikte er ook iets, alsof er een duif

[1] Zie deel 1: Quillen – De vloek van de koopman.

5

over de vensterbank hipte, maar dan een heel vet exemplaar. Hij beet op zijn lip. Ineens had hij een sterk vermoeden wat er zich buiten achter het raam verschool. Inderdaad was de rust verdwenen. Patricia had gelijk gehad.

Langzaam stond hij op, deed één grote stap, wachtte, en deed nog een paar kleinere stappen tot hij bij het raam was aangekomen. Het schurende geluid begon weer. Toen klonk er kort het geklapwiek van vleugels. Hij haalde diep adem. Een nieuw uitdagend, maar vreselijk avontuur was écht begonnen. Een volgende opdracht die hem met het kwaad zou confronteren, en misschien – eindelijk, eindelijk – ook in contact met zijn overleden moeder zou brengen. Dit was het begin van een nieuw seizoen in Quillen.

Nu kwam er een nóg merkwaardiger, klokkend geluid vanachter het gordijn vandaan, alsof een beest stukken voedsel met enige moeite doorslikte. En weer was er het klapwieken. Tob vermande zich. Na alles wat hij deze zomer had meegemaakt, zou hij toch nergens meer bang voor moeten zijn? Hij tilde aarzelend een hand op, zei hardop: 'Kom op, Tob!' en schoof het gordijn met een ruk opzij. De zon was doorgebroken en verblindde hem met haar scherpe licht. Door een hand boven zijn ogen te houden kon hij de vensterbank zien. Die was leeg, er zat geen levend wezen meer op! Hij schoof de gordijnen zo ver opzij als hij maar kon en duwde het raam helemaal open. Er lag iets op de vensterbank. Hij bukte en stak zijn hoofd naar buiten. Het was een veer, een witte duivenveer. Hij huiverde. Het bovenste deel was besmeurd met helderrood bloed. Het was niet de eerste keer dat een duif het leven liet door…

In de notenboom in de voortuin zag hij een beweging. Een tak veerde op en neer. Twee noten vielen op het gras. Toen kraste er een vogel.

'Kom tevoorschijn, rotbeest,' schreeuwde Tob en hield de boom nauwlettend in de gaten. Op een tak niet ver van de kruin verscheen een enorme zwarte vogel die hem met zijn diepzwarte ogen hooghartig aankeek. Onmiddellijk verstrakte Tob. Deze vogel behoorde toe aan de onbekende man uit de heuvels ver buiten het dorp. Patricia Woeswel had hem de verpersoonlijking van het kwaad genoemd, hoewel niemand hem kende of zelfs maar ooit gezien had. Aan de machtige poten van het beest kleefden nog enkele witte veren. De vogel opende zijn bek en toonde zijn blinkende, als staal glanzende tanden die net hun moordwerk hadden gedaan. Het leek of de vogel Tob uitlachte. Hij schudde zijn kop langzaam heen en weer, strekte zijn vleugels en liet zich als een baksteen uit de boom vallen. Halverwege de weg naar de grond spreidde hij zijn vleugels en maakte een bocht, zonder zelfs maar één keer met zijn vleugels te hoeven slaan. Wat een reus van een vogel was het. Tob merkte dat zijn mond open hing, en met een klap deed hij zijn lippen op elkaar. De vogel klapwiekte naar de kerk in het centrum, cirkelde daar een keer rond om vervolgens een grote bocht naar rechts te maken en in de verte uit het zicht te verdwijnen. Al die tijd keek Tob de monsterlijke vogel na, tot hij er zeker van was dat die niet zou terugkeren.

Hij schraapte zijn keel en wreef zijn ogen uit. Zijn rug begon pijn te doen, omdat hij nog steeds voorovergebogen stond. Voorzichtig pakte hij de veer bij de schacht op en bekeek het bebloede deel. Hij huiverde en keek naar buiten, waar de herfst overal onafwendbaar zijn intrede deed. De bladeren van de notenboom kleurden prachtig goudgeel, en ook de andere bomen en struiken toverden hun tooi om in fraaie herfstkleuren.

Tob glimlachte om dit tafereel, totdat hij een vreemde gewaarwording kreeg. De vingers waarmee hij de veer vasthield tintelden. Beeldde hij zich dat in, of was het werkelijk zo? Hij sloot het raam en legde de veer op zijn bureau. Op de hoek stond een foto met zijn drie nieuwe vrienden uit Quillen erop. Wat hij met hen gemeen had was dat ze geen van allen in

Quillen waren opgegroeid, maar er later waren komen wonen, iets wat uniek was in Quillen. De oorspronkelijke bewoners van Quillen waren op zichzelf en op hun dorp gericht. Zij gingen niet op vakantie, zij verhuisden nooit, zelfs een uitstapje naar de heuvels of de omliggende landerijen behoorde tot de uitzonderingen. Wie zich onnodig ver buiten de gemeenschap begaf, overtrad een van de vele ongeschreven regels en maakte zich ongeliefd in het dorp.

Tob pakte de foto op. Hij was een week geleden gemaakt op de bank in de achtertuin. Op de achtergrond stond de met klimop bedekte villa. Tob zat in het midden. Helemaal links zat Muzak, met zijn wijdvallende kleding, en zijn onafscheidelijke discman. Op zijn hoofd prijkte zijn coolste zonnebril. Tussen Muzak en Tob in straalde Mirte, die er altijd als een elfje uitzag. De wimpers boven haar blauwe ogen leken nog langer dan anders. Aan de andere kant naast Tob zat Pien. Ze lachte, maar haar uitdrukking had ook iets serieus, alsof ze meer wist dan de anderen. Haar sproeten waren goed te zien, en haar overeind staande piekharen blonken van de gel. In haar hand had ze een rolletje drop. Opnieuw glimlachte Tob. Als de mensen eens wisten wat een bijzonder kwartet ze waren, ieder met hun eigen gave…

Hij schrok. Beneden ging de deurbel. Wie kon dat zijn, zo vroeg? Hij trok zijn pyjama recht en haastte zich de overloop op. Straks werd zijn vader nog wakker. Tot zijn verbazing hoorde hij die beneden in de gang lopen om open te doen. Normaal was zijn vader, die de hele week onduidelijk accountantswerk voor de burgemeester deed, op zaterdag rond dit tijdstip nog aan het slapen. Op zijn blote voeten rende Tob de trap af, sloeg de laatste treden met een sprong over en belandde met een knal op de koude tegels. Zijn vader deed open. Het was Pien die voor het huis stond, zag Tob door de ramen van de klapdeuren heen. Wat moest die nou zo vroeg?

'Sorry dat ik jullie stoor, maar is Tob al wakker?' hoorde hij haar vragen.

'Volgens mij slaapt hij nog,' antwoordde zijn vader en draaide zich half om.

Tob wachtte geen seconde langer en stormde de hal door naar de voordeur. 'Ha die Pien.'

'Ach, ik wist niet dat je al uit je bed was,' lachte zijn vader hem toe. Er rustte een vreemde uitdrukking in zijn ogen, maar Tob lette er maar half op. Hij richtte zijn aandacht op Pien.

'Ik was al wakker hoor!'

'Dat zie ik.' Ze zette een voet op de drempel. 'Ik moest je spreken. Er komt iets.'

'Zeg, ik ben weer naar de keuken,' zei Tobs vader en maakte rechtsomkeert, terwijl Tob Pien binnenliet en de deur achter haar sloot.

'Er komt iets?' vroeg Tob.

'Ik had een visioen. Er staat iets te gebeuren,' fluisterde Pien.

'Vreemd. Dat gevoel had ik ook. Maar meer dan een vaag vermoeden heb ik niet.' Tob trok zijn afzakkende pyjamabroek op.

Pien grijnsde. 'Nou. Ik wel. Er gaat iemand vertrekken.'

Tobs gezicht betrok. 'Iemand gaat vertrekken? Wie?'

'Weet ik niet.' Pien haalde haar schouders op. 'Iemand die we kennen. Het gaat problemen geven. Ik voel het. Ik zag een koffer, en in die koffer zag ik…' Ze zweeg.

'Ja wat?' drong Tob aan.

'Ik weet niet of ik het jou zeggen moet.'

'Schiet nou op,' drong Tob aan. 'Ik ben geen kleuter meer.'

'Wel, het was een hart dat…'

Op dat moment klonk het aanzwellende geluid van een automotor. Tob keek door een van de kleine glas-in-loodraampjes van de voordeur naar buiten, waar een donkere auto de oprijlaan opreed en precies voor de deur, op het pleintje, stopte. Een man in een zwart pak stapte uit, keek op een papiertje en staarde vervolgens naar het huisnummer.

Pien keek over haar schouder. 'Een taxi!'

'Wat moet die nou hier?' Tob deed een stap achteruit en sloeg de chauffeur gade. Die legde het papiertje terug in de auto, poetste met zijn mouw een vlekje van de portierstijl af en haalde een stofje van zijn pak.

'Hij komt iemand halen,' merkte Pien droog op. 'En het is een ijdeltuit.'

De chauffeur liep trefzeker op hun voordeur af en belde aan.

Tob keek Pien verwonderd aan en deed open.

'Goedemorgen. Meneer Timp?'

'Ja, dat wil zeggen, zijn zoon.'

De chauffeur glimlachte zuur, alsof het om een pijnlijk misverstand ging. 'Ik vrees dat ik meneer Timp senior moet hebben.'

Het zweet brak Tob uit. Het zou toch niet opnieuw gebeuren? Achter zich hoorde hij de klapdeuren piepen. Ineens stond daar zijn vader met zijn jas aan en een koffer in zijn hand. Perplex maakte Tob ruimte. 'Pa, je gaat me toch niet vertellen...' hakkelde Tob.

Tobs vader knikte en zette de koffer zachtjes op de grond. 'Het spijt me vreselijk. De burgemeester belde. Er zijn weer financiële zaken waar ik voor naar de stad moet.'

Verlamd bleef Tob staan, maar toen borrelde er boosheid in hem naar boven. 'Dat is ook fraai! Nog maar een paar weken terug heb je me ook al laten zitten om dezelfde reden, en nu ga je er weer vandoor!'

'Tja, ik vrees dat het niet anders kan. Ik moet werkelijk naar de stad. Maar ik heb goed nieuws. Deze keer zal het zeker niet langer dan een week duren. En Maria komt weer voor je zorgen. En ze zal blijven logeren, zodat je niet helemaal alleen in huis zit.'

Tob balde zijn vuisten. Oké, hij was blij dat Maria er zou zijn, maar het bleef een schrale troost. Juist in de komende tijd vreesde hij de steun van zijn vader hard nodig te hebben. 'Het is wel de laatste keer dat je me in de steek laat, hè?' vroeg hij hoopvol.

Zijn vader glimlachte. 'Ik beloof het. Erewoord. Kop op. Voor je het weet, is de week voorbij.' Hij pakte zijn koffer weer op, gaf Tob een aai over zijn bol en knikte naar Pien. Vervolgens ging hij naar buiten, waar de chauffeur de koffer overnam en Tobs vader naar de auto begeleidde. Daar hielp hij hem instappen op de achterbank, legde de koffer in de kofferbak, en nam zonder nog op hen te letten plaats achter het stuur. De motor was al die tijd stationair blijven draaien, waardoor er een sluier van uitlaatgassen boven het pleintje hing.

Tobs vader draaide zijn raampje open. 'De burgemeester heeft me wel een chique auto bezorgd, niet?'

Beteuterd stapte Tob naar buiten. Kiezeltjes prikten in zijn voetzolen. 'Pas goed op jezelf!'

'Tuurlijk,' riep zijn vader. De taxi trok op, draaide soepel een rondje op het pleintje en reed de oprijlaan af. 'Dag Tob!' riep zijn vader en zwaaide met zijn hand uit het raam. Daar gleed de taxi de straat op en snorde weg.

'Wat vervelend voor je!' zei Pien meelevend. Ze was naast Tob gaan staan.

'Ik baal er behoorlijk van,' zei Tob, verdrietig naar de lege straat starend.

Pien stootte hem aan. 'Heb je al ontbeten?'

'Nee.'

'Kom op. We maken wat lekkers en gaan in de achtertuin in de zon zitten. Het wordt tóch nog een mooie dag. Goed?'

Hij dwong zichzelf even te lachen. Pien bedoelde het goed. 'Top!'

Pien draaide zich meteen om, ging het huis in en drentelde richting keuken, Tob buiten voor de deur achterlatend.

Zo, Pien voelde zich kind aan huis! Tob bestudeerde de notenboom.

'Hel en verdoemenis,' fluisterde plotseling iemand naast hem. 'Wat?' Met het hart kloppend in zijn keel draaide hij zich om. Kippenvel plantte zich in kleine golfjes over zijn huid voort, van zijn tenen tot aan zijn kruin. Naast hem stond niemand! 'Hel en verdoemenis,' fluisterde de stem weer.

Tobs maag maakte een sprongetje. Het geluid kwam nu van verder weg, vanaf de notenboom. Hij deed een paar stappen naar de notenboom, maar nog voor hij daar ook maar enigszins in de buurt kon komen, werd hij overvallen door een intense kou, zo sterk dat die dwars door zijn borst en buik ging en iedere cel van zijn lijf leek te verstijven. In de lucht was een kleine rimpeling zichtbaar, die Tob niet eens zou zijn opgevallen als er verder niets gebeurd was. Wat was dat? Welke onbekende kracht probeerde contact met hem te zoeken? En waar kwam die adembenemende kou vandaan? Hij probeerde te bewegen, maar het lukte niet, zijn benen gehoorzaamden niet. Zijn longen leken te bevriezen. 'Wat ben jij?' kon hij er net uitpersen.

'Verdoemenis,' echode het zacht vanachter de notenboom.

Toen, geheel zonder enige aankondiging, verdween de kou, en was Tob weer in staat te bewegen. Hij haalde diep adem. Wat er ook bij hem was geweest, het was nu weg. Zoiets vreemds had hij nog nooit meegemaakt, het gevoel of je dood en levend tegelijk was, of je ziel al in de onsterfelijke ruimte van de hemel vertoefde, maar je lijf nog op aarde was, heerlijk en angstwekkend tegelijk. Hij huiverde en wreef over zijn armen. De stem was van ver gekomen, en behoorde niet toe aan iets van deze wereld. Patricia had het hem al verteld. Zijn gave was om contact te leggen met gene zijde, met hen die overleden waren en vertoefden in onbekende werelden. Maar Patricia had hem ook gewaarschuwd. Er huisden veel kwade krachten in Quillen, en veel boze energieën aan gene zijde.

Meer tijd om te piekeren had hij niet. Het hekje van het pad naar de voordeur piepte, en een mollige vrouw in een vrolijke bloemetjesjurk liep de tuin in.

'*Buongiorno*, Tob,' riep zij vrolijk en vroeg toen met een duidelijk Italiaans accent: 'Hoe gaat het met je, Tob?'

'Maria!' riep hij blij uit. Hij liep over het natte gazon naar haar toe en wees naar het kleine koffertje dat ze met zich meedroeg. 'Zal ik dat voor je dragen?'

Met een ferm gebaar wimpelde ze zijn hulp af. 'Ben je gek. Dat kan ik zelf wel. Ik ben een sterke vrouw, Tob. Ik dop mijn eigen boontjes.' Een hartverwarmende schaterlach volgde. Kittig haalde ze haar neus op toen ze samen de voordeur naderden. 'Ik ruik gebakken eieren.'

Tob rook het ook. 'Pien is er al. Ze is ons ontbijt aan het maken, denk ik. Mijn vader is al weg, weet je?'

'*Si*, ik weet het,' zei Maria en lachte. 'Hij moest weer weg voor het werk, niet? Wat een domoor om zo'n leuke jongen als jij alleen te laten. Foei!'

'Ja,' antwoordde Tob. 'Dat wilde ik hem ook al zeggen, maar ik vrees dat het niet veel geholpen zou hebben.'

Maria hobbelde achter Tob aan de keuken in. Zoals ze al vermoedden stond Pien achter het fornuis in een koekenpan te roeren. Uit de pan stegen kleine zwarte rookwolken die niet veel goeds voorspelden.

'Ha die Maria,' riep Pien over haar schouder kijkend. 'Ik ben eieren aan het bakken voor ons ontbijt in de tuin.'

'Eieren aan het verbranden, bedoel je,' zei Tob.

Maria pakte een wit schort van een haakje, bond dat handig om en gaf Pien een vriendschappelijk tikje op haar schouder. 'Weet je wat? Gaan jullie maar vast naar buiten. Dan zal ik jullie ontbijt maken. *Capice*?'

Als een haas maakte Pien ruimte bij het fornuis. 'Dat lijkt me heel fijn, Maria, want ik maak er maar een rommeltje van.'

'Ach, jullie moderne meisjes,' sprak Maria met haar handen in de lucht. 'Jullie kunnen niet meer koken. Wie moet er later voor jullie mannen zorgen?'

'Nou,' zei Pien. 'Dat moeten ze zelf maar leren, hoor.'

'*Mamma mia*!' lachte Maria. Kordaat greep ze de koekenpan bij de steel en tilde hem van het vuur. 'Ik ben bang dat we deze eieren niet meer kunnen redden. Hup, naar buiten jullie. Genieten van jullie vrije dag!'

Tob plukte snel een stel slippers vanonder de grote eettafel en trok ze aan. Hij nam Pien bij de hand en trok haar mee. Via de keukendeur liepen ze naar het terras in de achtertuin, waar ze even bleven staan kijken. De tuin was groot en diep. Hij liep schuin af naar beneden en was omgeven door een muur. Achteraan, achter de muur, strekten zich de weilanden, akkers en bossen uit, helemaal tot aan de horizon, waar in de verte de hoge heuvels met hun kale rotsachtige punten verrezen.

'De Zeven Heuvels,' zei Tob vol ontzag. 'Rare naam voor acht heuvels die bovendien meer bergen dan heuvels zijn, niet?'

Pien knikte en haalde een hand door haar haar, waardoor de sprietjes nog verder overeind gingen staan. 'Ze zeggen dat hij er woont, toch?'

'Volgens Patricia wel. Ze weet niet eens hoe hij heet.'

'Of,' opperde Pien veelbetekenend, 'ze wil het niet vertellen.'

Tob tuitte zuinig zijn lippen, alsof hij zeggen wilde dat hij daar nu liever niet over nadacht. Midden op het gazon stond een teakhouten tafel met stoelen eromheen. 'Zullen we maar gaan zitten?'

Samen daalden ze het trapje van het terras af naar beneden en liepen over het verende gras naar de tafel, waar ze tegenover elkaar een plaats uitkozen. De zon scheen volop in de tuin en voorzag alle planten en najaarsbloemen van een stralende glans. In een borderstruik die met zijn tweede bloei bezig was gonsde het van de bijen en hommels.

Pien leunde achterover en sloot haar ogen. 'Heerlijk. Blij dat we twee dagen niet naar school hoeven.'

'Ik denk er hetzelfde over. Helaas hebben we behoorlijk wat huiswerk.'

'Doe ik morgen wel. Vandaag rust ik uit,' zei Pien. 'Jammer dat ik vandaag zo vroeg wakker werd.'

'Dat vond ik ook al,' zei Tob. 'Kunnen we eindelijk eens lekker uitslapen, zitten we hier als een stel malloten in alle vroegte…' Plotseling zweeg hij. Piens uitdrukking was veranderd. De rimpels in haar gezicht waren dieper geworden, en haar ogen hield ze opeens met een zekere krampachtigheid gesloten. Haar handen, die in haar schoot rustten, balden zich tot vuisten. 'Pien, is alles goed met je?' vroeg Tob.

Pien reageerde niet.

'Pien, is alles goed met je?' vroeg Tob nog eens, maar nadrukkelijker. Hij had dit al eens eerder meegemaakt. Pien was spontaan in trance geraakt. Hij had geen idee waar ze verkeerde, maar altijd zag ze dan iets wat zich in de toekomst afspeelde. En meestal was het weinig goeds.

Haar lippen bewogen opeens nauwelijks waarneembaar. Ze maakte een klakkend geluid. Daar klonk haar stem diep en vreemd, een stem die van heel ver weg leek te komen. 'Er dreigt…' prevelde ze.

Tob boog naar haar toe, kwam half omhoog. 'Er dreigt wát?'

'Hij raakt in moeilijkheden. Het heeft te maken met Quillen. Waar gaat hij naartoe? Het is een val? Ja, het is een val. Tobias moet helpen.'

Tob kon er geen touw aan vastknopen, maar hij beheerste zich om Pien niet door elkaar te schudden. 'Over wie gaat het?'

Vanaf het terras rinkelden er glazen en serviesgoed. Maria kwam uit de keuken met een groot dienblad in haar armen.

Pien schokschouderde en opende haar ogen. 'Ik geloof dat Maria eraan komt.' Toen kreeg ze door dat Tob haar gebiologeerd aankeek. 'Wat is er?'

'Je had weer zo'n visioen.'

'Echt waar?' Ze ging rechtop zitten. 'Ik kan me er niets van herinneren.'

'Je zei dat iemand in gevaar was. Net toen ik wilde vragen

wie, kwam Maria eraan.' Tob liet zich weer in zijn stoel terug-vallen. 'Ik hoop niet dat je gelijk hebt.'

'Ik weet er echt niets van. Het gebeurt vanzelf, zie je?' Pien keek er spijtig bij. 'Ik heb er nog bar weinig controle over, als je het mij vraagt.'

Tob knikte begripvol. 'We hebben met onze gaven allemaal hetzelfde probleem, niet? Het komt en gaat wanneer het wil.'

'Wie zou er in moeilijkheden kúnnen komen?' vroeg Pien zich af.

'In Quillen?' vroeg Tob. 'Zo'n beetje iedereen, denk ik. Maar ik neem aan dat je een van ons of een bekende bedoelde.'

'Dat lijkt me logisch,' vond Pien ook.

'Jammer dat je nou nooit eens de uitslag van de loterij voor-spelt of zo. Daar heb ik tenminste iets aan,' pestte Tob.

Pien fronste haar voorhoofd, maar al snel brak een lach bij haar door. 'Tja, dat is tegen de regels, vermoed ik.'

Intussen was Maria de trap afgekomen en bij hen gearriveerd, het zware dienblad met alles erop en eraan zonder enige moei-te met zich mee torsend. Ze zette het op het uiteinde van de tafel neer en begon de tafel te dekken met een bloemetjes-servies en zilveren bestek. Tob wilde meehelpen.

'Nee nee,' wees ze hem terecht. 'Vandaag worden jullie bediend. Je moet er nog aan wennen dat je vader weer weg is, Tob. Hoorde je het pas vanmorgen, dat hij wegging?'

'Ja. Toen de taxi er al was.'

'Als ik het niet dacht. Je vader is bang je teleur te stellen. Hij wil je geen verdriet doen, daarom wacht hij tot het laatst.'

'Ik snap het wel,' zei Tob. 'Maar leuk vind ik het niet.'

'Het ís allemaal wat,' verzuchtte Maria en zette voor ieder van hen een bord gebakken eieren met toast neer. Pien had er spek bij, Tob niet.

'Je weet nog dat ik geen vlees eet, Maria?' vroeg hij.

'Si, dat ben ik niet vergeten.' Ze zette schaaltjes met verse broodjes en beleg, glazen met thee en jus d'orange voor hen neer en draaide zich om. 'Smakelijk, *ragazzi.*' Met een voor haar forse lijf opmerkelijke souplesse ging ze terug naar het huis.

Pien viel meteen op het eten aan. 'Ik val bijna om van de honger.'

Tob keek naar zijn bord. Heel veel trek had hij niet meer na al die dreigende voorvallen van vanochtend, maar een paar happen wilde hij toch wel nemen. 'Mmm, lekker,' moest hij onmiddellijk toegeven.

'Tuurlijk. Je moet goed eten,' zei Pien moederlijk en lachte. 'Je bent nog in de groei.'

'Ja ma,' plaagde Tob terug, maar onwillekeurig moest hij denken aan zijn eigen moeder, Maqualte, die kort na zijn geboorte overleden was. Patricia Woeswel vermoedde dat ze nu een soort engel was die over hem waakte. Dat betekende dat hij haar nooit meer zou zien, tot hij zelf zou sterven. Maar daar wilde hij graag nog even mee wachten, als het even kon. Sowieso had hij nog een appeltje te schillen met die onbekende figuur uit de heuvels, die het kwaad naar Quillen had gebracht.

'Nee nee, Maxxi, je moet even wachten, het is niet beleefd zomaar ergens binnen te stormen,' riep een heldere meisjesstem vanuit de keuken.

Pien verslikte zich bijna in haar hap. 'Nee maar! Daar zul je Mirte ook hebben. Het lijkt wel of we het afgesproken hebben.'

En inderdaad liep er even later een meisje met blonde krulharen, zeeblauwe ogen en een spijkerjurk het terras op met Maria in haar kielzog. 'Wachten jij, Maxxi!' riep Mirte wild gebarend tegen iemand die alleen zij kon zien, haar onzichtbare vriendinnetje Maxxi.

Maxxi leek zich er weinig van aan te trekken, want Mirte werd steeds ongeduriger. Pissig rende ze de trappen af, naar hen toe. 'Wacht even, Maxxi!'

'Hoi Maxxi,' groetten Tob en Pien tegelijk toen ze de indruk hadden dat Maxxi bij hen stond.

Mirte volgde even later, hijgend als een paard. 'Hallo. Jullie zijn al wakker?'

'Dat kan ik beter aan jou, eh... jullie vragen,' kaatste Tob terug, zich realiserend dat hij nog steeds in zijn pyjama zat.

Mirte bloosde. 'Ik kon niet meer slapen. Maxxi heeft me wakker gemaakt. Toen zijn we maar een eindje gaan wandelen. Ik dacht: kom, eens kijken of je al op bent. Ik heb niet aangebeld hoor, Maxxi maakte de voordeur open. Ze is brutaal de laatste tijd.' Kletsend trok Mirte een stoel voor Maxxi naar achteren en ging zelf op de plaats ernaast zitten. 'Enfin, ik ben blij dat ik jullie zie. Ik was bang me vandaag te gaan vervelen. Bovendien is Maxxi erg onrustig. Ze zit overal aan met haar handen.'

Op tafel verschoof een glas jus d'orange enkele centimeters. 'Afblijven, Maxxi,' wees Mirte haar geheimzinnige vriendin terecht.

Het glas stopte. De jus d'orange gutste over de rand en vormde een plasje op tafel.

'Wrom isw Maxxi zo onwrustif?' vroeg Tob, nadat hij zijn mond eerst met ei en toast had volgepropt.

Boven Mirtes wenkbrauwen vormden zich kleine rimpeltjes. 'Misschien is het het begin van de herfst. Iets anders kan ik niet bedenken.'

'Ik denk dat je gelijk hebt. Een nieuw seizoen maakt alle mensen min of meer onrustig,' zei Pien. 'En zeker in dit maffe dorp.'

Behoedzaam was Maria weer vanuit de keuken teruggekomen. 'Ik wil jullie niet storen, maar zal ik er een bordje bijzetten voor de jongedame?'

Mirte kreeg een kleur. 'Wat aardig dat je daar aan denkt, Maria. Graag.'

Maria plaatste eetgerei en een bord op tafel, legde er een servet naast en wenste Mirte een smakelijk ontbijt. 'Ook gebakken eieren misschien?' vroeg ze tot slot.

'Nee dank je.' Griezelend keek Mirte naar het bord van Tob. 'Het is me nog een beetje te vroeg.'

Maria sloot een moment haar ogen, mompelde 'wat een spillebeentjes heeft dat kind,' en verdween hoofdschuddend naar de keuken.

Mirte sneed een croissantje doormidden en besmeerde het met marmelade, waarna ze als een muisje ervan begon te smikkelen. Opeens keek ze naast zich. 'Nee Maxxi, jij hebt al gegeten. En als we thuis zijn krijg je wel wat te drinken.' Ze richtte zich tot Tob. 'Jij kijkt niet erg vrolijk als ik het zeggen mag.'

Tob legde zijn mes en vork neer en likte zijn dunne lippen af. 'Vanochtend is mijn vader weer naar de stad vertrokken, ik heb die vreemde zwarte roofvogel op mijn vensterbank gehad, en ik heb voor het eerst sinds weken weer een vreemde stem gehoord.'

'Dat had je mij ook nog niet verteld,' zei Pien een beetje verwijtend.

'O ja,' zei Tob terwijl hij een vinger opstak om Pien nog even te laten zwijgen. 'En dan heeft Pien nog een visioen gehad waar ook een waarschuwing in zat waar je niet vrolijk van wordt. Er gaat iets ergs gebeuren met iemand die wij kennen.'

Mirte zette grote ogen op. 'Hemel! Dat is niet misselijk, zeg! Patricia had je ook al gewaarschuwd.'

'Ik wilde dat Patricia wat minder verstand van zaken had, dan zou ze tenminste ook af en toe ongelijk hebben. Over een week is het herfstvakantie, en dan zit ik vast weer thuis in mijn eentje te kniezen,' deed Tob zielig.

'Welnee, wij zijn er toch,' beurde Mirte hem op. Ze kwam op een andere gedachte. 'Heeft iemand van jullie Muzak gisteren nog gezien na schooltijd?'

'Ik niet,' zei Pien.

'Ik ook niet.' Tob pakte zijn bestek op en nam weer een hap. Het ei was intussen een beetje koud geworden en voelde tussen zijn tanden aan als een lapje zacht leer. 'Hij zal vandaag wel opduiken.' Zijn gezicht klaarde op. 'Gaan we vanmiddag eens kijken hoe het bij Louis is? Ik ben er al twee weken niet geweest.'

'Leuk!' vonden Pien en Mirte meteen.

'Ik heb al tijden geen patatje meer op,' zei Pien en nam, nu haar ei op was, een hard broodje uit de schaal. 'Maria is echt fantastisch.'

'Ho ho,' zei Tob. 'Dat doet ze vandaag alleen om mij te troosten.' Hij schoof zijn bord weg en keek naar de hoge heuvels, waar zich, ondanks de compleet helderblauwe lucht, boven de toppen blauwachtige slierten mist vormden.

Zeker tot elf uur in de ochtend hadden ze met zijn drieën gezellig gekletst over ditjes en datjes, en ze hadden ook serieus gesproken over wat hen mogelijk te wachten stond, maar ze waren er snel achter dat dat een zaak van domweg gissen was. Tob was er op een goed moment even tussenuit geknepen om zich aan te kleden. Toen Maria nog een kan ijsthee kwam brengen, en Tob een parasol boven de tafel had opgezet, hadden ze de gebeurtenissen van de zomer de revue laten passeren: hoe Tob na allerlei vreemde avonturen bijna door de verdoemde koopman in de reusachtige villa van Patricia Woeswel in de val was gelokt, maar er uiteindelijk de jaden ketting met het jaden kruis en de diamant aan had overgehouden.[2]

'Ik moet gaan,' zei Pien op een goed moment. 'Ik heb beloofd dat ik papa thuis in de tuin zou helpen.'

Tob knikte geamuseerd. Pien hoefde alleen maar de straat over te steken om thuis te komen, maar ze trok een gezicht of ze een verre reis voor de boeg had. 'Heb je geen zin?'

'Nee, eigenlijk niet, maar je moet wat over hebben voor je zakgeld.' Pien stond op en bevroor halverwege in die beweging. Haar mond veranderde in een strakke streep.

'Wat is er? Je lijkt wel op een vogelverschrik…' vroeg Tob, maar hij stopte met praten omdat er een zwarte schaduw over

[2] Zie deel 1: Quillen – De vloek van de koopman.

de tafel viel. Een enorme figuur was naar de tafel toe geslopen en stond, met de scherpe zon in de rug, naar hen te kijken. Tob moest zijn ogen toeknijpen om de reus van ruim twee meter te kunnen zien, maar de licht Aziatische trekken, de laarzen, de overall, de grote strohoed met de eronder uitstekende piekharen en bovenal de priemende ogen met de haakneus eronder lieten weinig twijfel bestaan over wie daar stond. 'Pakdal!' riep Tob uit. Pakdal Mang was de tuinman van Patricia, en hij had hem al een tijdje niet meer gesproken of gezien. Hoewel er geen reden was om bang te zijn, voelde hij zich steeds enigszins ongemakkelijk bij Pakdals verschijning.

'Tob!' sprak Pakdal met zijn indrukwekkende basstem en zette zijn handen in zijn zij. 'Je moet meekomen.'

Er rolde zweet langs Tob rug. 'Ik? Nu?'

'Ja nu,' zei Pakdal met ongeduld in zijn stem. 'Patricia moet je met spoed spreken.'

Pakdal zei het zo dringend dat Tob er geen moment aan twijfelde dat er iets bijzonders aan de hand was. 'Dan loop ik meteen met je mee, Pakdal.' Hij wendde zich tot Mirte en Pien. 'Ik vrees dat ik mee moet gaan.'

Pien had zich weer in haar stoel laten zakken. 'Ik krijg een heel naar gevoel ineens. Er staat iets vreselijks te gebeuren, Tob.'

'Tobias Timp! Kom je nog?' sprak Pakdal dreigend en strekte een van zijn grote handen naar Tob uit.

'Ja, ik ga mee,' sprak Tob geschrokken en veerde pijlsnel uit zijn stoel. Pakdal was met enkele stappen al meters bij hem vandaan en hij moest rennen om hem in te halen. 'Ik zie jullie aan het einde van de middag wel bij Louis,' riep hij naar Mirte en Pien. Hij hoorde Pien nog iets onverstaanbaars terugroepen, en toen waren ze al aan de zijkant van het huis op het zijpad naar de voortuin. Hij keek naar de rug van de voor hem uit stormende Pakdal. 'Heeft Maria je binnengelaten?'

Pakdal trok een van zijn brede schouders op. 'Dat doet er niet toe, Tob. Er zijn belangrijkere zaken aan de orde.' En zonder ook maar even in te houden ging hij verder.

Tob holde achter Pakdal aan, via de voortuin de straat op. Tobs huis lag langs de ringweg van Quillen. Als je een stuk doorliep kwam je in het noordwestelijke dorpsdeel, waar het landgoed Witvleughel zich bevond. Normaal had je daar wel een kwartiertje voor nodig, maar in het tempo van Pakdal nam het niet meer dan tien minuten in beslag. Ze arriveerden bij het grote landgoedhek met de scherpe punten en de dikke spijlen. Tob was er ooit overheen geklommen, maar nu ging het simpeler. Pakdal duwde de ijzeren poort open en liet Tob voorgaan. Zonder Tob aan te kijken of iets te zeggen sloot hij het hek en passeerde Tob, om daarna in hetzelfde razende tempo het landgoed in te lopen. Tob kende de route naar het landhuis, het Huis der Engelen, maar toch duurde de tocht door de stukken bos en struiken langer dan hij verwacht had. Groeide het landgoed soms? Nee, dat was onzin natuurlijk. Hij was blij toen ze tussen de bomen door zicht op het Huis der Engelen kregen. Daar, in de verte, lag het majestueuze witte landhuis van Patricia Woeswel. Rond het landhuis, een soort Romeins paleis met tientallen ramen en ranke pilaren, lag een gazon met talloze bloemperken. Opgelucht sprintte hij het gras op, langs Pakdal, met de bedoeling als eerste bij de voordeur onder het gewelfde portaal aan te komen, maar toen hij na enkele meters over zijn schouder keek merkte hij dat Pakdal voor een andere richting gekozen had, terug de bossen in. Pakdal zou toch niet naar…? Tob draaide zich om. Er stond hem niets beters te doen dan Pakdal te volgen. Die was in een mum van tijd tussen de struiken en bomen verdwenen. Tob holde het bos in, waar het meteen een stuk ruiger en rotsachtiger werd. Soms kreeg hij zicht op de kale toppen van de heuvels in de verte, maar meestal kronkelde het pad door de dichte begroeiing. Waar was Pakdal nu gebleven? Door het dikke bladerdak kreeg de zon niet veel kans, waardoor er een geheimzinnig gefilterd licht in het bos viel. Tob voelde zich niet op zijn gemak. Voor je het wist kon je hier verdwalen. Links in de struiken ritselde er iets. Hij bleef staan en luisterde. Wat was dat? Nu was er overduidelijk een gepiep, of was het eerder een zacht knorren? Een misselijkmakend gevoel rommelde in zijn buik. Wat kon dat nu weer zijn? Het geluid kwam zijn kant op. 'Pakdal,' riep hij met een timide stemmetje. 'Waar ben je nou?'

Vanonder een boomblad kroop een bosmuisje tevoorschijn. Wat een afgang! Tob schaamde zich een ongeluk. Had hij zich door zo'n klein onschuldig diertje de stuipen op het lijf laten jagen! Hij moest om zichzelf lachen. Plotseling daalde er met enorme kracht een hand op zijn schouder neer. Zijn knieën knikten en zijn voeten zakten weg in de grond. Zijn hoofd tolde. Door wie werd hij aangevallen?

'Kom je nog?' vroeg Pakdal. 'Of ben je bang, Tobias?'

Tob vloekte binnensmonds. 'Je moet me niet zo van achteren besluipen, Pakdal. Ik schrok me een ongeluk.'

Een van Pakdals zeldzame glimlachen verscheen. 'Mooi zo. Je moet me volgen en niet je eigen gang gaan. Jullie jongeren willen altijd je eigen gang maar gaan.' Hij haalde zijn hand van Tobs schouder en liep weg over het pad, dieper het bos in.

Tob zorgde ervoor geen tweede keer achter te blijven. Hijgend en puffend bleef hij in Pakdals spoor. Allemachtig, wat was het landgoed groot. Ze passeerden de ruïne van het oude koopmanskasteel, en arriveerden in een bosgedeelte dat nog donkerder was. Nu moesten ze er bijna zijn. Inderdaad minderde Pakdal vaart. Daar was het werkdomein van Patricia, een groot theehuis. Tob had het ooit één keer eerder gezien, samen met zijn vrienden, al hadden die niet naar binnen gemogen. Hij wel. Hij had Patricia's heiligdom in zijn eentje mogen betreden.

De witte gordijnen achter de ramen waren gesloten. 'Patricia wacht op je,' zei Pakdal plechtig en stopte midden op de kleine open plek voor het huis. 'Je moet alleen naar binnen.' Een wijsvinger met zwarte nagelrand priemde naar de deur.

'Ja, dat... dat moet dan maar, hè?' hakkelde Tob. 'Alleen, zei je toch?'

Pakdal knikte en sloeg zijn armen over elkaar. 'Schiet nou maar op!'

Tob gehoorzaamde. Wat kon hij anders doen? Bovendien moest er iets heel dringends aan de hand zijn als Patricia hem speciaal door Pakdal liet ophalen. Hij schuifelde naar de voordeur en klopte aan. Pakdal begon een van zijn typische Ierse deuntjes te neuriën die hij vaker ten gehore bracht. Omdat niemand opendeed, besloot Tob zelf maar naar binnen te gaan. 'Kom maar Tob,' riep Patricia vanuit de kamer. Nadat hij de deur had dichtgedaan, stapte hij met kleine passen de gang in en passeerde een met een kralengordijn afgesloten opening. Nu was hij in het midden van het huisje aangekomen, in de kamer waar Patricia werkte en studeerde. De elektrische kaarslampjes aan de wanden flakkerden en verspreidden een blauw schijnsel dat sterk genoeg was om alles in de kamer helder te verlichten. Tob kende het interieur nog. De kasten met talloze potten, stenen, aardewerk kruiken, mineralen, vreemde voorwerpen die hem weinig zeiden, de planken met onbekende boeken: het was er allemaal nog. Patricia zat achter haar werktafel. Ze droeg een van haar zijden gewaden, deze keer een blauwe jurk, goudbestikt met kleine motieven die Tob aan oude runentekens deden denken. Patricia's lange kastanjerode krulharen glansden, en ze keek hem vriendelijk aan. Patricia was een goede heks, een wicca, van een heel oud wiccageslacht, de Wicca's der Engelen, die een bijzondere kracht bezaten. Ze was naar Quillen gekomen om het onbekende kwaad te bestrijden dat van het dorp bezit had genomen. 'Welkom Tob,' sprak ze zacht en gebaarde dat hij op een krukje naast haar moest komen zitten. De schaduwen op de wanden dansten om hen heen.

Zich ongemakkelijk voelend onder de aandacht zette hij koers naar Patricia, schoof de kruk naar zich toe en ging zitten. De geur van wierook hing in de hele kamer. Hij kuchte en vroeg: 'Patricia, het is vandaag weer begonnen, niet?'

Patricia keek hem aan met haar sprekende ogen. 'Als je daarmee een nieuwe opmars van het kwaad bedoelt, dan moet ik daar bevestigend op antwoorden. Tobias, er zijn tekenen dat er uit de spelonken van de hel wezens naar ons op weg zijn om hun macht definitief over ons te kunnen uitoefenen. En de vraag is…' In haar voorhoofd verschenen diepe rimpels.

'Wat wil je zeggen?' vroeg Tob. 'Ik kan het wel aan, hoor, wat het ook mag zijn.'

'Goed,' zei Patricia terwijl ze met haar vingers op de tafel trommelde. 'Luister.' Haar vingers vonden hun rust terug. 'De vraag is of de schare der Witte Engelen, die ons in het verleden eerder verdedigd heeft, het deze keer zal kunnen winnen. De tegenpartij is krachtig, Tob, en wint nog steeds aan kracht.'

Tob hield zich vast aan de tafel. Het duizelde hem even. Als de donkere krachten werkelijk zo sterk waren, hoe zouden ze die dan te slim af kunnen zijn?

'Je vraagt je misschien af wat we tegen de nieuwe aanval kunnen doen,' raadde Patricia zijn gedachten. 'Ik weet het niet. Nóg niet. Kijk!' Voor zich had ze een dik zwart boek liggen. *I Ching, boek der veranderingen* stond er in witte letters op de omslag.

'Wat is dat?'

'Een oud orakelboek uit het Oosten. Het voorspelt niet zozeer de toekomst, maar voorziet ons van wijsheden waarmee we de mogelijkheden van de toekomst beter kunnen benutten.'

'O,' antwoordde Tob dommig, want hij begreep er niet veel van.

Patricia trok een laatje onder haar tafel open en haalde er drie gouden dukaten uit. 'Hier heb ik drie munten waarmee we de I Ching kunnen raadplegen.' Ze pakte er een notitieboekje bij, wierp de munten een klein stukje op en ving ze in haar hand, waarna ze een kort recht streepje in het boekje noteerde.

'Wat doe je nou?' vroeg Tob.

'Sst,' zei Patricia. 'Stilte, anders kan ik me niet concentreren,' en weer wierp ze de dukaten op. Zacht rinkelend kwamen ze terecht op het tafelblad, rolden en tolden, en lagen toen stil. Patricia maakte weer een notitie. Af en toe mompelde ze iets over yin en yang, maar zei verder niets waar Tob iets van snapte. 'Geen vijand, of toch?' vroeg Patricia, maar ze leek het meer aan zichzelf te vragen dan aan Tob. Gaandeweg rinkelden de munten verder en had Patricia een hele serie gewone en onderbroken lijntjes in groepjes van drie onder elkaar gezet.

'Jij moet ook,' zei ze opeens tegen Tob.

'Gooien? Nee, dat kan ik vast niet,' sputterde hij tegen, maar onverbiddelijk legde ze de munten in zijn handpalm. 'Zonder jou komen we er niet. Vooruit!' drong ze aan.

Van lieverlee gooide Tob, toen nog eens en nog eens, tot Patricia helemaal tevreden was en aangaf dat hij kon stoppen. 'Genoeg geweest.'

Hij legde de munten op een rijtje voor zich neer en wachtte af.

Patricia maakte een laatste notitie en greep het zwarte boek vast. 'Nu zal de I Ching ons iets kunnen vertellen.' Ze sloeg het boek open en bladerde, las een stuk, mompelde binnensmonds en bladerde verder, tot ze tevreden was en genoeg gezien had. 'Zie je wel! Dezelfde uitkomst als vanochtend.'

Tob schrok op. Hij had intussen rondgekeken om wat te doen te hebben. Op een van de planken was hem een wit uitgeslagen schedel opgevallen, waarvan het gebit nog helemaal intact was. Een tand was van goud. Dat zag je niet vaak. 'Wat eh... heb je iets ontdekt?'

'Ja,' antwoordde Patricia. 'Het kwaad zal toeslaan, en we hebben nauwelijks mogelijkheden ons te verdedigen. Je leven zal meerdere malen bedreigd worden, Tob.'

Tob liet de mededeling op zich inwerken. Alweer zo'n onheil-spellende boodschap. Hij wilde dat zijn vader er nog was, dan zou hij zich een stuk veiliger voelen, maar op een of andere manier was het alsof het vertrek van zijn vader onderdeel van het geheel uitmaakte, een noodlot dat hij onmogelijk kon ont-lopen. Hij krabde zich achter op zijn hoofd, toen ergens ter hoogte van zijn slapen een merkwaardig kriebelig gevoel golf-de over zijn hoofdhuid, of nee, het leek in zijn hoofd te zit-ten. Het was of er kleine torretjes ónder zijn hoofdhuid zaten. 'Opletten, Tob! Kom op!' sprak hij zichzelf toe. Hij moest zijn aandacht bij Patricia houden. 'Wat betekent het allemaal nog meer, volgens die I Ching?'

Patricia zuchtte. 'Dat de voorspelling van de tweede legende begonnen is.'

'De tweede legende?' Tob begon zich steeds onnozeler te voe-len.

Patricia stond op en haalde een oud versleten boekje uit de kast. 'Ooit, ergens in het verleden van Quillen, woonde hier een kluizenaar, Xin, die zich met occulte zaken bezig hield. Hoewel hij op zoek was naar afzondering, was hij ook op zoek naar de ultieme kracht die al het wereldse kwaad verdrijven kon. Vreemd voor een kluizenaar, zul je zeggen, maar wie zwijgt, denkt na. Begrijp je?'

Hoewel Tob het opnieuw niet helemaal snapte, knikte hij, want hij wilde het verhaal verder horen.

'Op een goede dag vond hij het geheime voorwerp dat hem naar deze kracht kon leiden. De kracht van Xin zou het begin en einde van alle boze verlangens van de mensheid zijn, aldus de legende.'

'En? Vond hij de kracht?'

'Niemand weet het, want voor Xin de kracht kon gebruiken werd hij door een kwade macht overvallen. Ze hebben Xin in het bos aangetroffen, volledig van slag en waanzinnig. In zijn hut vonden ze een verbrande plattegrond met een geschreven mededeling dat ooit, na het jaar 2000, de kracht van Xin ons zou redden. Xin had er een tekening bij gedaan van het voorwerp dat ons de kracht zou brengen.'

Tob rechtte zijn rug. Dat hinderlijke gekriebel in zijn hoofd hield maar niet op. Hij werd er misselijk van, en hoe hij ook krabde, het werd alleen maar erger. 'Wat voor een voorwerp was dat dan?'

'Hier is uit overlevering een kopie van de tekening.' Heel langzaam, alsof ze hem geen al te grote schok wilde bezorgen, draaide Patricia het boekje naar hem toe.

Tob zat aan zijn kruk genageld. Op de rechter bladzijde stond een ruwe schets van een ketting met een kruis eraan. En hij, Tob Timp, had boven in een nis op zolder, precies zo'n kruis verborgen. 'Is... is dat mijn jaden kruis?' stotterde hij.

Patricia knikte, maar schudde vervolgens nee. 'Niet helemaal.'

'Hè?' Tob bestudeerde de tekening. 'Wat dan?' Nogmaals keek hij, en nóg een keer. Toen zag hij het. 'Dát kruis heeft vijf diamanten, terwijl de mijne er slechts een in het midden heeft.'

'Precies. Om de kracht van Xin te vinden, heb je alle vijf de diamanten nodig. De kwade macht heeft de diamanten in handen gekregen, op die ene na. Tob, je moet alles in het werk stellen om de andere vier te vinden. Doe het voor mij, en voor je moeder, Tob.'

Zijn moeder Maqualte... Dáár zei Patricia iets heel belangrijks. Het verlangen haar terug te zien werd met de dag sterker. 'Maar wie was Xin nu precies? En waar is hij gebleven? En de diamanten dan?'

Patricia deed het boek dicht, legde het op zijn plek terug en sloeg haar ogen op naar het plafond. 'Als ik je dat kon zeggen, Tob, waren we een stuk wijzer, maar de waarheid is dat ook ik dat niet weet.' Ze zuchtte terwijl ze haar handen wrong en hem weer aankeek. 'Zelfs al ben ik een wicca, er is veel tussen hemel en aarde dat ik niet begrijp.'

'Vanochtend hoorde ik een stem die me waarschuwde. Zitten

die stemmen in mijn hoofd?' Af en toe sloeg bij Tob de angst toe dat hij gek aan het worden was, maar Patricia blikte of bloosde niet. 'Ik heb je al eens verteld dat je het vermogen hebt contact met de doden te maken. Je talent is echter nog ongericht. Dat komt nog wel, als je ouder bent. Je moet jezelf zien als een antenne die signalen opvangt waar normale mensen niets van merken. De stemmen maken je soms onzeker, dat snap ik, maar je moet je er niet ongerust over maken, tenzij...' Weer hield ze abrupt op met praten.

Peinzend keek Tob haar aan. Ook deze keer durfde hij haar niet te vragen verder te praten. Ineens vermoedde hij wat ze zeggen wilde. '...tenzij het geesten zijn die niet het goede met me voorhebben?'

'Je snapt het,' complimenteerde Patricia hem. 'Dus moet je op je hoede zijn.'

'Maar hoe weet ik wat goede en wat kwade geesten zijn?'

'Dat weet je nooit helemaal zeker. Oppassen dus,' zei Patricia droogjes en borg de muntjes in een laatje op. 'Hoewel ik je graag zou willen vertellen wat er staat te gebeuren, tast ik wat dat betreft zelf ook volledig in het duister. Ik voel alleen dat de duivelskrachten in Quillen in sterkte toenemen. Doe wat je moet doen, Tob.'

Dat was een advies waar Tob zich niet echt gelukkig mee voelde. Hij wilde heus wel doen wat hij moest doen. Maar wát dan? 'Jullie wicca's kunnen toch toveren?' opperde hij machteloos.

Nu moest Patricia heel breed glimlachen. Het leek zelfs of ze een schaterlach onderdrukte. 'Hocus-pocus is voor hen die erin geloven, maar ikzelf heb nog nooit één kikker in een prins veranderd, Tob. Wie weet, komt dat nog. Zo simpel zijn de krachten van het universum niet, maar wat ik wel weet, is dat ze er zijn en dat wij mensen er niet veel van snappen.'

Tob krabde opnieuw stevig op zijn kruin. Die rotjeuk wilde maar niet overgaan.

'Als je weer hulp nodig hebt, Tob, moet je niet hier naartoe komen, want je zult verdwalen in het bos op het landgoed.' Patricia stond op om een klein potje van een plank te pakken. Triomfantelijk haalde ze er een kleine glinsterende azuurblauwe steen uit. 'Hier. Deze steen vertelt je wat je niet begrijpt. Neem maar mee. Hij zal je eenmaal helpen.'

'Hoe dan? Ik dacht dat toverij niet bestond?' zei Tob verontwaardigd.

'Uitzonderingen bevestigen de regel,' lachte Patricia.

Tob hoorde het antwoord maar half. De jeuk werd nu zo erg dat hij nog nauwelijks een gesprek kon voeren. Het gekriebel verplaatste zich naar zijn voorhoofd. Het leek of er een spin met ragfijne pootjes liep. Hij pakte de steen aan, en op het moment dat hij die in zijn broekzak stopte merkte hij dat Patricia als gehypnotiseerd naar hem keek. Intussen veranderde de jeuk. Het was alsof iemand een gloeiende munt tegen zijn voorhoofd duwde.

Het bloed trok uit Patricia's gezicht weg. Ze werd lijkbleek, van het ene op het andere moment. 'Godhemel. Ik… ik…'

Nog nooit had Tob Patricia bang gezien, maar haar ogen stonden zo wijd en geschrokken open dat het duidelijk was dat ze iets verschrikkelijks waarnam. Haar blik was op zijn voorhoofd en ogen gevestigd. 'Wat is er?' Tobs hart ging tekeer. Wat was het dat Patricia zag? De warmte op zijn voorhoofd zakte langzaam weg. 'Wat is er nou?'

Patricia slikte een brok in haar keel weg. 'Laat maar, Tob. We zijn meer in gevaar dan ik dacht.'

'Wat zág je dan?' Tob was nu echt vreselijk bezorgd geworden. 'Wát dan?'

'Nee, niets. Beloof me dat je heel erg goed op jezelf past als je op stap gaat. Beloof me dat.'

'Best hoor,' zei Tob. Eindelijk was de jeuk helemaal verdwenen, en dat rare warme gevoel op zijn voorhoofd ook. 'Maar ik ben niet van plan weg te gaan, hoor.'

'Beloof het me nou maar,' zei Patricia ernstig en kneep haar ogen samen. 'Denk eraan, vertrouw op je intuïtie, Tob, niet op je verstand. Je verstand kan je aardig bedriegen.' Vermoeid stond ze op en zette het potje terug op de plank. 'Ga nu maar, Tob.'
Onthutst stond hij op. Antwoorden op zijn vragen had hij zo goed als niet gekregen. Patricia zadelde hem alleen maar met meer raadsels op. 'Dan ga ik maar.'
Patricia bleef bij de kast staan met haar rug naar hem toe. Secuur zette ze kleine potjes met kruiden op hun plek. 'Goed. Pakdal brengt je wel weer terug. Maak het kruis compleet, Tob!'
'Ja,' antwoordde hij bedremmeld, stond op en liep door het kralengordijn de gang weer in. Hij aarzelde of hij terug zou lopen, bleef bij de voordeur staan, maar ging uiteindelijk toch naar buiten.
Pakdal stond nog te wachten. 'Laten we maar snel teruggaan. Ik heb nog meer te doen,' zei hij chagrijnig.
Omdat Tob zich schuldig voelde dat Pakdal zijn tijd aan hem had moeten verdoen, probeerde hij een praatje aan te knopen terwijl ze terugliepen, maar Pakdal had weinig zin in geklets en snelde met zijn reuzenstappen weer voor Tob uit, terug over het slingerpad. Nog steeds kon Tob zich niet aan de indruk onttrekken dat het bos veranderd was, alleen wist hij niet hoe. Misschien waren de bomen hoger, of de struiken breder? 'Het is wel donker hier,' zei hij toen ze weer door een dichtbegroeid stuk bos struinden. Het was zijn zoveelste poging om Pakdal een reactie te ontlokken.
Abrupt hield de reus halt, draaide zich om en legde een vinger op zijn lippen. 'Stil Tobias. Luister.'
Tobias hield halt en spitste zijn oren. Hij hoorde het ruisen van de wind, en hier en daar geritsel in de struiken. In de verte sloeg de kerkklok.
'Hoor je het?' fluisterde Pakdal. Zijn spitse neus wees naar Tobias. 'Hoor je het?'

Tobias deed zijn best en luisterde nóg beter. Helaas. Hij hoorde niets bijzonders. 'Wat moet ik dan horen?'

Geërgerd strekte Pakdal zijn rug. Hoewel dat voor iemand met zijn grote lijf niet haalbaar leek, raapte hij zonder zijn knieën te buigen een wilde kastanje van de grond die nog half in zijn stekelige jasje verscholen ging. Pakdals handen leken niets van de stekels te merken, want zonder enige aarzeling legde hij de kastanje in zijn eeltige handpalm. 'Zie je wat dit is?'

'Een kastanje,' zei Tob verbouwereerd.

'Denk je dat die geluid maakt?' Pakdal hield de kastanje voor Tobs neus.

'Lijkt me niet. Ik heb nog nooit een kastanje gehoord.'

Pakdal deed een stap terug en keek Tob misprijzend aan. 'Dat wil nog niet zeggen dat hij geen geluid maakt. Jouw ervaring is niet per se de werkelijkheid, jongeman.' Pakdals diepe stem weerkaatste tegen de boomstammen. 'Het geluid dat jij net niet hoorde, hoorde ik wél. Ik zeg je, Tob, hij komt terug. En deze keer laat hij zich door niets weerhouden.'

'Wie?' vroeg Tob benauwd. 'Die koekenbakker uit de heuvels?'

Een smalend lachje klonk uit Pakdals mond. 'Spot maar niet met dat wat hij vertegenwoordigt. Hij heeft het oude Quillen vele jaren geleden in zijn bezit genomen, dat deel wat jij het doolhof noemt. Nu komt hij voor de rest.'

'Maar… moeten we niet vluchten dan?'

'Vluchten?' zei Pakdal met stemverheffing. 'Vluchten heeft geen zin. Moeten we allemaal uit Quillen weggaan? Trouwens, voor jou heeft vluchten nooit zin, Tob.'

Perplex en bang tegelijk liet Tob zijn armen langs zijn lijf vallen. 'Hoezo niet?'

'Omdat jij niet vluchten kunt. Je lot kun je niet ontlopen.' Alsof hij net de weersverwachting gemeld had draaide Pakdal zich om en volgde het pad weer.

Tob wilde niet achterblijven en rende hem meteen na. De hele weg terug naar het landhuis liet Pakdal niets meer los, totdat ze weer op het gras stonden, slechts een klein eindje verwijderd van het landhuis. De witte pilaren stonden als reusachtige grijnzende tanden tegen de muren.

Pakdal speelde met de kastanje. 'Zo, de rest van de weg terug kun je zelf wel vinden. Succes.' Spoorslags liep hij naar het voorportaal van de ingang om daaronder te verdwijnen.

Daar stond Tob dan. Verderop begon het pad dat door het kleine bos, langs een vijver met kikkers, naar de bewoonde wereld leidde. Hij hield zijn adem in en luisterde opnieuw naar de achtergrondgeluiden van de omgeving. Had hij daarstraks iets gemist? Wat voor bijzonders zou hij moeten horen? Er viel niets te horen, behalve de geluiden van de natuur of het slaan van de kerkklok.

Bij zijn voeten lag de kastanje van Pakdal. Hij hurkte en pelde het cactusachtige jasje heel voorzichtig van de vrucht af, zodat hij de glanzend bruine kastanje veilig in zijn hand kon houden. Langzaam sloot hij zijn hand en liet de kastanje in zijn vuist verdwijnen. De kastanje was warm van de zon. Raar idee dat uit zo'n ding een hele nieuwe boom kon groeien. Hij ging staan en keek naar de lucht. Intuïtie, daar moest hij het volgens Patricia van hebben. De wind waaide door zijn haren. Uit de verte, oplaaiend als een smeulend vuur, kwam een klaaglijk geluid uit de heuvels zijn kant op. Een geluid zo treurig, maar ook zo angstwekkend, dat hij het er, zelfs midden in het zonlicht, koud van kreeg. Geen moment twijfelde hij eraan dat Pakdal dát geluid bedoeld had. Het leek op het geweeklaag van duizenden zielen, verdoemd in de hel. Hij beet op zijn lip. Het geluid was fluisterzacht, maar o zo indringend. Toen, ineens, was het weg.

Aan het einde van de middag wandelde Tob met Pien en Mirte door het doolhof, het ingewikkelde stelsel van steegjes dat midden in Quillen lag, en waar ze altijd, omdat het de kortste weg naar hun school en het kerkplein met Louis' snackbar was, doorheen gingen. In de meeste steegjes kwam de zon nauwelijks. Overal waren de ramen en deuren van de uit rode bakstenen opgebouwde huizen hermetisch gesloten. Ze waren nu halverwege, en alledrie moesten ze zorgvuldig opletten de goede weg te nemen, want verdwalen was in een oogwenk gebeurd. De sfeer was zoals altijd sinister en dreigend, ondanks de eindeloze hoeveelheid bloembakken en manden aan deuren, vensterbanken en kozijnen, waarvan ze wisten dat die slechts plastic planten en bloemen bevatten. Het onberispelijke doolhof was een beangstigende wereld waar ze nog nooit een levende ziel hadden gezien. Tob had een paar keer een raam zien openstaan en water horen lopen, en ooit had hij zelfs jazzmuziek gehoord. Het doolhof deugde niet. Regelmatig hadden ze er het gevoel dat iets duivels en naars hen kon bespringen.

Ook vanmiddag waren ze blij toen het einde van het doolhof naderde. De kerkspits stak boven de rode dakpannen van de huizen uit. Het was bijna vijf uur, een tijdstip waarop een deel van de Quillense schooljeugd zich verzamelde bij Louis' snackbar.

Hoewel ze anders de onbehaaglijke rust van het doolhof graag verstoorden met hun vrolijke stemmen, hadden ze deze keer onderweg alledrie gezwegen.

'We zijn er bijna,' waagde Tob het eindelijk om de stilte te verbreken, vlak voor ze het doolhof verlieten.

Op het plein bij de kerk was weinig te doen, maar ze wisten dat ze, zogauw ze de hoek van de kerk om waren en de snackbar in het vizier zouden krijgen, het daar een drukte van belang zou zijn. Henk Malsen, de postbode met zijn blauwe pak en knalgele overhemd, fietste met zijn lege posttassen op de bagagedrager over het plein. Hij zwaaide of zijn leven ervan afhing naar de pastoor die buiten voor de kerk stond.

'Henk moet zeker een wit voetje halen voor de biecht,' spotte Pien.

'Of hij heeft te diep in het glaasje gekeken,' vermoedde Mirte. Met Tob tussen de meiden in liepen ze naar de andere kant van het plein en sloegen de hoek om. Naast de kerk lag het kerkhof, waar het graf van Tobs grootouders was, vlakbij de kerkmuur. Regelmatig ging Tob er een kijkje nemen, om de bloemen te ververzen of zomaar wat na te denken. Het was alsof zijn grootouders hem kracht en goede raad gaven, ook al waren ze dood.

De geur van patat viel op deze plaats onmogelijk te negeren, en het terras aan de overkant van de straat zat bomvol met scholieren. Tob herkende enkele klasgenoten die tegen hoge tafels leunden en daar tevreden lurkten aan een flesje cola. De neonreclame boven de etalage knipperde. Door de vettige ramen was te zien dat het binnen behoorlijk vol was.

Pien haalde uit een van haar vele broekzakken een zakje drop tevoorschijn waar ze onderweg al scheutig uit had rondgedeeld. 'Willen jullie er nog een, of straks maar?'

Mirte en Tob bedankten. 'Eerst maar eens een patatje en kijken hoe het met Louis is.' Ze staken over en slalomden tussen de tafeltjes door, af en toe groetend naar iemand die ze kenden. Leuke lui, stuk voor stuk, bedacht Tob, met één overeenkomst: dat ze over Quillen hun lippen stijf op elkaar hielden. Hij lachte naar een meisje uit zijn klas dat hij wel aardig vond en liet Pien en Mirte voorgaan, de snackbar in. Binnen draaide de jukebox muziek van Elvis, een van Louis' favoriete zangers.

Louis, met zijn vettige snor, witte mutsje over zijn glimmende haren, en smoezelige schort voor, stond achter de vitrine een paar frikadellen van ketchup te voorzien. 'Zo, een tijdje niet gezien jullie,' zei hij vrolijk en knipoogde. 'Geen honger gehad?'

Ze gingen achter de mensen staan die op hun beurt stonden te wachten. Louis' assistent had het druk met het opnemen van de bestellingen, vooral omdat Louis geen aanstalten maakte om hem te hulp te komen. Louis veegde zijn handen af aan een doek, riep tegen een paar klanten 'Ik kom zo bij jullie,' en liep om de counter heen. 'Zullen we daar even gaan zitten?' stelde hij voor en wees naar een tafeltje aan de wand dat net vrij was gekomen. 'Je kijkt wat bedrukt, Tob.'

'Klopt,' knikte Tob. 'Vandaag is de herfst begonnen.'

'Nou en?' lachte Louis niet-begrijpend. 'Wat dan nog?'

'Patricia zegt dat we ellende kunnen verwachten.'

'Patricia? Die is gek!' riep Louis uit en draaide een punt aan een pluk haar die onder zijn mutsje uit stak. Uit zijn zak haalde hij een grote buil tabak, waarna hij een sjekkie begon te draaien. 'Je denkt toch niet dat het terugkomt?'

'Jij weet er meer van, Louis?'

Louis schudde zijn hoofd. 'Ik woon in Quillen, ik leef in Quillen, ik werk in Quillen. Horen, zien en zwijgen, dat is mijn devies.' Besmuikt keek hij naar een hoek in de zaak waar de jukebox stond. 'Ik heb mijn portie wel gehad.' Zich met de handen afzettend aan de tafel stond hij weer op. 'Ik moet verder, want mijn assistent krijgt een rode kop van de drukte. Alledrie patat met?'

'Graag,' balkten ze tegelijk.

Louis grinnikte. 'Vandaag op kosten van de zaak. En jij moet beslist wat vrolijker kijken, Tob.' Hij zette zijn mutsje recht, liep terug naar zijn plek achter de counter, nam een nieuwe bestelling op en mikte een lading koude kroketten en patat in het frituurvet. De uit de olie opstijgende damp werd maar gedeeltelijk door de afzuiginstallatie opgeslokt.

'Zullen we buiten gaan zitten? Ik vind het behoorlijk benauwd hier,' zei Tob, zodra hij zag dat er buiten een tafel vrij kwam. Zonder op een antwoord te wachten, stond hij op en holde naar buiten, waar hij nog net een jongen en een meisje, die het ook op het tafeltje gemunt hadden, voor was. Met een grijns zakte hij neer. 'Jullie mogen er wel bij komen, hoor.'

'Nee dank je,' zei de jongen. 'We zitten liever met zijn tweeen.'

'Oké,' zei Tob, die daar op gerekend had. Hij strekte zijn benen.

Eigenlijk had hij ook nog wel een colaatje gelust. Op zo'n snertdag als deze moest hij zichzelf tenslotte een beetje verwennen. Waar bleven Mirte en Pien nou? Reikhalzend keek hij naar de ingang. Daar zou je ze hebben! Mirte had een dienblad in haar hand met bakjes patat erop, en drie flesjes cola. Lachend kwamen ze naar hem toe en zetten de spullen op tafel.

'Je zit te kwijlen als een hond,' zei Mirte, pakte een stoel en zakte, evenals Pien, neer.

'Je had mijn gedachten zeker gelezen,' zei Tob.

'Daar zou je wel eens gelijk in kunnen hebben,' zei Pien voor de grap.

Mirte stond op en schoof een vierde stoel bij de tafel. 'Maxxi wil er onderhand ook wel eens bij zitten.'

'Sorry,' zei Tob die, met zijn vingers etend, op zijn patatje aanviel. 'Moet ze niks eten?'

'Maxxi heeft geen honger,' zei Mirte en prikte een vorkje heel beschaafd in een patatje. 'Lekker!'

'Zou je ons onderhand niet eens vertellen hoe het bij Patricia was?' verweet Pien hem. 'We branden van nieuwsgierigheid.'

Dat was waar ook. Tob had zich voorgenomen hen bij de snackbar alles uit de doeken te doen. 'Goed dan. Ik moest dus met Pakdal meelopen naar het werkhuis van Patricia en er binnengaan. Toen…'

Vanaf het kerkplein naderde het doordringende geknetter van een scooter. Verstoord keek Tob op en zag een knalgele scooter om de hoek komen. Een knaap met een grote zonnebril hing half over het stuur om snelheid te winnen. Niet veel later, een rubberstreep over de klinkers trekkend, kwam de scooter piepend bij hen tot stilstand.

'Muzak!' riep Tob opgetogen. 'Eindelijk ben je er. Waar bleef je?'

Muzak, gestoken in een oversized shirt en broek, zette zijn zonnebril op zijn voorhoofd en stapte af. 'Weertje, hè? Ben ik op tijd voor de patat?'

'Eigenlijk niet,' oordeelde Pien streng. 'Maar je mag er een paar van mij hebben, tenzij je zelf gaat halen.'

Muzak rommelde aan de discman die aan zijn broekriem hing en stak een oortelefoontje in zijn oor. 'Ik ga wel even zelf halen. Lijkt me beter.' Hij slenterde de snackbar in. Ze hoorden hem binnen tegen Louis praten, en na een paar minuten kwam hij de deur weer uit met zijn eigen portie patat en een flesje cola. Grijnzend zette hij er nog een stoel bij. 'Hoi Maxxi, alles kits?' zei hij eerst, om vervolgens Tob aan te kijken. 'Jezus man! Wat zit jij *muddy* voor je uit te staren.' Hij haalde het oortelefoontje uit zijn oor en zette zijn discman uit.

Tob veerde op. 'Keek ik zó bezorgd?' Hij schoof zijn bakje patat van zich af. 'Ik wou net gaan vertellen wat ik vanmiddag bij Patricia heb gedaan, maar laat ik speciaal voor jou álle gebeurtenissen van vandaag nog maar eens op een rij zetten.'

En hij begon te vertellen, terwijl de anderen hun patat verorberden. Toen hij klaar was, hadden ze hun eten op, en was zijn eigen patat koud. Hij haalde zijn bakje naar zich toe en prikte er een patatje uit. Het smaakte niet echt lekker meer.

'Zo, stug verhaal, moet ik toegeven,' zei Muzak. 'En die luizen op je hoofd, zijn die nu weg?'

'Het waren geen luizen,' antwoordde Tob ijzig. 'Het was jeuk binnen in mijn hoofd.'

'Zo zo,' dacht Muzak na en inspecteerde Tobs gezicht. 'In ieder geval schijn je last van puberpukkels te krijgen op je voorhoofd.'

Verbaasd voelde Tob aan zijn hoofd. Precies op de plek waar hij dat branderige gevoel had gehad, was een puistje verschenen. Het deed geen pijn als hij erop drukte, maar voelde een beetje koud aan. 'Fijn hoor,' schamperde hij. 'Dat heb ik nog nooit eerder gehad.'

'Nee, dán ik,' lachte Muzak. 'Een keer een steenpuist op mijn achterwerk. Allemachtig, wat deed dat pijn. En...'

'Spaar me de details, alsjeblieft,' onderbrak Pien hem. 'Denk liever met ons mee. Waarom is Tobs vader weer vertrokken, denk je?'

'Omdat hij daarmee zijn brood verdient.' Muzak keek de tafel rond. 'Of niet soms?' Hij verschoof op zijn stoel en zette zijn ellebogen op tafel. 'Kijk niet zo boos. Ik maak me heus wel zorgen over de situatie, hoor. Het is natuurlijk fijn dat iedereen Tob waarschuwt, maar het zou ook wel fijn zijn als we wisten wat we eraan moeten doen. Want voor Tob is het knap lastig dat hij die rare geluiden in zijn hoofd hoort. Dat gezang uit de heuvels lijkt me *pretty scary*.'

'Mij ook,' beaamde Mirte. 'Zullen we eens een stukje in de richting van de heuvels gaan? Jij met je scooter, en wij met de bakfiets?'

'Toppie,' sprong Muzak enthousiast op. 'Als jullie nou bij Pien de bakfiets gaan oppikken, zie ik jullie bij de uitvalsweg naar de heuvels. Ik moet nog wat cd'tjes regelen bij een winkel die kant op, dus dat komt goed uit.'

Met een lusteloos gebaar stond Tob op. 'Of het zin heeft, weet ik niet, maar goed, kijken kan geen kwaad.'

'Precies,' zei Pien. 'Misschien komen we wat meer te weten als we de heuvels van dichtbij zien.'

Een jongen uit hun klas passeerde toevallig en hoorde wat Pien zei. 'Zeg, de heuvels is verboden gebied, hoor.' De verontwaardiging droop van zijn opmerking af.

Betrapt keek Pien naar de grond. 'Ik maakte maar een grapje, hoor.'

'Ik hoop het, want je krijgt een flinke bekeuring als je door de politie gezien wordt,' zei de jongen.

'Maak je niet druk. Het is veel te ver weg, toch?'

'Dat is waar.' Zo te zien tevreden met het antwoord, verdween de jongen in de snackbar.

'We moeten wel een beetje opletten wat we zeggen,' zei Pien. 'De muren en straten hebben hier oren.'

Ze stonden op en overlegden nog even. Daarna gooiden ze hun afval in de bak, groetten Muzak en lieten hem op zijn stoel achter. 'Toedoe,' riep hij nog achterovergeleund. 'Tot *subito*.'

Ze staken de straat over en wandelden via het doolhof terug naar hun huis. Doordat ze voortdurend om de beurt het hoogste woord voerden, merkten ze niets meer van de vreemde sfeer die hen op de heenweg parten had gespeeld.

Eerst haalden ze bij Pien de bakfiets op, waarna Tob de eer had te mogen fietsen met de meiden in de bak voor zich. Ze fietsten langs het huis van Mirte, dat langs de ringweg, tussen Tobs huis en het landgoed lag, en vonden de afslag naar het noordwestelijke buitengebied. De weg naar de heuvels was een niet al te brede stoffige klinkerweg waar op sommige plaatsen meer gaten in zaten dan in een stuk Emmentalerkaas. Om er te komen moesten ze tussen twee huizen door rijden. Net nadat de klinkerweg begon en ze de laatste woningen waren gepasseerd, hoorden ze het geknetter van Muzaks scooter achter zich. Tob, behoorlijk nat van het zweet omdat de meiden in de bak, ook al waren ze niet dik, heel wat kilo's vertegenwoordigden, vond het een mooie gelegenheid om even uit te rusten.

Muzak kwam langszij en stopte. Zijn zonnebril rustte op zijn neus. 'Zo, stoffige boel hier.'

Tob wiste het zweet van zijn voorhoofd. 'Ik ga helemaal kapot, man. Wat voor zin heeft dit allemaal? Die bergen zijn echt veel te ver weg. Dat halen we nooit voor het donker.' Om zijn woorden te onderstrepen wierp hij een wanhopige blik naar de Zeven Heuvels.

'Hé watje!' plaagden Mirte en Pien in de bak, wat Muzak aan het lachen maakte. Hij spotte: 'Nog een klein stukje, pipo. Ik wil gewoon even poolshoogte nemen richting heuvels. Kijk!' Uit een zakje dat aan zijn stuur hing haalde hij een verrekijker. 'Dit helpt misschien ook.'

'Oké,' gaf Tob met tegenzin toe. 'Nog een klein stukje dan.' Om de fiets weer op gang te krijgen ging hij op de pedalen staan, en pas door zijn volle gewicht in de strijd te gooien kwam er weer beweging in. Gelukkig hielp Muzak door met een hand aan de zijkant van de bak mee te duwen, intussen met zijn andere hand gas gevend. Wolken stof kolkten vanonder de bakfiets omhoog. Scherpe zandkorrels waaiden in Tobs ogen, die ervan begonnen te tranen.

'Red je het verder?' Muzak stak een duim op, gaf gas, passeerde de bakfiets en stoof voor hen uit een zandpad in.

Ze reden door een soort plantaardige gang met de hemel als plafond. Links en rechts staken maïsstengels met hun kolven metershoog in de lucht. De stank uit Muzaks knalpijp bleef er hangen. Na pakweg honderd meter merkte Tob dat de weg iets omhoog ging, en ze belandden even later tussen de weilanden. Voor hen slingerde de weg zich naar de horizon, om daar ergens bij de heuvels uit te komen. Muzak was een flink stuk vooruitgereden, stopte en zwaaide in de verte naar hen. Vrolijk zwaaiden Mirte en Pien terug, maar Tob had het even gehad. Zijn benen begonnen te verzuren, en iedere nieuwe pedaalslag leek dubbel zoveel energie te kosten. 'Ik moet even uitrusten, meiden,' verontschuldigde hij zich en hield aan de kant van de weg halt.

'Kijk,' wees Mirte naar een hobbelig zandpad dat naar een klein bos leidde. 'Aan het eind daarvan woonde meneer Vugt.' Tob voelde zijn benen haast niet meer. Was dat pad hier? Nog maar al te goed kon hij zich herinneren hoe ze van de zomer bij hun leraar geschiedenis, meneer Vugt met zijn rommelige baard, op ziekenbezoek waren geweest. Tijdens hun bezoek was hij in zijn achterkamer van zijn tuinhuis in een groot donker gat verdwenen, zomaar in het niets, waarna ze moesten vluchten en het tuinhuis explodeerde. Diezelfde meneer Vugt had hem van de zomer uiteindelijk uit de klauwen van de kwade krachten gered in het huis van Patricia, toen hij in de val was gelokt. Tob huiverde. 'Ik vraag me af waar meneer Vugt nu is.'

'In de hemel, denk ik,' zei Pien nuchter en keek naar de heuvels. 'Ik zie weinig bijzonders aan die heuvels, behalve dat

ze altijd weer hoger lijken te zijn dan ik in mijn hoofd heb.'
Tob zette zijn blik op scherp en monsterde de kale toppen,
waaromheen zich donkere nevelflarden verzameld hadden. 'En
ik vraag me af of we onze tegenstander daar kunnen vinden.'
'Wie? Die man met zijn duivelse krachten?' Pien liet een schamper lachje horen. 'Ik moet het nog zien of hij zoveel macht
heeft. Volgens mij…' Ineens viel ze stil.
'Wat wou je zeggen?' vroeg Tob.
'Niets. Ik voel me een beetje draaierig.'
Inderdaad werd ze een beetje bleek. 'Heb je iets verkeerds
gegeten?' Tob bekeek Pien met een doktersblik.
Ze schudde haar hoofd.
Mirte tuurde nog steeds onderzoekend naar de heuvels en zei:
'Wat zeg je Maxxi?'
'Ik wist niet dat die erbij was,' zei Tob.
'Ze wilde ook liever niet mee, maar ik stond erop.' Mirtes
neus wipte op en neer. 'Meen je dat nou, Maxxi?' Ze draaide
haar gezicht met een oor naar de plek toe waar haar onzichtbare vriendin zich bevond. Met een ruk keek ze weer naar de
heuvels. 'Maxxi wil weg. Ze wil terug! Ze is bang dat ons iets
overkomt,' riep Mirte uit.
Het bracht Tob van zijn stuk. Moesten ze eigenlijk wel doorfietsen? Was dat wel verstandig? Boven de heuvels installeerde
zich wonderlijk snel een tros donkere onweerswolken, alsof
een landschapsschilder ze met enkele streken van zijn penseel had neergezet. Als Tob heel goed naar de hoogste heuvel
keek, zag hij een inktzwart wolkje dat er even daarvoor nog
niet was geweest. Bedotten zijn ogen hem nou, of werd het
groter? '*Shit*!' riep hij uit. Daar was het geluid weer, zomaar
ineens, die helse klagende stemmen die door merg en been
gingen, die iedere vezel van zijn lijf vervulden met afkeer en
angst. 'Horen jullie dat?' Hij stopte zijn vingers in zijn oren.
Twee paar verwonderde ogen keken hem aan. 'Wat?' ·
'Laat maar.' Het geluid stierf gelukkig langzaam weg.

Opgelucht liet hij zijn handen weer op het stuur zakken. 'Ik ben geloof ik de enige die het hoort.' Hij werd afgeleid door iets dat in de verte op de weg gebeurde. Tweehonderd meter voor hen was Muzak met zijn scooter omgekeerd en gebaarde dat ze snel terug moesten gaan. Pien en Mirte kregen ook in de gaten dat er iets aan de hand was.

'Hij wil dat we omkeren,' zei Pien tegen Tob, terwijl ze uit de bak sprong en begon te duwen. 'We zullen je helpen, want ik geloof dat het haast heeft.'

Meteen ontwaakte Tob uit zijn gepieker. 'Muzak doet inderdaad behoorlijk paniekerig,' oordeelde hij, gooide zijn stuur om en duwde op de trappers.

Mirte wipte ook uit de bak en begon mee te sjorren. 'Belachelijk dat je blijft zitten, Maxxi. Zo moe kun je niet zijn!' zei ze bestraffend.

Het zou Tob worst wezen. Het was duidelijk dat ze snel weg moesten. 'Duwen!'

De draaicirkel van de bakfiets was te groot voor de weg. Ze moesten een keer insteken, en nog een keer, voor de neus de andere kant op wilde.

Het gesputter van Muzaks scooter naderde. Ze hoorden hem roepen. 'Terug! Ze komen eraan!'

'Opschieten!' krijste Tob en stampte op de trappers. Eindelijk kwam de fiets in beweging. Mirte en Pien duwden ieder aan een kant mee om de vaart er in te krijgen. De maïsvelden, waar ze zich konden verbergen, hadden ze verder achter zich gelaten dan ze gehoopt hadden. Daar was Muzak op zijn scooter. Met een strak gezicht hield hij naast Tob in, gaf toen kort gas, zette een hand tegen een hoek van de bak en duwde ijverig mee. 'Ik weet niet wat het is, maar er komt iets aan dat ons niet goed gezind is.'

'Waar dan?' riep Tob. Zijn longen leken uit elkaar te klappen.

'Ver weg, daar waar de weg de voet van de heuvels bereikt, zag ik een stofwolk die onze kant op komt, en ik ving iets kwaadaardigs op, een gedachte, of een beeld, ik weet het niet, maar we moeten het niet tegenkomen.'

Tob hoestte van de uitlaatgassen. Achter hen, aan de horizon, groeide een snorrend geluid. Hij keek om en zag de stofwolk die Muzak beschreven had. Het was nog een eind weg, maar naderde met hoge snelheid. 'Wie is het dan denk je?' schreeuwde hij.

'Geen idee,' riep Muzak terug, boven het geknetter van zijn scooter uit.

'Au!' Mirte had haar scheen gestoten aan een trapper van de bakfiets en hinkte kermend over de weg. 'Ik kan niet meer staan!'

'Ga maar in de bak zitten. We redden het wel,' zei Muzak optimistisch.

Mirte slingerde haar bovenlijf over de rand, zwengelde haar benen naar binnen en ging met een van pijn vertrokken gezicht zitten, haar handen om haar bezeerde scheenbeen geslagen. De tranen stonden in haar ogen.

Tob had de gelegenheid niet er veel aandacht aan te besteden. Ondanks zijn inspanningen leken ze nauwelijks vooruit te komen. Weer keek hij over zijn schouder. De wolk kwam razendsnel hun kant op. 'Zet hem op!' riep hij naar Pien, die met een knalrode kop ook haar laatste krachten verbruikte om de fiets naar het maïs te krijgen.

Muzak gaf wat gas bij, een handeling die effect had. Met een ruk schoot de fiets vooruit, en bijna struikelde Pien tegen de grond. 'Kijk uit, joh!' riep ze pissig, maar grijnsde toen: 'We gaan het halen!'

Inderdaad bleken ze hun doel op tijd te bereiken. Ineens fietsten ze weer tussen het maïs. Het probleem was nu waar ze hun bakfiets konden verbergen. Zijzelf konden zich tussen het maïs verstoppen, maar degene die naderde zou ongetwijfeld op onderzoek uitgaan als ze de bakfiets op het pad achterlieten. Muzak keek uiterst ongerust over zijn schouder naar de naderende stofwolk.

'Tien meter naar rechts,' riep Pien dromerig. 'Tien meter naar rechts.'

Met opgetrokken wenkbrauwen keek Tob de weg af waar, afgezien van wat groot uitgevallen grintkeitjes, niets bijzonders te zien was, maar hij ramde extra hard op de pedalen. Zonder twijfel had Muzak het niet voor niets het op zijn heupen gekregen. Tot zijn verbazing zat er precies tien meter verder een dunne plek in het maïs. Pien had het goed aangevoeld.

Muzak zette zijn scooter halt, stapte stijf van het duwen af en trok een paar stengels opzij. Een grote open ruimte, zomaar tussen het maïs, werd zichtbaar. 'Vlug hierin.'

Kreunend klom Mirte uit de bak en begon de anderen te helpen, zo goed en zo kwaad als dat ging, om de bakfiets langs de maïsstengels in de open plek te duwen. Het geluid achter hen zwol aan tot een harde gromtoon, het was nog een kwestie van seconden.

Om niet met de fiets in de zachte berm weg te zakken, stapte Tob af en plaatste zijn gewicht tegen het stuur en zadel.

'Vlug. Het is iets heel boosaardigs dat eraan komt, zegt Maxxi,' zei Mirte compleet in paniek.

Krakend hobbelde de bakfiets over de taaie, half omgebogen stengels de akker in. Muzak waagde zich met een snoeksprong weer de weg op om ook zijn scooter in veiligheid te brengen. Met zijn vieren duwden ze de stengels weer zo goed mogelijk in hun oude positie terug, waarbij ze hun handen openhaalden aan de scherpe vezels. Ze waren nu omgeven door de hoge akkerbegroeiing. Het gebrom was sterker geworden, en ze hadden geen seconde later moeten zijn, want daar was het geluid aangekomen op de plek waar zij zich zo-even nog bevonden. Hijgend zakten ze door hun knieën, zich verbergend achter de dunne haag van maïsstengels langs de weg.

Zonder enige aanleiding stopte het doordringende bromgeluid en veranderde in een zacht gezoem dat aan een stilstaande auto deed denken.

Tob zat dicht tegen Mirte aangedrukt. Hij voelde haar beven.

Heel even kneep hij in haar arm om haar gerust te stellen. Ze hijgde. Haar borst ging snel op en neer.

Muzak zat aan de andere kant van Mirte met Pien naast zich. Ze hadden geen idee wat zich op de weg bevond. Opnieuw voelde Tob de nabijheid van een duistere invloed.

Er klonk een klik, iemand deed een portier open.

Tob dook nog dieper weg. Hij liet zijn ogen langs de stengels voor hem glijden, schoof behoedzaam naar links, toen naar voren en vond een klein gaatje waar hij net doorheen kon kijken. Op de weg zag hij de neus van een grote zwarte limousine met zwarte ramen. Meer kon hij niet zien.

Pien trok hem opeens terug en stuurde een boze blik in zijn richting. 'Ben je gek geworden,' articuleerde ze met haar lippen zonder geluid te maken.

Mirte hield haar handen voor haar ogen.

Tob bewoog geen millimeter meer. Heel zacht klonken er voetstappen. Hij rook de vieze geur van rottende eieren. Aan de andere kant van het maïs bevond zich geen mens, nee, het was iets anders, iets wat niet te benoemen was. Plotseling galmde een diep gegrom over het maïs, alsof er een roofdier over de weg liep. De voetstappen kwamen hun kant op, dichter- en dichterbij. Tob hield het bijna niet meer van de zenuwen. Nog een kwestie van meters. Toen was het ineens stil.

Onverwacht ging er een tweede autoportier open. Tob kon zich niet langer inhouden en loerde, ondanks de stompen die Pien hem gaf, weer door het gaatje. Hij kreeg zicht op een chauffeur met een pet op.

'Zal ik omkeren, meneer?' vroeg de chauffeur aan iemand.

Niemand gaf antwoord. De chauffeur liep om de auto heen en liet buiten beeld iemand instappen. Het portier klapte dicht. Daarna verscheen de chauffeur weer en nam achter het stuur plaats. De deur ging dicht, en aarzelend reed de auto achteruit het pad af, inmiddels uit het vizier van Tob. Niet veel later hoorden ze de motor met tussenpozen loeien.

'Hij is aan het keren op de weg,' fluisterde Muzak. 'Volgens mij is hij gedraaid.'

Inderdaad hoorden ze de auto optrekken, waarna het motorgeluid langzaam wegstierf.

Met zijn allen tegelijk haalden ze gierend verse lucht binnen, zo lang hadden ze niet vrijuit durven ademen.

Muzak strekte als eerste zijn lijf. 'Wie was dat?' Er stonden rode vlekken van de spanning in zijn nek.

'Iemand uit de bergen, zou je zeggen,' zei Pien, aarzelend overeind komend. 'De man van het kwaad?'

Tob ging, tegelijk met Mirte, nu ook rechtop staan. Door de maïsstengels opzij te buigen kon hij weer de weg op stappen. De bandensporen van de auto waren op de ondergrond achtergebleven, met ertussenin een kleverige zwarte olievlek. 'Er zat rotzooi aan de onderkant van de auto, of hij lekte misschien. En kijk eens naar die vreemde ingebrande sporen in de weg. Het lijkt wel of de banden gloeiendheet waren!'

'Dat zwarte spul?' vroeg Muzak die zich bij Tob had gevoegd. Tob boog zich over de pekachtige vlek in het wegdek. Aan de randen ontstonden er regenboogachtige verkleuringen, maar dat was niet wat het meest zijn aandacht trok. Nee, veel meer waren het de kleine rode druppels die rondom de plek lagen. Was het bloed? Het leek zo. Waar kwam het vandaan?

'Is er iets?' vroeg Pien die als een kangoeroe uit het maïs tevoorschijn sprong, elegant gevolgd door Mirte.

'Nee, niets,' loog Tob. 'Ik bestudeerde alleen deze vlek maar. Zullen we verder gaan? Ik denk dat Maria het eten wel klaar heeft als we terug zijn.'

'*Yep*,' zei Muzak. 'Eerst onze vervoermiddelen weer op de route zetten, en dan wegwezen.' Hij ging terug naar zijn scooter in de akker en duwde die de weg op. Daarna trok hij met Tob de bakfiets weer in het goede spoor.

Tob knipoogde vrolijk naar Pien, hoewel hij daar eigenlijk helemaal niet in de stemming voor was. 'Dat liep maar net goed af,' zei hij.

'Ja,' fronste Pien. 'Dat kun je wel zeggen.'

Bezorgd nam Tob de nog natrillende Mirte stiekem op en blikte vervolgens naar de bergen aan de horizon. De kleine zwarte wolk was er nog steeds.
'Maxxi wil naar huis,' sprak Mirte klaaglijk.
Tob knikte stuurs en zuchtte. 'We gaan terug.'

2

'Tob, er is bezoek voor je!'
Veel te vroeg werkten de zonnestralen zich langs de gordijn-
randen Tobs slaapkamer in. Maria had haar hoofd om de deur
gestoken. 'Tob, er is bezoek voor je. Een meneer Wiets of
zoiets.'
'Meneer Wiets?' Slaperig ging Tob rechtop in bed zitten en
wreef zijn ogen uit. Zijn oogleden plakten nog van de slaap.
'Ik geloof niet dat ik die ken.'
Maria zette een voorzichtige stap de kamer in, aarzelde, maar
liep toen door naar het raam om de gordijnen open te doen.
Gulzig stroomde het licht nu de kamer in. Met toegeknepen
ogen keek Tob naar Maria. 'Is die man er nog?'
'Hij staat beneden in de gang te wachten,' zei Maria. 'Het
heeft iets te maken met wat je vader hem had opgedragen.'
Tob werd nu echt verbaasd. Zijn vader had het nooit over een
meneer Wiets gehad. 'Ik kom eraan.'
'Mooi,' knikte Maria en liep de kamer uit, niet voor ze met
haar wijsvinger had gecheckt of er stof op de bovenkant van
de deur lag. '*Magnifico*! Hier moet gewerkt worden,' riep ze
uit terwijl ze de trap af ging.
Tob glipte snel met zijn voeten in de gympen die hij onder
zijn nachtkastje vond en trok zijn pyjamajasje recht. Misschien
zou hij zich eerst moeten aankleden? Daar was geen tijd voor.
Dan maar in zijn pyjama de trap af. Nog duizelig van de slaap
hield hij zich goed vast aan de trapleuning. Beneden aan de
trap stond een onbekend mannetje met Maria te praten. Toen
ze Tob hoorde aankomen keek Maria naar boven en riep: 'Daar
is *il signore*.'
'Niet zo netjes, Maria, ik heet gewoon Tob, hoor,' zei Tob nog
voor hij beneden was.
Met een zeker ongeduld schudde Maria haar hoofd. 'Hier is

de meneer. Lust je zo gebakken eieren?'

'Alweer?' Tob voelde aan zijn buik of die daar tegen kon. 'Ach ja, dat is wel lekker.'

Maria maakte een knikje door haar knieën en liep weg de keuken in. Tob schaamde zich een beetje voor de situatie. Voor zijn gevoel was Maria geen dienstmeid. Waarom deed ze dan zo gedienstig als er vreemd bezoek was? Hij zou die Quillenaren wel nooit helemaal doorgronden.

Intussen, terwijl Tob de laatste treden nam, draaide in de gang een klein mannetje met een kaal hoofd zich naar Tob toe. Hij droeg een donker pak met een ruiten vest, een wit overhemd met een rood strikje en bruine leren gaatjesschoenen. Op zijn gladgeschoren gezicht, dat vol zat met kleine rimpeltjes, verscheen een grote glimlach. 'Meneer Tob Timp?' informeerde hij met een zangerige stem die in de diepte een klein beetje kraakte.

Tob stapte de gang in en stak zijn hand uit. Het mannetje beantwoordde de groet door Tobs arm als een pomp heen en weer te zwengelen, zeker een halve minuut lang. 'Als ik me even mag voorstellen: mijn naam is Xander Vlemitz.'

'O,' zei Tob verbouwereerd door de warme begroeting. 'Het spijt me dat ik het zo zeg, maar ik ken u helemaal niet.'

'Tuurlijk niet,' glom het mannetje. 'Dat kan ook niet. Maar ik ken jou wel, Tob.'

Argwanend nam Tob het mannetje op. Hij had wat weg van een kobold, zoveel kleiner dan Tob was hij, en zijn bewegingen waren vlug en energiek. 'Maria zei dat mijn vader u gestuurd had?'

Eindelijk liet Vlemitz Tobs hand los. 'Klopt. Helemaal juist. Correct.' Hij haalde adem voor een nieuwe zin. 'Dat heeft ze juist overgebracht. Ik woon in het dorp, weet je, en je vader wilde dat er iets aan je culturele opvoeding gebeurde, want je weet hoe dat gaat met de jeugd van tegenwoordig. Cultuur is een vies woord. Nee, liever brengen ze hun tijd door achter de computer en…'

'Ik heb niet eens een computer. Dat wil zeggen: hij is stuk.'
Vlemitz sprak sneller dan Tob kon verwerken. 'Maar wacht
eens even. Wat wilde mijn vader dan precies?'
'Uw vader? Tja, dat kan maar een ding zijn als hij bij Xander
Vlemitz terechtkomt.' Op Vlemitz' lippen verschenen kleine
schuimige belletjes van het enthousiasme waarmee hij sprak.
'Hij heeft u er niets van verteld, begrijp ik, gezien uw reactie, en gezien het feit dat u nog in bed lag. Ik heb toch duidelijk met hem afgesproken, dat…'
Het duizelde Tob. Deze breedsprakige meneer wist werkelijk
van geen ophouden. Bovendien was Tob nog moe van gisteren. Zijn kuitspieren voelden aan als stugge kabeltouwen. Zo'n
bakfiets was maar een onding. 'Ik eh…' onderbrak hij Vlemitz,
'ik eh… moet me eerst even aankleden.'
Vlemitz viel stil. Zijn lippen gingen geluidloos op en neer, en
kozen uiteindelijk voor een minzaam glimlachje. 'Natuurlijk,
zoals je wilt.'
Alsof Maria het aanvoelde zwaaide de keukendeur open. 'Kan
ik meneer een cappuccino aanbieden in de tuin?'
'Graag, heel graag zelfs,' reageerde Vlemitz opgetogen en zette
onmiddellijk koers naar Maria, die al stond te wachten om
hem naar de tuin te begeleiden.
Eindelijk rust. Tob zuchtte. Wat een excentriekeling was die
Vlemitz. Maar hij was desalniettemin wel benieuwd wat die
met zijn vader had afgesproken. Tree voor tree ging hij de
trap op. Zijn benen begonnen heel langzaam wat soepeler te
bewegen. In de badkamer haalde hij snel een washand over
zijn gezicht, waarna hij op zijn kamer een fris T-shirt en een
spijkerbroek aantrok. Zijn oude gympen hield hij maar aan,
besloot hij, nadat hij een paar blauwe badstof sokken met gaten
had aangetrokken. Zittend op zijn bed wierp hij een blik naar
buiten. De kerkklok van Quillen wees bijna tien uur aan. Normaal
gesproken was hij op zondag dan toch al een uur of twee uit
de veren. Wat een toestanden allemaal. Gistermorgen was er
nog niets aan de hand, en een dag later was er van alles gebeurd,

was zijn vader de hort weer op, en stond er een volslagen onbekende op de stoep. Hij kreunde. Waarom had hij in hemelsnaam ooit aan Pakdal en Patricia beloofd zijn opdracht in Quillen af te maken? Hij kon zichzelf wel voor zijn hoofd slaan!

Mopperend stond hij op, ging naar beneden en liep de keuken in. Aan het fornuis stond Maria eieren te bakken. In de oven pronkten goudbruine croissants die bijna klaar waren.

'Meneer zit buiten te wachten,' zei Maria.

'Ken je hem?' vroeg Tob.

'Nooit gezien, nooit van gehoord,' zei Maria. Of ze nou loog of niet, dat bleef in het midden. Quillenaren waren heel goed in het ontwijken van vragen, en als het zo uitkwam zeiden ze maar wat.

'Ik zal maar eens naar hem toegaan,' mompelde Tob.

Maria zwaaide met een spatel door de lucht. 'Doe maar. Hij heeft al wat te drinken gekregen. Ga maar gauw.'

Maria had de man vast ook een stuk van haar onovertroffen tiramisu aangeboden, een van de vele specialiteiten die ze maakte en waar ze de avond tevoren mee bezig was geweest.

Zich op zijn hoofd krabbend beende Tob de keuken uit, het terras op. Op zijn voorhoofd voelde hij nog steeds dat puistje zitten. Sinds gisteren was hij er nog niet eens aan toegekomen zichzelf goed in de spiegel te bekijken. Heel even meende hij die rare kriebel onder zijn hoofdhuid weer op te voelen komen. Hij liep de terrastrap af naar Vlemitz toe, die op zijn gemak aan de tuintafel hapjes schuim van zijn cappuccino nam en inderdaad voorzien was van een stuk tiramisu. Hij zat met zijn rug naar Tob toe, maar door zijn schouders trok een soort siddering zodra Tob het gras betrad. 'Daar ben je weer,' riep hij, zonder een poging te doen om zich om te draaien. 'Kom erbij zitten, dan kan ik je een en ander uitleggen.' Vlemitz' kalende hoofd glansde in de zon.

'Ik kom eraan, ja,' zei Tob verwonderd, zich meteen naar Vlemitz haastend. Hij liep om de tafel heen, zodat hij Vlemitz weer

helemaal in beeld had, en ging zitten. 'Daar ben ik dan.'
'Ik zie het,' grijnsde Vlemitz. Met een pedant gebaar trok hij zijn strikje recht. 'Fijn dat ik even mocht wachten.'
'Het was nogal dringend, geloof ik?' zei Tob ijzig, want hij vond meneer Vlemitz op het eerste gezicht niet erg sympathiek.
'Ach, wat heet dringend,' zwakte Vlemitz af. 'Je kunt beter zeggen dat het enig belang heeft, meer niet. Toch heeft uw vader me afgelopen week, toen ik hem toevalligerwijze in het stadhuis tegen het lijf liep, expliciet gevraagd een afspraak met u te maken, om redenen die ik onder aan de trap al uitlegde. En om een en ander niet onnodig te verlengen, en teneinde een lang verhaal iets minder lang te maken, zou ik graag willen weten wanneer we onze eerste afspraak kunnen maken.'
Opnieuw had Tob moeite de woordenstroom te volgen. Wat een ouwehoer was die Vlemitz! 'Een afspraak? Waarvoor?'
Vlemitz sneed met een mesje minstens de helft van de tiramisu af, prikte het aan zijn vorkje en propte het in zijn mond, op een onbeschofte manier die je niet van hem verwachten zou. 'Mja, heerlijw, heerlijw, momew, je begwij miewien da hew zeew moelijw is te pwaten.'
Zijn wangen puilden uit, maar gelukkig had hij wel het fatsoen zijn mond dicht te houden als hij at. Dat ontbrak er nog maar aan. Tob leunde achterover en wendde zijn ogen af, geduldig wachtend tot de kobold weer in staat was om te praten.
'Je weet nóg niet waarvoor ik kom? Natuurlijk! Dat had ik je nog moeten zeggen.' Vlemitz depte zijn lippen met een zakdoek die zo wit was dat het pijn aan je ogen deed. 'Ik kom voor de pianoles.'
Tob schoot overeind en verslikte zich in zijn woorden. 'De… de… piona… pianoles?'
'Je bent verbaasd, zie ik.' Vlemitz liet de helft van zijn cappuccino naar binnen golven. 'Ach, wat een toestand. Je vader vindt dat je eens wat aan cultuur moet doen.'

'Zo, vindt hij dat.' Tob liet zich in zijn stoel terugvallen. 'Ik heb van mijn leven nog nooit piano gespeeld.'

'Precies. Daarom juist.' Vlemitz stak een belerend vingertje op. De rimpels in zijn gezicht leken voortdurend te bewegen, zelfs als hij niet sprak. 'Daarom natuurlijk. Voor je het weet word je zo'n cultuurbarbaar die Mozart niet van Bowie kan onderscheiden.'

'Bowie?'

'Kijk, zelfs dát is al een probleem.' Daar ging de laatste helft van de tiramisu. Kauwend en slikkend voelde Vlemitz al zijn zakken na en haalde een kaartje tevoorschijn dat hij op tafel legde.

Tob liet het liggen waar het lag. 'Maar ik heb helemaal geen zin om piano te leren spelen. Wie zegt dat ik talent heb?'

Nu schoot Vlemitz in de lach. Hij had zijn mond weer leeg. 'Ach jongen, iedereen heeft talent. Je moet het alleen zoeken. En vergeet niet, ik heb een echte piano thuis, zo'n grote, een Bachstein.'

Ook dat zei Tob niets. 'Een Bachstein? Al was het een Volvo, ik wil geen pianoles,' riep hij uit. De ergernis begon nu de overhand te krijgen.

Vlemitz wuifde alle bezwaren luchtig weg. 'Doe het nou maar. Trouwens, je moet van je vader, dus veel keus heb je niet.' Hij keek op zijn horloge en leek plotseling haast te krijgen. 'Ik moet weer eens verder, want de eerste leerling wacht zo dadelijk op me. Bel van de week maar op voor een afspraak. Mijn kaartje ligt daar.' Hij haalde zijn tong langs zijn lippen, depte zijn mond voor de laatste keer met de zakdoek en stond op. 'Denk eraan. In Quillen is niets gewoon, Tob.'

Tob, die Vlemitz eerst verwonderd had aangekeken, maar daarna zich op de bovenkant van de parasol geconcentreerd had, verlegde zijn aandacht weer naar de pianoleraar, die opgestaan was en rap naar het terras liep. In de laatste zin had een waarschuwende ondertoon gezeten. Wat bedoelde Vlemitz?

Korzelig kwam Tob overeind om Vlemitz na te lopen, maar hij bleef met zijn voet achter de tafelpoot hangen. Voor hij het wist duikelde hij voorover het gras in, plat op zijn gezicht. Alleen dankzij het feit dat hij zijn handen op tijd voor zich uit wist te strekken, kon hij voorkomen dat de val in meer dan alleen een flinke knal op zijn neus resulteerde. Vloekend keek hij op.

Op haar gemak kwam Maria met een dienblad de terrastrap af. 'Tob!' riep ze ongerust en haastte zich naar hem toe, terwijl hij opkrabbelde en de grassprieten van zijn kleren sloeg. 'Hoe kwam dat nou?' Eenmaal bij hem zette ze het dienblad op tafel en pakte hem bij een arm. 'Toch geen pijn gedaan?' 'Welnee,' zei Tob, zijn neus betastend. 'Ik wilde die Vlemitz inhalen en...' Hij keek naar het lege terras. 'Heb je hem niet uitgelaten?'

Maria liet hem los. 'Vlemitz. Is hij weg? Ik heb hem helemaal niet gezien.'

'Niet gezien?' herhaalde Tob. Maria leek oprecht verbaasd. 'Maar je had hem moeten zien.'

'Nee, echt niet,' zei Maria. Ze draaide zich om en begon de tafel te dekken. 'Kom, eet nou maar lekker. Straks worden de eieren koud.'

Nukkig nam hij plaats en liet de ontbijtspullen voor zich neerzetten.

'Smakelijk,' zei Maria en liep weg. 'Arme jongen. Helemaal in de war en...' hoorde hij haar in zichzelf praten. Hij schoof zijn bord van zich af. Hé, daar lag het kaartje van Vlemitz nog. Wat een voornamen had die man. En een adres in Quillen, een straat die Tob niet kende. Verdikkeme, wat moest die Vlemitz van hem? Mistroostig stak hij het kaartje in zijn zak.

Ineens veerde hij op. Eigenlijk had hij vanochtend wel een telefoontje van zijn vader verwacht. Oké, die had het vast heel druk, maar hij zou toch zeker niet vergeten om te laten weten dat hij veilig was aangekomen? Tob stond zo snel op dat de stoel achter hem omviel. Hij stormde door de keuken naar de huiskamer, waar de telefoon stond. Hij had het mobiele nummer van zijn vader uit zijn hoofd geleerd. Hij toetste het in. Drie, vier, vijf keer ging de telefoon over. 'Neem nou op, pa.' Maria kwam de kamer binnen met een glas in haar handen. 'Vergeet je melk niet. Dat heb je nodig voor je botten, jongen.'

'Dank je,' mompelde hij en keek hoe Maria het glas op een bijzettafeltje zette en weer terug naar de keuken drentelde. Er werd opgenomen! 'Hallo!' riep hij toen hij alleen maar ruis hoorde. 'Theo, ben jij dat?'

'Bureau Ovil,' sprak een frisse jonge vrouwenstem. 'Met Tarva Jansen. Met wie spreek ik?'

Tob drukte de hoorn tegen zijn oor. 'Met Tob Timp. Ik bel voor mijn vader.'

Een moment was het stil. 'Die is op het moment in vergadering. Kan ik een boodschap aannemen?'

Tob nam even bedenktijd. Waarom nam zijn vader zelf niet op? 'Wat is het telefoonnummer van Ovil eigenlijk?' vroeg hij argwanend.

De juffrouw noemde de cijfers keurig op. Tob prentte ze zich meteen in. 'U beantwoordt dus het mobieltje van mijn vader?' vroeg hij daarop.

'Ja, dat klopt,' zei de juffrouw droog. 'Kan ik een boodschap aan uw vader doorgeven?'

'Misschien kan hij me terugbellen? Hoe lang duurt die vergadering?' Vreemd dat zijn vader op zondag vergaderde. Hij moest wel érg hard werken in de stad, en dat allemaal voor de burgemeester van Quillen. Wat had die man toch allemaal uitgespookt?

'Geen idee,' bitste de juffrouw.

'Bent u zijn secretaresse?'

'Ja. Ik zal de boodschap doorgeven.'

Nog voor Tob een keer met zijn ogen kon knipperen verbrak

ze de verbinding. Gelaten legde hij de hoorn neer. Bij dat mens kwam hij snel van een koude kermis thuis. Het leek alsof ze helemaal niet wilde dat hij zijn vader sprak.

Automatisch werkte hij zijn melk met enkele slokken naar binnen, veegde zijn mond aan de rug van zijn hand af en liep naar de gang, de trap op. Op de overloop boven bleef hij staan. Hun huis was best groot, dat viel niet te ontkennen, maar vergeleken met dat van Patricia was het maar een lilliputterwoning. Tanden poetsen nu! Op de badkamer probeerde hij, met de borstel in zijn mond, naar zijn spiegelbeeld te lachen. Zijn lippen trokken een mallotige grijns. Op zijn voorhoofd prijkte het puistje, het was gelukkig veel minder groot dan het voelde. Dan leek het net een vulkaan. Een echt puistje was het eigenlijk niet. Meer een bultje met een rode kring eromheen. Ineens dacht hij weer aan Patricia. Wat wilde ze ook weer dat hij deed…? Tuurlijk! Hij moest het jaden kruis gaan halen. Het was op zolder verborgen. Hij zette zijn tandenborstel weg, spoelde vluchtig zijn mond en ging de badkamer uit. De leuning van de zoldertrap kleefde een beetje. Houterig ging hij naar boven, zijn kuiten deden nog steeds pijn. Boven aangekomen passeerde hij het overloopje en ging de zolder op. Het was er schemerig, en sinds ze in het huis waren komen wonen was er niets veranderd. Nog steeds waren de talloze meubels van zijn grootouders bedekt met lakens, en de stoflaag was alleen maar dikker geworden. Een keer per week riep zijn vader dat de zolder hoognodig moest worden uitgeruimd, maar in de praktijk kwam dat er niet van. Achter een pilaar zat een nis in de muur waarin hij spullen verbergen kon. Het jaden kruis met de ketting had hij in een met leer beklede doos gedaan en veilig verborgen. Laverend en schuifelend tussen de meubels en dozen bereikte hij de muur achter de pilaar. Als hij zijn arm strekte, kon hij zijn hand net in de nis steken. Even voelen, en daar was de doos. Het leer voelde zacht aan tussen zijn vingers. Hij nam de doos mee naar een plek onder een van de drie dakkapelramen, waar hij in het binnenvallende daglicht iets beter kon zien. Hij had het kruis sinds weken niet meer bekeken, laat staan aangeraakt. Respectvol zette hij de doos op een krukje onder het raam en ging er op zijn knieen naast zitten. Langzaam deed hij het deksel open. Het eerste wat hij in het licht zou zien flonkeren was de schitterende diamant in het centrum van het jadegroene kruis. Er was nog één probleempje: er moesten nog vier diamanten bij komen. 'Eitje,' sprak hij stoer hardop in zichzelf. 'Alleen even uitzoeken waar die zijn.'

Met een klik klapte het deksel open. Tobs hoofd leek te exploderen. Zijn tong bleef als een zemen lap in zijn mond liggen, terwijl hij hapte naar lucht. De doos was leeg! Het jaden kruis met de jaden ketting waren weg! Pas na een tijd was hij in staat '*Shit!*' te roepen. Woest klapte hij de doos dicht en kwam overeind. Wie had het kruis gepakt? Theo, dat kon alleen maar Theo zijn. Maar waarom? Wilde zijn vader hem helpen? Zijn vader, die als buitenstaander ook een tijd in Quillen had doorgebracht, die later met Tobs moeder was getrouwd, die op haar beurt vlak na Tobs geboorte onder vreemde omstandigheden verdwenen was? Ja, het moest zijn vader zijn geweest.

Tob stampvoette uit machteloosheid. Daarna daverde hij de trappen af naar beneden, stormde de huiskamer in en greep de telefoon. Woest tikte hij het nummer van Ovil in. Opnieuw moest hij wachten.

'Met Ovil onderzoeksbureau. Waarmee kan ik u van d…' Het was die juffrouw weer.

'Ik moet mijn vader spreken, nu!' baste hij zonder zich te introduceren.

'Ach, de jonge meneer Timp. Het spijt me. Hij is nog in gesprek.'

'Doet er niet toe. Het is dringend en erg belangrijk, van levensbelang.'

De juffrouw zuchtte uitbundig. 'In dat geval… Ik zal even kijken of ik hem kan vinden. Als je een momentje hebt, dan zal ik…'

Op dat moment viel de verbinding weg.

'Hallo. Hallo!' schreeuwde Tob in de hoorn. Hij werd er tussen genomen. Dat Ovil-mens had opzettelijk de verbinding verbroken. Hier viel maar één ding uit te concluderen: zijn vader had het kruis – Joost mocht weten waarom – meegenomen en was in de stad bij Ovil in moeilijkheden geraakt. En dat niet alleen: het bezit van het kruis, het enige voorwerp op aarde dat Tob de kracht van Xin zou kunnen brengen, werd daarmee ook in gevaar gebracht. 'Verdomme!'

Maria klopte op de deur en kwam binnen. 'Problemen, Tob? Je ziet helemaal grauw, *ragazzo*.'

'Grote problemen. Ik moet mijn vader in de stad gaan helpen, en wel meteen. Kun je een rugzak met spullen voor me pakken, Maria? Ik vrees dat ik een paar dagen de hort op ben, tot ik mijn vader gevonden heb.'

'*Si si*,' zei Maria geruststellend. 'Ik ga meteen aan de slag.' Haastig ging ze de kamer uit. Hij hoorde haar de trap op stommelen. Hoe kon hij in hemelsnaam zo snel mogelijk in de grote stad komen? Fietsen was geen optie. De trein, dat zou kunnen! Maar die kwam niet in Quillen, wel in het meest nabije dorp Geelkoten. Vanuit Geelkoten ging er een trein rechtstreeks naar de stad Hillendam. Maar wie kon hem naar Geelkoten brengen? Natuurlijk! Zijn vaders oude vriend, naast Maria, Patricia, Pakdal en Louis de enige andere volwassen bondgenoot die hij in Quillen had! Vastbesloten greep hij naar de telefoon.

Op straat klonk een geluid als het geblaf van een schorre zeehond, maar Tob, die in de gang bij de deur stond te wachten, wist meteen wat het was: de claxon van de auto die hem naar het station van Geelkoten zou brengen. Hij keek Maria, die zijn rugzak bliksemsnel had ingepakt, aan. 'Bedankt voor het klaarmaken van mijn spullen.'

Maria's beweeglijke handen poetsten zijn bedankje weg in de lucht. 'Het was geen moeite, Tob. Ga maar gauw. Je vader heeft je misschien heel hard nodig in de stad.'

Tob pakte zijn rugzak en opende de voordeur. 'Als het mee zit, haal ik de trein van twaalf uur nog. Dan ben ik aan het einde van de middag in de stad.'

'Let op mijn woorden: het gaat vast goed.'

Tob knikte. Maria's ogen verraadden haar bezorgdheid. 'Ik hoop snel weer terug te zijn.'

'Doe wat je moet doen,' antwoordde ze, met haar handen ineengeslagen.

Het werd met zoveel warmte gezegd dat Tob er emotioneel van werd. Snel een traan wegpinkend, trok hij de voordeur open en stapte naar buiten, waar inmiddels weer ongeduldig geclaxonneerd werd. Midden op straat stond een vuurrood open sportautootje te ronken. Achter het stuur straalde een man met een geruite pet, en een gezicht dat er een beetje bekakt uitzag. Hij droeg een donkerblauw poloshirt en had om zijn nek een sjaaltje gedrapeerd. 'Tobias! Kom op, straks mis je de trein.'

'Ik kom.' Hij draaide zich om naar Maria, die vlak achter hem de voortuin was ingestapt, mompelde 'Nogmaals bedankt' en liep naar de man in het autootje toe. Het was Forek Vink, een oude schoolvriend van zijn vader die lang geleden, vlak voor zijn vader naar Quillen was verhuisd, zelf ook van buiten in het dorp was komen wonen. 'Ha die Forek!' riep Tob uit terwijl hij over het pad door de voortuin naar de straat liep. 'Hoe is het?'

'Uitstekend, Tob. Kom maar snel verder.'

Tob sprong over het tuinhek. 'Blij je weer te zien.' Hij liep naar het sportautootje en gooide zijn tas op de achterbank, die hoogstens plaats kon bieden aan twee kleuters.

'Tijdje niet gezien,' riep Tob en wipte over het portier in de passagiersstoel.

Vergenoegd liet Forek de motor grommen. 'Ach, ik had het druk. Veel huizen in de verkoop. Goed dat je me belde. Ik ben bezorgd over je vader.' Hij haalde zijn schouders op. 'Maar misschien maken we ons voor niets druk.'

Ze trokken op, en Tob zwaaide naar Maria.

'*Ciao*!' riep ze nog.

In een oogwenk waren ze de bocht al om.

'Weet je hoe je moet rijden?' vroeg Tob, zielsgelukkig dat Forek aan de telefoon al aan een half woord genoeg had gehad om hem te willen helpen.

'Maak je geen zorgen. Ik ken de route op mijn duimpje.'

Forek zette vanaf de ringweg koers naar een landweg die in aanvang langs de dorpsrivier de Walle leidde. Tob kende de weg. Die hadden ze ook deze zomer met de verhuiswagen gereden toen ze naar Quillen kwamen. Forek had zijn handen losjes aan het stuur en neuriede een liedje dat maar net boven het windgeruis uitkwam. Tob draaide zich om in zijn stoel en keek achterom. Tussen de glooiende heuvels, verscholen in het dal van de rivier, lag Quillen. Als je het zo zag leek het het meest idyllische plaatsje van de hele wereld. Helemaal aan de horizon doemden de hoge Zeven Heuvels op, met die schijnbaar eeuwige mist erboven. Weer trok een huivering door hem heen. Welk vreselijk geheim verschool zich daar toch? Omdat hij kramp in zijn nek kreeg keek hij weer voor zich. De weilanden waren groener dan groen, paarden dartelden in de wei, en de koeien graasden tevreden rond. Het leek wel voorjaar.

'Zeg Forek, verkoop jij wel eens huizen uit het doolhof?' vroeg Tob in een opwelling.

'Ben jij belazerd,' antwoordde Forek. 'Ik kijk wel uit. Trouwens, in het doolhof worden nooit huizen verkocht. Zolang als ik hier woon, heb ik dat nog nooit meegemaakt.'

'Heb je enig idee waarom dat zo is?'

'Tuurlijk,' zei Forek met stemverheffing. 'Het doolhof is verdoemd. Er leven mensen, zeggen ze, maar ik heb er nog nooit een levende ziel gezien. Je kunt er na zonsondergang ook maar beter niet komen.'

'Weet ik, weet ik,' suste Tob. 'Ik vroeg alleen maar iets.'

Forek grinnikte. 'Als je het maar in je oren knoopt. De mensen die er wonen zijn niet betrouwbaar, heb ik vernomen. Ik heb zelfs wel eens gehoord dat ze niet...' Hij schraapte zijn keel.

'Niet wat?' Tob ging op het puntje van zijn stoel zitten.

'Zombies, dat zeggen ze, dat er zombies wonen. Wat je je daarbij moet voorstellen, moet je me niet vragen, maar het is wat ik vernomen heb.'

'Zombies. Een soort ondoden?'

'Ja, als je dat zo noemen wilt. Heb jij er dan wel eens iemand gezien? Of ben je wel eens een doolhofbewoner in een winkel tegengekomen?'

'Nee,' moest Tob toegeven. 'Maar zombies... dat klinkt nogal maf.'

Forek stuurde met één hand een flauwe bocht door, gebarend met de andere hand. 'Blijf er hoe dan ook vandaan als het donker is. Vroeger had ik een partner, die het niet zo nauw nam met dat soort dingen.'

'Wat bedoel je?'

'Moet je het naadje van de kous weer weten?' Het was duidelijk dat Forek zijn mond voorbij gesproken had.

'Je begon er anders zelf over,' strooide Tob zout in de wonde.

'Goed dan. Ik heb een collega gehad die het waagde in het donker door het doolhof te lopen. Ik weet niet wat hem bezielde, het was of hij iemand wilde uitdagen. Ik zei hem het niet te doen, maar hij kon het niet laten. Hoe dan ook, na de derde keer is hij niet meer teruggekomen.'

'Wat vreselijk!' Tob kneep in de stoelbekleding. 'En toen?'

'De dag erna ben ik hem gaan zoeken. Niemand wilde helpen, weet je. Quillenaren horen, zien en zwijgen, weet je wel? Tot aan zonsondergang heb ik er rondgedwaald. Niets, helemaal niets heb ik van hem gevonden.'

Tob staarde naar een torentje in de verte. 'Nooit meer iets van hem gehoord?'

'Nee,' sprak Forek, en het was te horen dat hij er nog steeds moeite mee had. 'Nooit meer iets van de beste man gehoord of gezien.'

Ze reden nu op een erg kronkelige weg, waardoor Tob op zijn stoel heen en weer werd geslingerd. Hij voelde de zon op zijn kruin branden. Het bos- en heidelandschap trok als in een film aan hem voorbij, maar na een tijdje werd het toch eentonig. Zijn blik gleed over het dashboard met de oude klokjes en metertjes, toen over zijn broek, waarvan de knieën enigszins groen waren uitgeslagen van zijn bosavontuur met Pakdal. Maria had er niets van gezegd. Die wist dat het zijn lievelingsbroek was, gemaakt van gebleekte spijkerstof. Zomaar ineens voelde hij zich een beetje eenzaam. In de haast had hij helemaal vergeten een briefje voor de anderen achter te laten. Dat was niet slim. Die maakten zich straks ongerust. En nu hij erover nadacht, realiseerde hij zich ook dat hij geen idee had waar bureau Ovil eigenlijk was. 'Forek, zegt bureau Ovil jou iets?' Verbaasd keek Forek hem aan. 'Bureau Ovil?' Hij fronste zijn voorhoofd. 'Nooit van gehoord. Is Theo daar?'

'Ja, tenminste, ik krijg steeds een secretaresse van dat bureau aan de lijn.'

'Ik weet niet wat je vader daar te zoeken heeft,' zei Forek terwijl ze eindelijk op een bredere rechte weg uitkwamen.

Als een zilveren lint stroomde verderop een rivier tussen de heuvels. Waarschijnlijk was het de rivier die naar Quillen leidde.

Ze beklommen een steile heuvel. De motor snorde venijnig om er met een flinke snelheid tegenop te komen. Eenmaal op de top zagen ze in de verte een dorp liggen. Komend vanachter een andere heuvel naderde over een spoorbaan een trein met een forse roetpluim het dorp. 'Geelkoten!' riep Tob blij uit. Eindelijk waren ze er. 'Is dat de trein naar de grote stad?'

'Ja, hij komt vanuit het binnenland, dus dat zal wel.'

'Als we hem maar halen,' zat Tob in zijn piepzak. 'Straks moeten we ik weet niet hoe lang op de volgende wachten.'

'Geen nood,' grijnsde Forek en trapte het gas zo diep mogelijk in. Als een kogel schoten ze de helling af, zo snel dat Tob het nog benauwder kreeg dan hij het al had. Zich vastklampend aan de deur en de stoel sloot hij zijn ogen. Sterretjes en kleine lettertjes dansten in zijn beeld. De wind waaide door zijn haren en suisde langs de zijspiegels van de auto. Die Forek was niet goed wijs. Iedere keer als ze een bocht maakten brulde de motor en piepten de banden over de weg. Hij kneep zijn ogen nog stijver dicht. De lettertjes dansten van links naar rechts, *a, f, x, n, i*, alles dartelde door elkaar als vlinders in een bloementuin. De letters vormden woorden. *Maan, roos, vis, nxi, nix, xin, xin, xin.* Xin! Meteen opende Tob zijn ogen. Xin! Het was weer een van die vreemde visioenen die hij soms kreeg. 'Xin!' riep hij van verbazing uit.

'Watte?' vroeg Forek, die eindelijk zijn voet de rem liet opzoeken. Ze waren de bebouwde kom van het dorp genaderd en met een snelheid van meer dan honderd kilometer per uur door de drukke straten razen was niet verstandig. 'Xin?'

'Ik droomde half,' verzon Tob een smoesje. Het had weinig nut alles met Forek te bespreken. Door gezellige straten met winkels, kantoortjes en kunstgaleries bereikten ze een pleintje. Voor hen lag een oud stationnetje met een boogdak dat door een gietijzeren constructie gedragen werd.

'We zijn er,' zei Forek, reed het pleintje rond en stopte met knarsende banden voor de ingang. 'Ik denk dat we op tijd zijn.' Tob stapte uit en pakte zijn rugzak. 'Bedankt voor je hulp. Ik bel je zodra ik meer weet.'

Forek glimlachte. 'Zie eerst Theo nou maar te vinden. De rest komt later wel.' Een bezorgde trek overschaduwde zijn gezicht. 'Ik moet gaan. Anders valt het op dat ik weg ben.'

Tob wilde er iets op zeggen, maar Forek gaf zijn autootje de sporen en liet Tob in een wolk van uitlaatgassen achter.

Oké, dan maar naar binnen. In de stationshal was een klein

loket, waar hij achter aan de rij wachtenden ging staan. De trein was net gearriveerd. Meteen zat hij op hete kolen. Zo dadelijk vertrok dat ding zonder hem. Bijna zou hij de mensen voor hem opzij hebben geduwd, maar in plaats daarvan wipte hij op zijn voeten op en neer. Op een reistabel naast het loket viel te zien dat de trein naar de grote stad maar twee keer per dag reed, en dat deze ieder moment kon vertrekken. 'Opschieten,' murmelde Tob voor zich uit. 'Schiet nou toch op!'

'Heb je haast?' vroeg een jongeman in een slordig beige pak achter hem. Zijn haren waren met behulp van gel strak achterover gekamd en de donkere ogen in het jonge fijnbesnaarde gezicht keken Tob verwachtingsvol aan, alsof Tob een voorraad lekkers in zijn rugzak verborgen hield. Midden op zijn kin prijkte een klein sikje en in een knoopsgat stak een witte anjer.

'Eigenlijk wel,' zei Tob. 'Ik mag de trein niet missen.'

De man stak een hand uit. 'Ik denk dat je je voor niets druk maakt, vriend.'

Enigszins overbluft beantwoordde Tob de groet. 'Ik moet opschieten, ja. Dat heeft u goed gezien.'

'Welnee. De trein naar de stad wacht hier nog een half uur voor hij vertrekt.'

'Goddank,' reageerde Tob opgelucht en keek nog eens naar het reisschema. Sukkel! Hij had naar de aankomsttijd gekeken in plaats van de vertrektijd. 'Bedankt.' Hij ging weer recht in de rij staan en staarde door de ruiten naar het perron. Een kruier kwam met een grote kar vol koffers langs.

'Mooie oude dieseltrein, niet?' merkte de jongeman achter hem op. 'Tussen haakjes: ik heet Morgan.'

Tob keek over zijn schouder. 'Ik heet Tob.' Zijn hoofd stond niet erg naar het maken van een praatje, dus keek hij weer voor zich en trok zijn schouders op, om zich te verschansen achter de rugzak op zijn rug.

Nu hij geen haast had, leek de rij op te schieten. Een paar minuten later had hij zijn kaartje gekocht en begaf hij zich naar het perron, waar de trein met zeker vijftien passagierswagons stond te wachten. De zon scheen onder het dak door op het perron. Daar waar geen mensen liepen pikten de mussen naar kruimels. Vlakbij de locomotief was een bankje vrij, dat zo aanlokkelijk in de zon lag dat Tob er onmogelijk aan voorbij kon gaan. Hij stapte ernaartoe, zette zijn rugzak op de bank en zakte er zelf naast. Op de hoek had iemand een krant laten liggen. Omdat hij niets beters te doen had, legde hij de krant op zijn schoot, las de koppen op de voorpagina en sloeg hem open. Bij het regionale nieuws werd melding gemaakt van plaatselijke missverkiezingen, en er stond een interview met de winnares. *Ik ben een persoonlijkheid* stond er onder een foto van het meisje, dat nauwelijks veel ouder was dan Tob. Ergens in een buitenwijk was een boerderij afgebrand, en een kudde schapen was onder de trein geraakt, als ze niet net op tijd door een herdershond van de rails af waren gejaagd. In Geelkoten was een beroemdheid uitgewuifd, een vroegere inwoner die vanaf zijn eiland in Spanje weer zijn oude woonplaats had bezocht. Het was een acteur wiens naam Tob niets zei.

Hij ging rechtop zitten. Dit nieuws was ernstiger. In de trein van Geelkoten naar de stad was gisteren onderweg een jongen dodelijk verongelukt. Door een storing waren de deuren tijdens de reis opengegaan. De jongen was uit de trein gevallen en later gevonden door passerende boeren. De identiteit van de jongen was nog niet bekend, daar hij ernstig verminkt was door de val.

Tob rilde en klemde zijn kaken op elkaar. Dat soort berichten bracht hem altijd van slag, net als overlijdensadvertenties van jongeren van zijn leeftijd. Snel bladerde hij door.

Hé, een kruiswoordraadsel. Lang geleden dat hij zo'n ding gemaakt had. Hij vouwde de krant kleiner zodat alleen de puzzel nog zichtbaar was en zocht naar een pen in een zijvak van zijn rugzak. Niets te vinden. Misschien een ander vakje dan? Hij wilde net verder zoeken toen de bank licht opveerde doordat er iemand naast hem plaatsnam. Verrast keek hij op.

'Zo, je zit niet slecht hier,' sprak Morgan, die brutaal was neergestreken. Ergens uit een van de zakken van zijn jasje haalde hij een sigaret tevoorschijn en stak hem op. 'Kom je uit Geelkoten, Tob?'

Tob staakte de zoekactie naar een pen en sloeg zijn armen over elkaar. Morgan was misschien een aardige gast, maar hij had nog steeds geen zin in een gesprek. 'Nee, uit de buurt,' zei hij kortaf.

'Uit de buurt? Interessant. Welk dorp?'

'Quillen,' antwoordde Tob zonder Morgan aan te kijken.

'Quillen,' zei Morgan en klakte met zijn tong. 'Mooi dorp.'

'Wel aardig, ja,' zei Tob en wierp een blik op de puzzel. 'Ander woord voor geweldig,' las hij heel zacht op.

'Fantastisch,' zei Morgan.

'Wat?'

'Fantastisch dat je ook met de trein reist,' grijnsde Morgan en trok een van de veters van zijn versleten leren schoenen aan. 'Toch?'

'Ja.' Tob begon zich steeds onbehaaglijker onder Morgans aanwezigheid te voelen. 'Is het een leuke reis naar de grote stad?'

'Aardig, niet echt enerverend, hoor.' Genoeglijk klakte Morgan weer met zijn tong. 'Ik kom uit Geelkoten en studeer in de stad. Geneeskunde.'

'Dus jij wordt later dokter? Vertel er eens meer over,' gooide Tob het over een andere boeg, aangezien Morgan toch niet van plan was zijn mond te houden.

'Nou eh... Het is hard werken.'

'Wat moet je dan doen?'

'Ik eh...' Morgan dacht na. 'Op dit moment loop ik stage als co-assistent in een ziekenhuis.'

'En wat doe je dan?'

'Nou, patiënten onderzoeken en zo.'

'Leuk!' zei Tob zonder echt geïnteresseerd te zijn. Morgan hield er duidelijk niet zo van als anderen het initiatief namen. Stiekem keek hij weer naar de puzzel. *Brandstof op fossiele basis...*

'Diesel.'

Nu was Tob onmiddellijk op zijn hoede. Er was iets met die Morgan. 'Hoe weet je dat ik dat zocht?'

'Diesel!' gebaarde Morgan. 'Daar rijdt die trein op. Wist je dat niet?'

Het geluid van een fluit snerpte over het perron. Halverwege de trein stond de conducteur te kijken of er nog mensen wilden instappen.

'Wacht,' riep Tob, propte de krant in zijn rugzak en holde met de rugzak in zijn armen naar de eerste wagon achter de locomotief. Haastig gooide hij de rugzak naar binnen en sprong in de trein. Hij zag nog net hoe Morgan een paar wagons verder instapte. Weer ging het fluitje. Tob sloot de deur. Hij stond in het balkon. Links waren zitplaatsen tweedeklas, en rechts, naar de achterkant van de trein toe, eersteklas. Loeihard liet de fluit van de locomotief zich horen, en met kleine schokjes zette de trein zich in beweging. Tob wankelde. Zich vasthoudend aan een van de stangen in het balkon keek hij de tweedeklas coupé in. Het was er rustig, alleen een ouder echtpaar had er een plekje bij het raam gevonden. Als twee grijze tortels zaten ze van een boterham te genieten terwijl ze uit het raam keken. Voor Tobs neus gleed het perron voorbij, en voor hij het wist zoefde de bebouwing van Geelkoten met toenemende snelheid langs. Achtergevels en achtertuinen, sommige verwaarloosd en volgeplempt met oude huisraad en zelfs een keer een autowrak. Dat zou in Quillen nooit voorkomen. Hij duwde de deur van het tweedeklas rijtuig open en wrong zich met zijn rugzak in de hand door de deuropening. Het oude echtpaar keek niet op toen hij passeerde. Links en rechts stonden met kunstleer beklede banken, steeds twee stuks met de zitplaatsen naar elkaar gericht. Vier banken voorbij het echtpaar koos hij een plek bij het raam. Hij zette zijn rugzak op de vloer en nestelde zich op zijn plaats. Hij reed straks in ieder geval vooruit. Van achteruitrijden werd hij altijd misselijk. Hij bedwong zich om zijn voeten op de bank tegenover hem te leggen. Fijn! Was hij toch nog snel op weg naar de stad.

Hij pakte de krant om wat afleiding te zoeken. De kruiswoordpuzzel, die wilde hij weer gaan maken, maar hij had nog steeds niks om te schrijven. Aha, in het andere zijvak van de rugzak vond hij een uitgekauwde pen die het nog bleek te doen. Goed, twee woorden had hij op het perron al gevonden. Die vulde hij eerst in. Nu verder puzzelen.

Hij haalde zijn neus op. Een nare prikkelende lucht was de coupé binnengedrongen. Hij probeerde het te negeren, maar de lucht werd zo penetrant dat hij er zich ongerust over begon te maken. Een klein klapraampje stond open. Toen hij wilde opstaan om het te sluiten zag hij tegen een helling een boerderij in brand staan. Woeste vlammen vraten zich door het rieten dak en de brandweermannen, die hun spuiten op de brandhaard richtten, leken weinig te kunnen doen. Op het erf stonden de boer en boerin, de laatste met haar gezicht verstopt in een handdoek, zo te zien met grote uithalen huilend om wat haar overkomen was. Tob voelde medelijden met de arme boerenfamilie. Het was vast vreselijk om zomaar je huis kwijt te raken.

Wég was de boerderij, uit het zicht verdwenen, en maakte plaats voor een bos met een meer. Het beeld van de brand bleef aan Tobs netvlies kleven.

Hij ging goed rechtop zitten en probeerde over de rugleuningen heen te kijken naar het oude stel vooraan, dat opvallend stil was. Ach, als je zó oud was, was het leven niet echt spetterend meer. Ze hadden elkaar vast niets meer te vertellen. Hij strekte zijn nek. Het enige wat hij zag waren de dunne grijze haren van de man, die als dor engelenhaar boven de leuning uitstaken. Terug naar de puzzel. *Synoniem voor energie.* Wat was dat nou weer?

Vanuit het balkon klonk een toenemende rumoer. Er werd hem duidelijk geen rust gegund. Een man in een hip glitterpak drukte zijn rug tegen de coupédeur en hief zijn handen afwerend omhoog. 'Nee heren, niet nu. Kom maar mee naar mijn eigen rijtuig.'

Drie, vier keer flitsten de lampen van fotocamera's. De glitterman verdween, en met hem een stelletje persmuskieten.

De rust was weergekeerd, maar Tob werd overvallen door een merkwaardig onbehaaglijk gevoel. Er klopte iets niet, maar hij kon er geen vinger opleggen. Geërgerd legde hij de krant weg op een klaptafeltje bij het raam. Buiten nam de bewolking toe. Het zou ook te mooi zijn als het de hele dag goed weer bleef.

'Tob.' Een hese fluisterstem klonk vanaf de achterkant van de coupé.

'Ja? Wat?' Tob ging op zijn knieën zitten en keek naar de banken achter hem. Alle plaatsen waren leeg.

'Tobias... Hel en verdoemenis...' fluisterde de hese stem.

Misschien was het die stem in zijn hoofd weer. 'Wie ben je?' vroeg Tob op gedempte toon.

'Hel en verdoemenis, Tobias.'

'Wie ben je?' herhaalde Tob zijn vraag. Zijn hart klopte in zijn keel. Wie was dat toch? Of, wát was dat? Iemand van gene zijde, de geest van iemand die overleden was? Angstig keek hij de coupé rond. Behalve de oude mensen zat er niemand. 'Wil je me waarschuwen?'

'Hel... en verdoemenis.' Toen klonk er een afschuwelijk gekerm, heel kort, en was de stem weg.

Zwetend zakte Tob terug in de bank. Zijn handen plakten aan het kunstleer. De voortdurende cadans van de trein maakte hem alleen maar onrustiger, alsof het de voorbode van een groot gevaar was, zoals een onnatuurlijke stilte een storm aankondigde. Hij had het gevoel dit al eerder te hebben meegemaakt. Hoe noemden ze dat ook alweer?

'Déjà vu,' snerpte een stem boven zijn hoofd. Hij schrok zo dat hij bijna van de bank gleed.

'Niet schrikken,' zei Morgan. Lachend, als een duvel uit een hele grote doos, was hij naast Tobs bank verschenen. 'Déjà vu. Wij hebben elkaar eerder gezien, vriend.' Zijn gezicht straalde, maar zijn ogen deden niet mee. Die bewaarden een harde afstandelijkheid.

Snel herstelde Tob zich van de schrik en plantte zijn lijf stevig in de bank. *Pas op, pas op*, schreeuwde een stemmetje van binnen. 'Wat kom je doen?' vroeg hij, veel flinker dan hij zich voelde.

Het sikje op Morgans kin danste als hij sprak. 'Ik kom je opzoeken. Iets in mij zegt me...' Zijn ogen draaiden een keer rond in hun kassen, '...dat je een geheim hebt.'

'Ik?' hield Tob zich van de domme. 'Ik ga gewoon naar de stad. Winkelen en zo.'

'Ben je wel eens eerder in de stad geweest?' Morgan liet een duidelijk hoorbare boer en ging schuin tegenover Tobias zitten.

Buiten was het inmiddels geheel bewolkt en sloegen de eerste regenspatten tegen het raam. De trein denderde onverstoorbaar voort.

Het was lang geleden dat Tobias zich zo bedreigd had gevoeld. Om zich een houding te geven pakte hij de krant weer voor zich, maar las niets. In zijn ooghoeken hield hij Morgan in de gaten, die een vijltje tevoorschijn toverde en daarmee vuil onder zijn nagels weghaalde dat hij achteloos op de grond liet vallen. Het was alsof hij besmuikt glimlachte.

In deze ongemakkelijke stilte bleven ze zeker tien minuten roerloos zitten, luisterend naar de wielen van de trein en de

af en toe aanzwellende en wegstervende bellen van een spoor-
wegovergang. De flauwe regen buiten ging over in een stevige bui, en in de coupé werd het steeds donkerder. De woorden in de krant waren nog maar nauwelijks te lezen. Tobias
keek naar het leeslampje boven zijn bank in het plafond dat
nog steeds uit was, net als alle andere lampjes in de coupé.
Af en toe sloegen door het open klapraampje spetters op zijn
gezicht, maar hij durfde niet op te staan om het raampje te
sluiten.

Morgan ging over tot het bijvijlen van zijn inmiddels helder-
witte nagelranden. 'Ik heb de hele tijd het idee dat ik je ergens
van ken,' zei hij, rustig doorvijlend.

'Insgelijks,' kaatste Tob meteen terug, al klopte er geen snars
van. Waar hij wel zeker van was, was dat Morgan geen gewone student medicijnen was.

Buiten gierde de wind rond de trein. Door het raampje kwam
een flinke tocht zetten. Aarzelend stond Tob op om het dicht
te doen, en meteen nam hij een kijkje of het oude echtpaar er
nog zat. Ze waren wat knusser bij elkaar gaan zitten, het hoofd
van haar rustte tegen de schouder van hem. Tob ging weer zitten en scande Morgan snel. Zijn gezicht zag er wat typisch
uit met hier en daar wat kleine puistjes, maar verder was hij
aan de buitenkant een doodgewone knaap. En tóch deugde hij
niet.

Met een klap schoot het raam weer open. '*Shit*,' zei Tob zacht,
en bleef zitten.

'Zeg Tob, vertel me eens. Kan ik je misschien ergens mee helpen?'

Tob schrikte op. 'Ergens mee helpen? Waarmee dan?'

Morgans fonkelende ogen keken dwars door Tob heen. Hij
grijnsde, wendde zijn blik af en begon te neuriën, een liedje
dat Tob vaag ergens van kende. Omdat de trein een beetje
vaart minderde, werd zijn aandacht voor Morgan verstoord.
Opeens remden ze zo sterk af dat hij bijna uit de bank schoot.

Midden in een met bomen beplante landstrook reed de trein stapvoets verder. Boven het geluid van de regen uit hoorde Tob het geblaf van een hond. Het geluid was diep, niet dat van een klein keffertje. Takken van sparrenbomen en braamstruiken naast de rails tikten tegen de ramen. Tob keek naar Morgan die met zijn schoenveters in de weer was. Een vreemd mekkerend geluid voegde zich bij het geblaf, een klaaglijk geluid afkomstig van... Ja, van wat eigenlijk? Schapen! Dát was wat hij hoorde, een hele kudde blatende schapen. De bomen weken terug. Tob drukte zijn neus tegen het raam. Langs de lage spoordijk waarop ze reden was een Duitse herder druk doende, met de tong uit de bek, schapen van de rails weg te houden. De beesten reageerden eigenwijs, en als een enkel schaap onder de ijzeren wielen terecht dreigde te komen, kwam de herder als de bliksem in actie.

Tobs hart leek te bevriezen. Wat was er met deze trein aan de hand? Werd hij nou gek of... Hij dook in zijn bank terug, vouwde de krant uit en bladerde terug naar het regionale nieuws. De bladzijde zat vol met kreukels, en in het schemerlicht waren alleen de koppen nog leesbaar, maar dat was genoeg om de berichten te herkennen. De brand in de boerderij, de schapen op de rails, de beroemdheid die Geelkoten verliet... Tob klemde de krant zo stevig vast in zijn handen dat zijn knokkels er wit van werden. Alles wat daar stond was niet gisteren, maar vandaag, in zijn directe aanwezigheid, gebeurd! Zijn ogen flitsten naar de bovenkant van de pagina. Nee! Hij zou het bijna uitgillen. De datum die daar stond... dat was morgen!

Snerpend kwam de trein weer op gang, alsof de rails door de regen roestig waren geworden.

Tobs knieën knikten terwijl hij langzaam naar Morgan keek. De plaats was leeg! Alleen een flauwe afdruk in het leer verraadde dat er ooit iemand gezeten had. Koortsachtig probeerde hij zijn zinnen bij elkaar te houden. Patricia had hem gewaarschuwd, de stem had hem gewaarschuwd, zijn intuïtie waarschuwde hem… Hoe kon hij een krant lezen die pas morgen verscheen?

Woest pakte hij de krant weer op. Wat stond er ook weer? Door de krant vlak voor zijn neus te houden kon hij het bericht nog lezen. *Dodelijke afloop: onbekende jongen valt uit rijdende trein.* Godallemachtig! Als deze krant inderdaad van morgen was, dan… was hij misschien die jongen! Sidderend kwam hij overeind. Waarom was hij met zijn stomme kop alleen in deze uitgestorven coupé gaan zitten, met een stel bejaarden die hem op geen enkele manier hulp zouden kunnen bieden? Behoedzaam zette hij een stap het gangpad op en probeerde door de ramen van de klapdeur in het balkon te kijken. Het was er donker, maar zover hij kon zien, was er niemand. Waar zou Morgan uithangen? Die moest hij zien te ontlopen. Als hij de andere rijtuigen bereikte, was hij veilig. Hij trok zijn been bij, weifelend, en deed een paar stappen voorwaarts, tot hij naast de bank met de bejaarden stond. Nog steeds zaten ze tevreden naar buiten te kijken, zij nog altijd met haar hoofd tegen zijn schouder. Hij zag alleen maar hun grijze haren. 'Sorry, maar mag ik u iets vragen? Het is wel een beetje raar, maar zou u met mij naar het volgende rijtuig willen lopen? Ik…' Hij stopte met praten.

Geen van de oudjes reageerde op zijn woorden.

'Hallo!' riep hij, waarop weer niets volgde. Waren ze soms doof? 'Hallo!'

Bewegingloos staarden ze maar naar buiten. Hij tikte de oude man op de schouder. 'Niet schrikken, maar ik wil iets vragen.' De schouder was knokig en hard, en weer tikte hij ertegen. Omdat de man nog steeds geen teken van leven gaf, trok hij aan diens knoestige arm. Nog steeds geen reactie. Hij trok nog harder. Plotseling zakte de man zakte opzij, waarbij zijn gezicht Tobs kant opdraaide. Twee dode ogen in holle, met een vaalwitte huid omgeven oogkassen, staarden Tob aan. De pupillen waren groot en zwart. In de halfopen mond grijnsden twee rijen tabaksgele tanden hem aan. De grijsroze tong rustte tegen de gebarsten lippen. Kokhalzend deinsde Tob terug. Op hetzelfde moment zakte de oude vrouw weg. Haar dode ogen stonden dof, en toch was het of ze Tob waarnamen. Vanuit een ooghoek rolde een traan over haar wang. Haar blauwe handen schoven van de bank af.

Tob draaide zijn hoofd weg en drukte een hand tegen zijn mond. Stukjes gebakken ei van vanochtend werden door zijn maag teruggestuurd naar zijn keel. Half stikkend holde hij weg naar de coupédeur. Hij gooide zijn schouders ertegen. De deur kraakte in zijn voegen en sloeg zo onverwacht soepel open dat hij het balkon in tuimelde. Meteen sloeg de deur dicht. Tob lag op de grond. Om hem heen was het nog donkerder dan in de coupé, maar er was genoeg licht om te zien dat direct vóór hem de treindeur was. Een meter naast hem bevond zich een ijzeren stang. Hij slikte. Een zure smaak had zich in zijn mond genesteld. Hij trok zich aan de stang omhoog en keek, wankelend op zijn benen, rond. Angstvallig hield hij zich vast om niet om te vallen. Buiten barstte een noodweer los. Het water stroomde langs de ramen. En die rotcadans van de trein hield maar niet op. Steeds maar weer dat 'kadeng kadeng' van de wielen.

Hij moest zich vermannen. Hij moest verder naar het volgende rijtuig. Hij hevelde zijn handen over naar de volgende stang, te slap om zelfstandig te lopen, en deed weer een paar stappen in de goede richting.

De deur naar de eersteklas zitplaatsen met de gesloten compartimenten sloeg open en iemand sprong het balkon in. 'Zo, ga je aan de wandel?' vroeg Morgan met een spottende glimlach op zijn gezicht.

Tob verstijfde, zijn benen wilden niet meer bewegen. 'Wie ben jij eigenlijk?' stamelde hij.

Morgan tuitte zijn lippen in verachting. 'Jij weet ook niets, sukkel. Jij weet niet eens waar je mee bezig bent. Je speelt met vuur. Dacht je nu echt dat...'

Tob voelde dat hij zich moest verweren, maar iedere kracht ontbrak hem. Morgan zou hem zo om zeep kunnen helpen. Met een halve draai liet hij zich aan de stang terugzwaaien. Tussen zijn benen viel iets op de grond. Het kwam uit zijn broekzak. Het rolde een stukje weg. Gek, maar hij wilde weten wat het was, ook al was dit niet het moment zich over dat soort dingen druk te maken. Morgan niet uit het oog verliezend, liet hij zich door zijn knieën zakken.

'Je hebt het niet meer, hè,' spotte Morgan. 'Helemaal overmand door angst. Ik ben bang dat ik je moet elimineren, meneer Tob Timp.'

Vluchtig voelde Tob met een hand over de grond. Daar had hij het! Het was iets ronds, iets warms. Meteen pakte hij het vast en trok zich weer aan de stang overeind. Het was de kastanje die hij van Pakdal had gekregen. Hij omvatte de kastanje met zijn vuist en betastte het oppervlak met zijn vingertoppen. Vertwijfeld probeerde hij de betekenis van de kastanje tot zich door te laten dringen. Pakdal had er een opmerking over gemaakt. Maar wat ook weer? O ja, dat een kastanje ook geluid maakte.

'Genoeg gespeeld,' zei Morgan en kwam voor Tob staan. Met zijn hand omklemde hij een korte stalen pook, waarvan een slag genoeg zou zijn om Tobs hoofd te verbrijzelen.

Tob bleef zich op de kastanje concentreren en keek een seconde in het holletje van zijn hand. Heel onverwacht zag hij hoe een klein licht in het hart van de kastanje opgloeide, en precies op dat moment voelde hij een golf van warme energie door zijn hand stromen, naar zijn arm, zijn schouder, en verder zijn hele lichaam in. Het was of hij een bungeejump van de maan maakte. Plotseling stond hij weer stevig op zijn benen, en als een robot maaide hij met zijn arm door de lucht. Zijn vuist knalde tegen de kin van Morgan.

De pook kletterde op de grond. Morgan wankelde een pas naar achteren. 'Stomkop, ik krijg je wel,' schreeuwde hij. Onver-

wachts stapte hij naar Tob toe en haalde uit. Zijn vuist belandde in Tobs maagstreek, waardoor Tob kreunend dubbelklap-
te. Naar adem happend zag hij hoe Morgan de treindeur opende. Waar was de kastanje toch? *Shit!* Die was buiten zijn bereik
op de grond gevallen.

'Je lot ligt vast, Tob, dat heb je zelf gelezen,' lachte Morgan.
De gure wind en hoosregen stortten zich de trein in. In een
oogwenk was Morgan doornat, maar het leek hem geenszins
te deren.

Tob probeerde overeind te komen. Morgan dook naar Tob toe,
greep hem bij zijn arm en gaf er een krachtige ruk aan zodat
hij recht voor Morgan kwam te staan. Langzaam maar zeker
duwde Morgan Tob achteruit, de deuropening uit. Hagel en
regen sloegen in Tobs gezicht, terwijl onder hem de rails voor-
bijraasden. Het geluid van de storm en de trein was oorverdovend. Dat hij op deze ellendige manier aan zijn eind moest
komen. Met één hand had hij nog houvast aan een stang, terwijl zijn andere hand als een krachteloze knots door de lucht
buiten de deur zwaaide. Zijn bovenlijf hing steeds verder achterover. Hij zag de rest van de trein, aan de ene kant de rij rammelende wagons, en aan de andere kant de voortstomende locomotief, en beneden zich de ziedende treinwielen. *Dodelijk onge-
val in trein*, schoot hem alsmaar door het hoofd. Morgan had
hem nu in een ijzeren greep bij zijn kraag vast, onwrikbaar.
Tob worstelde wanhopig. 'Maqualte, help me,' riep hij. Ergens
boven de trein zweefde een witte schim, die meteen oploste
in de stortregen. Een soort oerkracht maakte zich opeens van
Tob meester. Hij trok aan de stang, zo krachtig dat zijn lijf
naar binnen veerde, en Morgan van de weeromstuit naar buiten kantelde. Tob hield de stang stevig vast en plantte zijn
voeten op de glibberige treinbodem. Meteen duwde hij met
zijn vrije hand Morgan, die zich aan de deurpost had vastge-
klemd, van zich af naar buiten toe.

'Mooi geprobeerd, jochie.' Met een snelle beweging pakte Morgan

Tobs pols beet. Triomfantelijk keek hij Tob aan. 'We gaan samen, Tob Timp.'

'*Never* nooit niet,' gromde Tob en duwde Morgan nog verder de trein uit, maar Morgan liet niet los. Morgan was het type dat nooit los liet, begreep Tob. Uit het niets flitsten enkele lantaarnpalen voorbij. Opeens wendde Morgan zijn hoofd af en keek naar de voorkant van de trein. De schreeuw die uit zijn keel steeg, kwam rechtstreeks uit de hel. Vlak langs de trein zoefde een volgende lantaarnpaal voorbij. Een korte kreet overstemde het kabaal. Een stuiptrekking. Toen was Morgan stil.

Verdoofd keek Tobias naar Morgan. Voor zich, nog half hangend aan de deurpost, bungelde het onthoofde torso van Morgan in de regen. Precies boven aan de nek was zijn hoofd afgehakt door de lantaarnpaal. Bloed spoot naar buiten langs de rafelige vezels van spieren, vaten en huid, die op gruwelijke wijze waren afgescheurd. Tob kon zijn eten niet meer binnen houden. Hij boog voorover en probeerde tegelijk Morgans lijf de trein uit de duwen.

'Hel en verdoemenis,' riep de stem in zijn hoofd weer.

Tob probeerde de aanblik van Morgan te vermijden, maar opeens voelde hij een ruk aan zijn shirt. Morgans handen waren weer tot leven gekomen! Heftig spartelend en worstelend probeerde Morgans bovenlijf hen beiden uit de trein te werpen. 'Laat me los,' gilde Tob, zich nu op zijn beurt vastklampend aan de deurstijl. Het had geen enkele zin. De kracht van Morgan was onvoorstelbaar. Het onthoofde lijf zette zijn benen af tegen de zijkant van de trein, en centimeter voor centimeter werd Tob naar buiten getrokken. Dit was het dan, zei Tob in zichzelf. Hij had gefaald. Niemand zou hij nog van dienst kunnen zijn, zijn vader was verloren, evenals het kruis…

Iemand hakte met een pook op de witte hand van Morgan in, zo vernietigend hard dat Tob de botten hoorden kraken. Weer een slag, nog een slag, weer een. Morgans greep verslapte.

De pook mikte op Morgans vingers, toen op zijn pols. Een nieuwe slag deed de knoken in Morgans handen breken. Eindelijk, eindelijk, liet Morgan los, en als een zak aardappels klapte het onthoofde lichaam naar buiten. Een doffe bonk, en weg was het, door de snelheid van de trein meteen tientallen meters achter hen.

Tob liet zich achteruit op de vloer vallen en keek in de ogen van zijn redder. 'Muzak!'

'Hoi,' antwoordde Muzak met een mengeling van schrik en lef. Hij boog zich over Tob heen en trok met een klap de treindeur dicht. 'Sappig hier!' Om zijn nek bungelden de snoertjes van zijn discman, die aardig in de knoop waren geraakt. 'Ik kwam niks te laat, geloof ik.'

Tob veegde zijn mond af aan een papieren zakdoekje dat Muzak hem aanreikte. 'Waar kom jij vandaan?'

'Ik werd vanmorgen wakker gebeld door Pien. Ze had een visioen gehad dat er iets met je zou gebeuren. Ik ben meteen naar je huis gescooterd. Maria zei dat je naar het station van Geelkoten was vertrokken, dus ik erachteraan.'

'Op dat trage scootertje?' Tob krabbelde overeind.

'Je dacht toch niet dat ik die niet had opgevoerd? Ik ben wel gek, maar niet versnipperd, hoor!'

'Niet versnipperd?' Dat ontlokte Tob een grijns. 'Blij dat te horen.' Zijn kleren waren doorweekt, maar hij voelde een vreemd soort ontspanning, die hem zelf verbaasde. Eigenlijk zou hij doodsbang en in paniek moeten zijn.

De lampen in de trein gingen van het ene op het andere moment aan.

'Licht in de duisternis,' schamperde Muzak.

Vlakbij de deur zag Tob een klein voorwerp liggen dat schitterde in het lamplicht. 'Morgan heeft iets verloren.' Hij bukte. Zijn wangen gloeiden als kooltjes toen hij doorkreeg wat hij gevonden had. Hij pakte het kleinood tussen duim en wijsvinger en hield het tegen het licht.

Muzak floot tussen zijn tanden. 'Wat is dat?'

'Een diamant,' lachte Tob. 'De tweede diamant van het kruis.'

'Flits!' zei Muzak. 'Dat is super!'

Tob vouwde de diamant in een nieuw papieren zakdoekje. 'Jezus! De lijken!'

'De wat?' hikte Muzak.

'Er zit binnen een dood oud stelletje op de bank. Ze zijn in de trein overleden.'

'Ja ja,' zei Muzak en duwde de deur naar de tweedeklas al open. 'Leuke grap, hoor.'

'Echt waar,' zei Tob. 'Laat mij maar eerst gaan.' Met tegenzin worstelde hij zich langs Muzak door de deur de coupé in, die er een stuk vriendelijker uitzag nu de lampjes brandden.

'En?' vroeg Muzak die meteen achter hem was aangekomen. 'Waar dan?'

Tobs mond viel open. Op de bank waar de twee gezeten hadden stonden twee gele teddyberen. 'Ik zweer je dat ik de waarheid sprak.'

'Ja,' hoonde Muzak. 'Die beren zijn inderdaad hartstikke dood.' Ginnegappend sloeg hij Tob op de schouder. 'Maar je bagage staat er in ieder geval nog, kerel.'

Tob keek naar zijn rugzak bij zijn eigen bank. Muzak had gelijk. Alles stond er nog. Die rugzak moest hij in ieder geval niet vergeten straks. 'En hoe moet jij nu terug?'

Muzak trok een wenkbrauw op. 'Ik moet helemaal niet terug. Ik ga met jou mee, broodmeloen. Dat snap je toch wel?'

Tob bloosde. Natuurlijk had hij gehoopt dat Muzak dat zou zeggen, maar hij kon de vraag niet over zijn lippen krijgen, daar was hij een beetje te trots voor. 'Tof dat je dat doet!'

'Dácht ik ook,' antwoordde Muzak en gaf een tikje tegen een van de beren. 'Weet je? Ik geloof je wel hoor, van die oude dode mensen.'

Beteuterd keek Tob hem aan. 'Werkelijk?'

Muzak trok zijn schouders op. 'Wat doet het er ook toe. Kom, we gaan bij het raam zitten.'

Ze stommelden naar Tobs plaats, waar hij de diamant meteen opborg in een plastic tandenstokerdoosje waarin nog maar enkele stokers zaten. Het doosje verborg hij in een geheim klein binnenvakje van zijn rugzak.

De coupédeur werd opengeduwd, en een conducteur in een blauw pak verscheen. 'Heren, mag ik jullie kaartjes?'

'Dat mag,' glimlachte Tob en ze haalden hun kaartjes tevoorschijn. 'Slecht weer, niet?'

De conducteur bediende routineus zijn kniptang, keek met een kennersblik naar het hondenweer buiten en zei: 'Na regen komt zonneschijn.'

Tob bromde instemmend. Daar viel geen speld tussen te krijgen.

3

Gedurende een kwartier was de trein al door de buitenwijken van de stad gereden. Een keer had hij een stop gemaakt bij een klein voorstationnetje. Tob en Muzak hadden de buitendeur even opgezet en gezien hoe er uit de voorste rijtuigen een paar reizigers waren gestapt.

Eindelijk naderden ze iets wat op het centrum van de grote stad begon te lijken. Ze passeerden een brug over een brede rivier.

'Moet je daar zien,' zei Muzak naar buiten kijkend. 'Wat een joekel van een boot.'

Tob volgde de blik van zijn vriend en knikte. 'Een cruise-schip.'

Het motregende buiten, maar hier en daar kwamen er dunne plekken in de bewolking, constateerde Tob tot zijn tevredenheid. De ruiten van de trein waren zo vuil dat alles buiten er vaal uitzag. 'Hoe lang nog denk je?'

'Geen idee. Hier ben ik nog nooit geweest,' zei Muzak.

Eenmaal over de brug passeerden ze drukke verkeersaders die begrensd werden door torenhoge gebouwen met appartementen en kantoren. Daarna doken ze weg tussen dichte bebouwing en verdween ieder uitzicht op de stad. Het enige wat ze zagen waren betonnen achtergevels van kantoren, parkeerplaatsen en obscure stegen waar ze zelfs overdag liever niet kwamen. De trein minderde vaart, en ze verdwenen in een tunnel. De lampen in de trein sprongen weer aan.

Tob keek naar Muzak. In de haast had hij geen bagage meegenomen. Hopelijk had Maria genoeg kleren in zijn rugzak gedaan om Muzak ook van nieuwe te voorzien, anders moesten ze maar iets kopen.

'Wat kijk je bezorgd,' merkte Muzak op.

'Ik vroeg me af of je mijn kleren zou passen.'

'Vast wel,' zei Muzak. 'Al ben ik verknocht aan wat losser spul.'

Dat had Tob wel verwacht. Muzak had altijd kleding aan die als een tent om zijn lijf hing. 'Ik weet niet waar we straks heen moeten, hoor.'

'Geen probleem.' Muzak knipoogde. 'We komen er wel uit.' Muzak hield er de moed in.

Tob plukte wat aan zijn beregende shirt. Het begon al aardig op te drogen.

Plotseling, met een ratelend geluid op de achtergrond, reden ze vanuit de tunnel een groot station binnen. Het barstte er van de reizigers, en voor het eerst beseften ze echt dat ze in een grote stad aankwamen. Aantrekkelijke fotomodellen lachten hen vanaf reclameposters toe, mensen sjouwden met koffers, weer anderen stonden te wachten, nippend aan een beker koffie of happend van een snack. Aan het plafond van het betonnen stationsdak brandden ongezellige oranjekleurige lampen. Even leek het of ze op Mars waren aangekomen. Schril piepend kwam de trein tot stilstand. Allebei bleven ze besluiteloos zitten.

'We zijn er, denk ik,' zei Muzak.   •

'Ja, we moeten eruit,' zei Tob, en kwam als eerste uit de bank. Een beetje onhandig trok hij de rugzak op zijn rug en stapte het gangpad in. Voor in de coupé opende iemand de deur en stapte naar binnen. Voor het eerst die reis kregen ze gezelschap. Een moeder met twee kleine kinderen stapte hun coupé in. Tob wachtte tot ze hen gepasseerd waren en liep de coupé uit, naar de uitgang, waar de deur naar het perron open stond. Zijn rugzak stuiterde tegen de stangen. Met een sprong belandde hij op het perron en keek achterom. Morgans dood moest zijn sporen hebben nagelaten, maar in het balkon en op de deur was geen druppeltje bloed te zien. Daar kwam Muzak ook aan. Hij deed een stap opzij om Muzak eruit te laten. Er stond een koude tocht op het perron die door zijn kleren blies.

Muzak stapte via het wagontrapje op het perron en nam de omgeving met een waakzame blik in zich op. Boven hun hoofd gaf een elektronisch mededelingenbord de nieuwe bestemming van de trein aan. 'Kom op, we moeten daarheen denk ik,' zei Muzak en gidste Tob naar een trap die naar beneden leidde, naar een felverlichte ondergrondse gang die onder de perrons doorliep. Het zag er zwart van de mensen die zich allemaal even gehaast naar de uitgang of naar een perron begaven, meestal met een chagrijnige uitdrukking op hun gezicht.

Tob stootte met zijn rugzak tegen een oud dametje aan, dat hem bestraffend toesprak. 'Jongeman, je bent niet alleen op de wereld.'

'Sorry mevrouw,' stamelde hij. Bijna onmiddellijk botste hij tegen een man met een koffer op.

Muzak moest erom lachen. 'Veel praats voor zo'n besje. Straks verandert ze nog in een teddybeer.'

'Heel leuk, hoor!' Tob trok zijn rugzak recht. Genoeg gestumperd nu. Hij was met een missie naar de stad gekomen, dat moest hij zich voor ogen houden. Het was geen pleziertochtje.

De ondergrondse gang mondde uit in een ontvangsthal met een metershoge glazen gevel aan de voorkant. Aan de zijkanten, naast loketten met rijen wachtenden, dreven middenstanders hun winkeltjes, cafeetjes en restaurantjes. De geluiden van galmende stemmen, blaffende honden, rammelende bagagewagentjes, zoemende ventilatoren, sputterende espressoapparaten en rinkelende kassa's vermengden zich tot een oorverdovende kakofonie. Tezamen met alle andere nieuwe indrukken overdonderde het Tob, maar hij concentreerde zich op de klapdeuren bij de uitgang, die hem uit deze benauwende omgeving zouden redden. 'Daar is frisse lucht,' riep hij tegen Muzak, die zijn koptelefoon had opgezet. Het stonk in de hal naar zweet, eten en stront, eigenlijk naar alles wat smerig was en met menselijk afval te maken had. Weg wilde hij, naar buiten. Zijn neus dichthoudend rende hij naar de deuren, rukte er een open en stapte de straat op. Muzak kwam pal achter hem aan. Of het zo moest zijn, scheen de zon zomaar recht in hun gezicht. Damp steeg van de straat omhoog. Tob haalde diep adem, en blies krachtig uit. 'Wat een herrie daar.'

'Wat?' Muzak zette zijn koptelefoon weer af. 'Die Madonna maakt soms echt muziek voor bejaarden zeg,' zei hij laatdunkend.

'Zat je daar naar te luisteren?' Tob wees naar een busstation naast het treinstation. Om boven het verkeerslawaai uit te komen, moest hij met stemverheffing spreken. 'Misschien kunnen we daar ergens informeren waar we bureau Ovil kunnen vinden. Daar wil ik namelijk meteen naartoe.'

'Heel *clever*,' zei Muzak. 'Als je vader érgens is, moet hij bij Ovil zijn. Pas op!' Vlak voor Tob schoot een luid bellende tram langs. 'Let op je tenen!'

'Verdikkeme,' riep Tob uit. 'Het is hier levensgevaarlijk.'

'Dit is de grote stad, man!' zei Muzak, pakte Tob bij zijn mouw en trok hem mee over de stoep. 'Kom nou maar, boertje.'

Tob was te druk bezig met het bekijken van de omgeving om zich beledigd te voelen. Niet veel later stonden ze voor een grote plattegrond bij het busstation, waar de aankomende en vertrekkende bussen met hun dieseluitstoot opnieuw voor een verstikkende atmosfeer zorgden. Het deed Tob verlangen naar de kleine stad waar hij vandaan kwam, voor hij in Quillen woonde. Die was met zijn vele groen, de singels en het kleine centrum tenminste overzichtelijk. Koortsig bekeek hij de plattegrond. De kaartranden stonden vol met reclame. Vervelend genoeg zeiden de namen van de straten en pleinen op de plattegrond hem weinig tot niks. 'Zou Ovil in het centrum liggen?'

'Heeft je vader dat nooit gezegd dan?'

'Nee.' Tob keek om zich heen, op zoek naar een telefooncel. 'Misschien moeten we Ovil bellen om te vragen waar we hen kunnen vinden.'

'Als je maar niet zegt dat we eraan komen,' waarschuwde Muzak.
'Anders ruiken ze meteen al onraad.'

'We zouden toch eens een mobieltje moeten kopen, ook al zijn die op school zwaar verboden.'

Muzak haalde zijn schouders op. 'Nou en?' Ineens klaarde zijn gezicht op. 'In het station zat zo'n zaak. Kopen en meteen bellen, weet je wel? Wacht hier!'

Nog voor Tob kon protesteren holde Muzak terug naar de stationshal en verdween in de verte door een van de klapdeuren. Mistroostig staarde Tob naar de kaart. Daar stond hij dan. Alleen in een grote onbekende stad, op zoek naar... ja, naar wat precies eigenlijk? Hij liet zijn rugzak van zijn rug glijden en zette die tussen zijn benen neer. Voorzichtig maakte hij hem open en gluurde in het doosje in het binnenvakje. Als een koningsschat, flonkerend en schitterend, zat daar tussen de tandenstokers de diamant uit de trein verstopt. Hij hurkte en haalde het doosje eruit. Die tandenstokers erbij, dat was geen gezicht. Weg ermee, los in de tas. Eigenlijk zou er een dotje watten in het doosje moeten, net als bij de juwelier, maar waar haalde hij die vandaan? Hij stopte het doosje terug en sloot de rugzak. Zijn maag rammelde. Hij had honger, en tegelijk ook weer niet, als hij aan de afschuwelijk confrontatie met Morgan dacht, aan dat walgelijke lijf zonder hoofd.

'Sta je weer te dromen?'

'Huh!' Hij schrok. 'O, ben jij het.'

'Kijk eens,' zei Muzak, enthousiast zwaaiend met een mobieltje in zijn hand. 'We zijn meteen operationeel. Heb jij het nummer van Ovil? Of van je vader?'

Tob zei het nummer van zijn vader op.

'*Let's go*.' Blij met zijn nieuwe gadget tikte Muzak met zijn duim het nummer in. 'De andere kant gaat over.'

De tijd verstreek.

'Nog steeds gaat hij over.'

Weer tikten de seconden voorbij. Muzak trok zijn wenkbrauwen op. Iemand antwoordde.

'Met Muzak Corporation, mevrouw. Ik heb een afspraak bij jullie, en door een ongelukkig toeval ben ik jullie adres kwijtgeraakt. Zou u zo vriendelijk willen zijn…' Muzak hoefde zijn zin niet eens af te maken. 'Dank u wel. En een goede dag verder.'

'En?' Tob wilde meteen op weg. 'Was dat die juffrouw Tarva weer? Zei ze waar…'

Muzak knikte kort en bestudeerde de plattegrond. 'De Guabaralstraat. Het ligt in een kantorenpark aan de buitenkant van het centrum.' Hij rechtte zijn rug. 'Dat is te ver om te lopen, vrees ik.'

'Met de taxi?' stelde Tob voor.

'Dat is duur. Laten we de bus pakken.'

De kaart bracht uitkomst. De buslijnen van de hele stad stonden erop aangegeven, en samen hadden ze snel uitgeknobbeld welke lijn ze moesten hebben.

'Lijn 13,' stelde Tob hardop vast. 'Dat voorspelt niet veel goeds.'

'Niet alles brengt ongeluk,' stelde Muzak hem gerust en wees naar een halte vlakbij, waar op een bordje *Lijn 13* stond aangegeven.

Omdat er geen bus stond, was er geen reden tot haast. Op hun gemak sjouwden ze erheen. Op een bank in een hokje waarvan het dak precies genoeg schaduw bood om uit de zon te zitten, zochten ze een plek. Ze waren de enigen.

'Wat moest je vader eigenlijk in de stad doen?' vroeg Muzak.

'Hij zegt steeds dat hij de burgemeester uit de penarie moet redden. Het zou om fraude gaan. Erg veel laat hij er niet over los.'

'Mooie bedoening, zo'n burgemeester.'

'Volgens mij heeft het geen bal met fraude te maken.' Precies boven zijn hoofd hoorde Tob een krakend geluid. Hij keek omhoog, maar op het dak van het hokje was niets te zien.

Ineens was daar die stem in zijn hoofd weer. 'Hel en verdoemenis. Kijk uit, Tob. Let op je leven. Pas op, pas op…'

Tob hield zijn adem in. Voor het eerst zei die stem wat meer dan alleen maar "Hel en verdoemenis." Hij waarschuwde Tob ergens voor. Zou het dan toch om een geest gaan die hem goedgezind was? 'Wie ben je?' fluisterde hij.

'Wat?' vroeg Muzak.

Tob gebaarde dat hij zijn mond moest houden. 'Wie ben je?' vroeg hij weer.

'Mir, Mir…' De stem stierf langzaam weg. 'Je kent me niet…'

'Mir,' herhaalde Tob. 'Zegt die naam jou wat, Muzak?'

'Nee, behalve dat het een ruimtestation van de Russen was.'

Vanaf de doorgaande straat kwam een bus aanrijden. Boven het voorraam stond aangegeven dat het om lijn 13 ging, maar dat was niet waarom Tob de bus in het oog kreeg. De bus was zwart, gitzwart, van een glanzende laksoort die zo hard leek te zijn als graniet en het zonlicht absorbeerde. Alle ramen waren donker, zo donker dat het onmogelijk was naar binnen te kijken. Grote zijspiegels staken als de oren van een gigantische vleermuis naar buiten.

'Daar heb je hem,' zei Tob vol ontzag. 'Onze lijn 13.'

Muzak was er stil van geworden. Hij schoof naar achteren op de bank.

Tob stootte hem aan en stond op. 'Met dat ding moeten we mee.'

'Ja,' zei Muzak. '*Gloomy*.' Muzak kwam uit de bank. Zijn knieën kraakten. 'Eng ding!'

'Kan wel zijn, maar we hebben geen keus.'

De bus zoemde hun kant op. Hij was nauwelijks te horen, alsof er een elektromotor in het vooronder lag. Voor de plek waar ze stonden kwam hij tot stilstand, met de deur precies voor hun neus. Er mankeerde nu nog maar één ding aan: een deur die openging zodat ze konden instappen.

Tob klopte op de deur. 'Wij willen mee.' Het metaal was hard en koud. Er gebeurde niets. Hij klopte nog een keer.

Er siste iets onder de bus, en langzaam klapte de deur open, waarna een trapje zichtbaar werd dat naar de chauffeur achter het stuur leidde. De man droeg een donkerblauw pak en een donkere pilotenbril. 'Wat willen jullie?' Zijn stem was rauw en onverschillig.

'We willen mee. We moeten zijn in de…' Tob dacht even na, '…in de Guabarallaan.'

'De Guabaralstraat,' verbeterde de chauffeur hem bits. 'Stap maar in.'

Tob pakte zijn rugzak op en besteeg het trapje. Bij de chauffeur, voor een tafeltje, bleef hij staan. 'Hoeveel is het?'

'Tien euro.'

'Tien euro!'

De chauffeur knikte geërgerd. Zijn ogen waren niet te zien achter de bril. 'Voor jullie allebei.'

Tob haalde zijn portemonnee tevoorschijn en viste er een briefje van tien uit dat hij op het tafeltje legde. De chauffeur trok twee kaartjes uit een kaartjesautomaat, incasseerde het geld en schoof de kaartjes naar Tob toe. 'Volgende keer een strippenkaart kopen.'

Tob knikte. Onverwachts sloeg de deur sissend achter zijn rug dicht. Geschrokken draaide hij zich om. 'Muzak, ben je binnenge…?' Muzak stond vlak achter hem.

'Ik ben er,' zei Muzak knipogend. 'Samen uit, samen thuis.'

'Loop door en ga zitten,' commandeerde de chauffeur.

Tob keek de bus in. Er waren meer mensen die hun kant op moesten. Een moeder met twee kinderen, een pastoor, een man met een hondje, en een vrouw met grote bossen bloemen op haar schoot bijna helemaal achterin. 'Zullen we op de achterbank gaan zitten?'

'Best,' vond Muzak, waarop ze naar de achterbank sjouwden. De passagiers reageerden geen van allen op hun komst. Als wassen beelden staarden ze naar de chauffeursstoel. Af en toe knipperde een van hen met zijn ogen. Voorbij het bloemenvrouwtje gingen ze op de achterbank zitten. De bus had een airco die zo hard werkte dat het koud was.

'Hij houdt ons in de gaten,' fluisterde Tob, die in de achteruitkijkspiegel voorin de argwanende uitdrukking van de chauffeur zag.

'*Creepy*. Het voelt niet goed hier,' zei Muzak. 'Die chauffeur moet ons niet. Hij denkt dat we wat komen kapotmaken.'

'Je weet wat hij denkt?'

'Gedeeltelijk,' zei Muzak. 'Maar hij houdt ook iets voor ons verborgen.' Zijn blik dwaalde naar de andere passagiers. 'Vreemd. Heel vreemd,' mompelde Muzak.

'Wat is er zo vreemd?' vroeg Tob, zich vasthoudend aan de rugleuning schuin voor hem omdat de bus begon te rijden.

'Die andere mensen. Ik kan niet zien wat ze denken.'

'Dat heb je zo vaak, toch? Het is altijd maar afwachten wanneer je iets aan je gave hebt.'

Ongeduldig schudde Muzak zijn hoofd. 'Dat bedoel ik niet.' Hij wreef over zijn gezicht. 'Ik kan helemaal niets opvangen, niet eens een flauwe trilling die aan een gedachte doet denken. Het is alsof ze… helemaal niet denken. Zo leeg, zo kaal is het in die hoofden.' Muzak trok bleek weg. 'Dat heb ik nog nooit meegemaakt.'

'Poep aan de knikker?' informeerde Tob.

'Zou kunnen.' Muzak keek strak voor zich uit. 'We moeten in ieder geval op onze tellen passen.'

Bedrukt keek Tob door de donkere ramen naar buiten, waar het laatste wachthuisje van het busstation voorbij zoefde. Een groepje jongeren stond er op de bus te wachten. Er hing een poster die een nieuw parfum aanprees, en tegen de zijwand van het huisje stond een klein hondje te plassen. Achter een meisje met blond haar stond, half verscholen, een donkere figuur. 'Heb jij eraan gedacht dat we morgen weer naar school moeten?' vroeg Muzak om de sfeer te verluchtigen.

'Nee, ik…' Als een scherp zwaard joeg de schrik door Tobs lijf.

'Wat is er?' Muzak schoof naar het puntje van de bank.

Tob begon bijna te hyperventileren. Rustig ademen, jongen, sprak hij zichzelf toe. 'Ik zou zweren dat ik Morgan bij dat hokje zag staan, achter dat blonde meisje.'

Meteen keek Muzak om, maar het hokje was al uit het zicht verdwenen. 'Dat kan toch niet? Je zult je wel vergist hebben.'

'Ja, dat moet wel.' Muzak had gelijk. Het was compleet onmogelijk dat Morgan rondliep, tenzij hij een tweelingbroer had, maar goed, dan was het zijn broer, en niet Morgan zelf. 'Ik denk dat ik van de spanning rare dingen ga zien,' zei Tob.

'Je hebt toch geen macaroni in je hoofd?' Muzak maakte met zijn wijsvinger een draaiende beweging boven zijn kruin. 'Dan zie je ze misschien wel vliegen, ja!'

'Maak je niet bezorgd,' grimaste Tob. 'Ik ben nog heel goed bij zinnen, hoor. En wat die school betreft: dat zien we morgen wel weer.' De bus maakte enkele scherpe bochten en om te voorkomen dat de rugzak, die hij naast zich op de bank had gezet, op de grond viel, pakte hij het hengsel stevig vast. Buiten trokken er onbekende straten en pleinen aan hen voorbij. Ondanks de zondag was het druk met verkeer. Opvallend veel fietsers wrongen zich langs de auto's die meer dan eens in een rij moesten wachten voor een verkeerslicht.

Ze zaten zeker al een half uur in de bus, toen het Tob opviel dat er van de passagiers nog niemand was uitgestapt. Eenmaal was de bus bij een halte gestopt, maar daar waren de deuren gesloten gebleven. Geen van de passagiers had tot nu toe een bijzondere beweging gemaakt. Stil en robotachtig zaten ze daar maar te kijken, naar de voorkant van de bus, alsof ze een bestemming hadden die ze nooit zouden bereiken. Tob begon het behoorlijk griezelig te vinden. 'Ze doen helemaal niks,' fluisterde hij.

'Dat merkte ik ook al,' siste Muzak. 'Ze verroeren geen vin.' Stiekem knikte hij naar de bloemen van het vrouwtje dat twee banken voor hen zat. 'Zeker van de markt.'

Daar wilde Tob zijn hoofd niet over breken. 'Wanneer weten

we nu dat we bij de straat van Ovil zijn?'

'Misschien moeten we het de chauffeur vragen. Hij zal toch wel stoppen dan?'

Geringschattend keek Tob naar de rug van de chauffeur. Een hoge dunk had hij niet van diens hulpvaardigheid. 'Ik zal het eens vragen.' Hij gaf zijn rugzak over aan Muzak en kwam overeind.

In het plafond ruiste een luidspreker, waarna de stem van de chauffeur door de bus snerpte. 'Over enkele ogenblikken naderen we de halte Guabaralstraat. Hier uitstappen voor de passagiers achterin.'

Perplex liet Tob zich terugvallen. Kennelijk wilde de chauffeur dat ze op een afstand bleven. Voor het eerst produceerde de bus een diep brommend geluid en viel er te bespeuren dat er zoiets als een motor met een versnelling in zat. Vanaf het station tot hier hadden ze zich praktisch geluidloos en rustig voortbewogen, zonder merkbare hobbels of haperingen in de weg.

'Guabaralstraat,' zei de chauffeur door de luidspreker en trapte abrupt op de rem. Binnen de kortste keren kwamen ze tot stilstand. Tob werd erdoor verrast en knalde met zijn hoofd tegen de leuning voor hem. '*Shit!*' riep hij zo hard uit dat de hele bus het horen kon.

Heel even zag hij de schouders van het bloemenvrouwtje verstrakken, alsof ze iets van zijn uitlating zeggen wilde, maar de beweging stokte meteen.

'Ik pak je rugzak wel,' bood Muzak aan.

Met een hand tegen zijn voorhoofd gedrukt stond Tob op. De achterdeur van de bus zwaaide met een zucht open. In de achteruitkijkspiegel brandden de boze ogen van de chauffeur die zijn zonnebril had afgedaan. Tob wankelde, duizelig van de klap, en raakte met zijn vrije hand de bloemen van het vrouwtje aan. Bijna schoven de boeketten van haar schoot op de grond.

'Sorry,' zei Tob, maar het vrouwtje keek niet op. Ze deed niet eens een poging de bloemen vast te houden. Hij knikte onbeholpen, stapte de drie treden van het trapje af en zette voet op de straat.

Muzak, met de rugzak in zijn hand, stapte vlak na hem uit. De deuren sloten zich weer, en snorrend trok de bus op, zich in het passerende verkeer voegend.

Ze waren gearriveerd in een brede laan met een groenstrook in het midden. Overal om hen heen stonden kantoorgebouwen. Het was net een kerkhof voor reuzen, met de kantoren als grafsteen.

'Heb jij die bloemen gevoeld?' vroeg Tob aan Muzak.

'Ik heb ze nog teruggeschoven,' zei Muzak. 'Jij voelde het ook, niet?'

Ja, Tob had het ook gevoeld. De bloemen en hun bladeren en stelen hadden koud en hard aangevoeld. 'Ze waren van plastic.'

'Net als de bloemen in het doolhof van Quillen.' Muzak keek over zijn schouder naar het hoge gebouw waar ze voor stonden. Het was een zwartbetegelde zuil met donkere ramen en een zwarte draaideur als ingang. Aan de top reikte de voorgevel naar de witte schapenwolken in de verder strakblauwe lucht.

Tob monsterde de ingang. *Ovil* stond er in zilveren letters boven. 'Heb jij al bedacht dat het raar is dat ze op zondag open zijn? Zondag is toch een rustdag? De dag des Heren, zal ik maar zeggen.'

'Worden we ineens gelovig?' schamperde Muzak.

'Het ging me maar even om het idee,' verhelderde Tob. 'Zullen we naar binnen gaan? Geef mijn rugzak maar hier.' Hij nam de rugzak over en manoeuvreerde die weer op zijn rug. 'Ik ga wel eerst.' Hij plaatste zijn vingers tegen het smetteloze glas van de dikke rookglazen draaideur en duwde uit alle macht. Langzaam kwam de deur in beweging, en hij stapte in, waarna Muzak meteen in het vak achter hem dook. Met zijn tweeen duwen ging een stuk soepeler. Daar stond Tob in de entree, een tamelijk kleine hal met een verhoudingsgewijs benauwend laag plafond. Rechts van hem strekte zich een lange gang uit met kantoren, waar een paar mensen met verhitte hoofden doorheen liepen om in een van de kamers te verdwijnen. Links waren de liften naar boven met glimmende stalen schuifdeuren, en direct voor hem lag de receptie. Een juffrouw die weggelopen leek uit een modeblad, knikte hem toe. Ze glimlachte professioneel. 'Middag jongeman. Kan ik je helpen?' riep ze vanaf de balie.

Tob kreeg een duw in de rug van de tegen hem aan struikelende Muzak en deed een paar stappen voorwaarts om zijn evenwicht te herstellen. 'Ik zoek mijn vader.' Nog een aantal stappen erbij, en hij stond voor de receptie. Hij haalde zijn neus op. De juffrouw gebruikte een doordringend parfum.

'O,' zei ze en likte haar rode lippen. 'Uw vader? En wat is zijn naam, als ik vragen mag?'

'Timp. Meneer Theo Timp.'

Als een ijsje op de barbecue smolt haar glimlach weg. Haar ogen maakten een snelle beweging van links naar rechts. 'En die… werkt hier?' stamelde ze.

'Ja. Bent u Tarva Jansen?'

'Ja, klopt, is juist,' antwoordde ze kortaf. 'Meneer Timp werkt hier niet meer. Hij is naar huis.'

'Zijn huis in Quillen bedoelt u?'

Verwaand trok ze haar neus op. 'Waar anders?'

Langzaam schudde Tob zijn hoofd, terwijl Muzak naast hem kwam staan. 'Ik weet zeker dat hij niet thuis is, want daar kom ik juist vandaan.'

De secretaresse wist zich opeens geen houding meer te geven. Van haar stuk gebracht pakte ze de telefoon en drukte op enkele knoppen. Ze bloosde. 'Chef, er is hier iemand voor meneer Timp. Ja!' Ze brulde de laatste woorden bijna in de hoorn. 'Neem me niet kwalijk. Nee, hij zegt dat hij zijn zoon is.

Doorsturen? Naar de wachtkamer?' Ze legde de hoorn neer en probeerde haar kalmte te herwinnen. Met rode vlekken op haar voorhoofd wendde ze zich tot Tob. 'Of jullie willen wachten in de wachtkamer. Die is daar.' Een trillende vinger wees naar een deur aan het begin van de kantoorgang. 'Meneer Bouillon, de directeur, komt u zo halen.'

'Best,' zei Tob minzaam. 'Maar als ik zo vrij mag zijn het te vragen, wat doet bureau Ovil eigenlijk?'

Weer leek ze op tilt te slaan. 'Van alles. Onderzoek, financieel beheer en zo.' Haar lippen maakten nerveuze beweginkjes. 'Ga alsjeblieft naar de wachtkamer.'

Ze bedankten en slenterden naar de wachtkamerdeur. In de gang erachter werd het steeds drukker. Mannen met aktetassen en laptops sjouwden van de ene kamer naar de andere.

Muzak duwde de wachtkamerdeur open. 'Struin binnen!'

'Ik ga al.' Tob gaf liever zijn ogen op de gang de kost, maar hij liet zich overhalen als eerste binnen te stappen. Dit was de vreemdste wachtkamer die hij ooit gezien had. Op de vloer lagen tegels in zwart-witte banen, waarvan het patroon op de muren en zelfs het plafond was doorgetrokken. In het midden stond een zwart-wit geblokte tafel, en in iedere hoek stonden moderne zwartgelakte houten stoeltjes met chromen pootjes. Muzak was intussen ook binnen en sloot de deur, rondkijkend of hij in een rariteitenkabinet was beland. 'Te sauzig, zeg! Het zijn hier zeker zebraliefhebbers.'

'Of ze oefenen hier voor het oversteken,' voegde Tob er niet minder verbaasd aan toe. 'Welke stoel wil jij?'

'Ik blijf wel staan.'

'Ik niet. Ik ben moe. En ik heb trouwens honger.' Hij liep naar een hoek om een van de stoeltjes uit te proberen.

Een kwartier ging voorbij zonder dat er iets bijzonders gebeurde. De chef van secretaresse Tarva liet zich niet zien. Tob had er genoeg van. Hij stond op en sjorde zijn rugzak op zijn rug.

'Ik ga eens vragen waar hij blijft.' In al zijn ongeduld stond hij al met een been op de gang.

'Wacht op mij.' Muzak haastte zich naar de deur. Hij voelde er weinig voor alleen te blijven. Op zijn tenen liep hij in Tobs kielzog de gang weer op.

Tob naderde de receptie omzichtig. Juffrouw Tarva was telefonisch in gesprek, terwijl ze iets in een dossierkast opzocht. Tob legde een vinger op zijn lippen en keek over zijn schouder naar Muzak. 'Sst.'

Doordat Tarva met haar rug naar hen toe stond, waren ze in de gelegenheid ongezien langs haar te sluipen naar de stalen liftdeuren. Aarzelend bleven ze voor de twee liften staan. Boven de deuren gaven verlichte cijfers aan dat er dertig verdiepingen waren.

'Het is hoog, heel hoog, dit gebouw,' merkte Tob onder de indruk op.

'Koekie! Duizelingwekkend hoog,' schamperde Muzak. 'Als het maar niet omvalt. Laten we de lift pakken.' Hij drukte op een knopje in de muur om aan te geven dat ze naar boven wilden. 'Directies zitten altijd hoog en droog, dus meneer Bouillon en die andere soepfiguren kunnen we daar vast vinden.'

De lampjes boven de deuren gingen een voor een aan, steeds naar een lager getal.

'Hij komt eraan,' zei Tob, over zijn schouder checkend of Tarva hen nog niet in de gaten had, maar ze was nog steeds in gesprek. Vierde verdieping, derde, tweede, eerste, daar sprong de linker lift open. Een kale ruimte met hoogpolig tapijt en spiegelwanden, meer was het niet. Rap sprongen ze in de lift, drukten op de knop voor de twintigste verdieping, en wachtten tot de deuren zich sloten. Het duurde lang, heel lang. Ze hoorden Tarva haar gesprek afronden. Daar draaide ze zich om. Eindelijk suisden de deuren dicht, net op tijd. Met een schok zette de lift zich in beweging, eerst langzaam, toen steeds sneller. Tob kreeg er een naar gevoel van in zijn buik. Hij vermeed om in de spiegel te kijken. Ze zagen er vast niet uit na die wilde treinreis en de tocht in de bus. Al na een tiental seconden, die veel langer leken te duren, remde de lift snel af. Tobs maag drukte tegen zijn middenrif, tot ze stilstonden. Hij onderdrukte een oprisping.

'We zijn boven,' fluisterde Muzak.

'Weet ik,' zei Tob, over zijn buik wrijvend.

Ongeduldig wachtten ze tot de deuren opengingen.

'Volgens mij schieten we hier wortel,' zei Muzak na een tijdje.

'We zitten vast als ratten in een kooi,' merkte Tob op. 'Volgens mij moeten we iets doen.' Hij keek naar de knoppen aan de wand. Bij een knop stond een uitroepteken. Met het puntje van zijn wijsvinger drukte hij erop. Er klonk een klik, en de deuren sprongen open. Ze keken in een lange gang met aan beide zijden gesloten deuren. Het zebrapatroon van de wachtkamer was overal terug te vinden, waar ze ook keken. Alleen de egaal zwarte blinkende deuren met hun chromen knoppen waren een uitzondering. Als je te lang naar het plafond keek, zwart en witte glazen tegels met een verlichting erachter, werd je helemaal tureluurs. Ze slopen de gang op, alsof ze bang waren door de vloer te zakken. Er was hier geen teken van leven te bespeuren.

'Hoor jij iemand?' vroeg Muzak.

'Niks.' Het enige geluid was het zachte ruisen van een ventilatiesysteem. Achter hen schoven de liftdeuren dicht. Geschrokken keken ze om, en lachten. Tob greep de klink beet van de eerste deur die hij tegenkwam. Als een volleerde inbreker legde hij zijn oor tegen de deur. Binnen was het stil.

'Kijken?' vroeg hij.

Muzak knikte.

Langzaam drukte Tob de klink naar beneden, wachtte, duwde de deur een stukje open en gluurde om de hoek. Weer viel hij bijna om van verbazing. Afgezien van een tapijt met zebrabanen, was de hele kamer leeg. Balorig gaf hij de deur een duw en gebaarde dat Muzak met hem mee moest komen en de deur moest sluiten. Een paar tellen later stonden ze voor een donker raam over de stad en zijn omgeving uit te kijken. Beneden hen lagen speelgoedhuisjes, boompjes als broccolistronkjes en parkjes als kleine lapjes stof. Auto's als legosteentjes en mensen als mieren krioelden door de straatjes.

'Wauw!' bracht Tob uit.

'Niks wauw. We moeten verder gaan.' Muzak trok Tob aan zijn mouw. 'Straks komt er iemand binnen.'

Ze waagden zich de gang weer op, en probeerden de volgende kamer. Ook deze was leeg, en de volgende ook, en die daarna ook. Het vreemde patroon van blokken en zebrastrepen kwam overal terug. Op driekwart van de gang stopten ze.

'Niemand, er is hier helemaal niemand,' zei Tob. 'We kunnen rustig concluderen dat alle kamers leeg zijn.'

Vlakbij zag hij een deur met een raam die toegang gaf tot een trappenhuis. Ze overlegden en besloten de trap naar de onderliggende verdieping te nemen. Het was warm in het trappenhuis, in tegenstelling tot de rest van het gebouw, dat op een enorme koelkast leek. Twee trappen lager vonden ze de deur naar de volgende verdieping. Tob zwaaide hem open. Deze gang zag er precies zo uit als die daarboven. Niet eens bang meer iemand tegen te komen, sjouwden ze de gang op en controleerden een paar kamers, die weer net zo zwart-wit en leeg waren als alle andere.

Ze pauzeerden op de gang. Tob rekte zich uit. 'Het is hier een nepkantoor. Alleen beneden werken er mensen.' Hij draaide zich om zijn as en keek rond. 'Ik denk niet dat we mijn vader hier zullen vinden.'

'Denk ik ook niet,' oordeelde Muzak peinzend. 'Misschien moeten we toch terug naar beneden gaan. Al zal die Tarva woest zijn als ze merkt dat we hier zijn geweest.'

'Kan me niks schelen. Ik moet mijn vader vinden. Alleen hij

weet waar het kruis is gebleven.' Tobs schouders deden pijn van de banden van de rugzak. 'Ik begin steeds meer honger te krijgen.' Hij deed zijn rugzak af, keek in het grote midden-vak en duwde met zijn handen enkele kleren opzij. Die Maria was een schat! Keurig verpakt in luchtdichte schaaltjes had ze een aantal dikbelegde boterhammen meegegeven. En boven-dien vond hij nog pakjes appelsap met een rietje erbij. Ze zak-ten op de vloer en namen de tijd een boterham te eten.

'*Goodyfoody*! Emmentaler! Ik ben dol op de gaten,' grijnsde Muzak en slurpte een slok appelsap naar binnen.

Tob liet het zich ook smaken. Hij was behoorlijk gammel gewor-den en het was hoog tijd dat ze wat energie binnenkregen. Na een tweede boterham deden ze de trommels dicht en besloten weer naar beneden te gaan. Muzak was zo aardig de rugzak een tijdje voor zijn rekening te nemen. 'Sst,' maande hij Tob ineens tot stilte. 'Ik dacht dat ik iets hoorde.'

Stilstaand zette Tob zijn oren open. Eerst hoorde hij niets, maar daarna merkte hij dat Muzak gelijk had. Ergens vandaan, uit een van de kamers, klonk een regelmatig getik. Het was zacht, maar als je het eenmaal hoorde, was het op een bepaalde manier heel doordringend. Het kwam van een kamer verderop uit de gang, waar ze snel voorbij waren gegaan zonder binnen te kij-ken.

'Ik weet het niet…' fluisterde Muzak, 'maar ik voel de aan-wezigheid van iemand. Zijn gedachten zijn ons niet goed gezind.'

Tob staarde de gang in. Een van de kamers had geen chro-men, maar een goudkleurige deurknop. Zonder twijfel kwam daar het getik vandaan. 'Ik ga kijken.'

'Niet alleen gaan,' zei Muzak en voegde zich bij Tob. Als op kousenvoeten liepen ze naar de deur en stopten. Het tikken was luider geworden. Onder de deur uit kwam damp zetten die, eenmaal op de gang, zo goed als meteen oploste in de lucht.

Tob pakte de klink en deed de deur open, niet meer dan een

paar centimeter. Nog meer damp waaide de gang op. Hij keek Muzak aan. 'Doorgaan, Dr. X?'

'Doorgaan, Spiderman,' zei Muzak, en Tob duwde de deur verder open. Er was binnen niet direct iets bedreigends te zien, zelfs niet nu de deur geheel open was, maar toch was de sfeer onheilspellend. Ze keken in een grote nagenoeg vierkante kamer met paarse wanden en plafond. De wanden waren zeker twintig meter lang, en kaal en strak, zonder schilderijen of wat dan ook. Vlak boven de vloer hing overal een dikke mistnevel. In het midden van de kamer prijkte een grote conferentietafel die, doordat zijn poten in de mist verdwenen, leek te zweven. Minstens veertig stoelen stonden eromheen. Daglicht viel er door de donkere ramen nauwelijks naar binnen.

Op zijn hoede zette Tob een voet in de kamer. 'Hier zullen ze wel vergaderen.' Hij waagde zich de kamer in en bleef staan. 'Wie bedoel je met ze?' vroeg Muzak, en ging de kamer ook in. 'Als je de directie bedoelt, dan…'

Met een klap viel de deur dicht, zo hard dat het onmogelijk de tocht kon zijn die ze over hun gezicht voelden gaan. Ze keken elkaar aan.

'De deur is dicht,' zei Tob geschrokken.

'Ja, ik hoorde zoiets,' antwoordde Muzak pesterig. 'Maar we willen toch nog niet weg?'

In het midden van de conferentietafel was een vrije loopruimte waarin een pilaar stond. Aan de pilaar tikte een oude slingerklok de tijd weg met zijn ronde slinger.

In slow motion liepen ze rond de tafel en de pilaar, tot er aan de achterzijde van de pilaar een metalen kluisje zichtbaar werd. 'Wat is dat?' vroeg Muzak.

Tob wist het ook niet. Hij liep naar de tafel en wilde eroverheen kruipen om bij de pilaar te komen.

'Wacht even. Wie zegt dat het geen val is?' Muzak hield hem tegen.

Dat zou natuurlijk heel goed kunnen, besefte Tob, maar voor

hetzelfde geld zat er iets in het kluisje dat van belang was. 'Ik wil toch kijken, want ik…' Achter zijn rug klonk een schurend geluid. Hij keek om en zijn adem stokte. Zijn benen verkrampten. Niet alleen was de deur naar de gang nog steeds dicht, maar was de zwarte kleur in een geelrode tint veranderd. Geschrokken gleed Tob van de tafel, rende naar de deur en rukte aan de klink. 'Au!' Het metaal was gloeiendheet geworden, en de deur was afgesloten. 'We zijn er ingetuind, Muzak! Het is een val.'

Muzak kwam naar hem toe, wadend door de laaghangende nevel. 'Wie zegt dat nou?' Zijn zelfverzekerdheid was ineens verdwenen.

'De deur is dicht. We zitten gevangen.' Tob keek naar de nevel. 'In deze kamer huist iets, ik weet niet wat…'

Daar was de stem in zijn hoofd weer. 'Verdoemenis, Tob. Pas toch op. Pas toch op.' Als een echo galmde de stem door de spelonken van zijn hersenen. 'Pas toch op…' verdween de stem in de verte.

'Dit gaat fout, wat ik je brom,' zei Muzak en gaf ook een ruk aan de klink. 'Au!'

'Een ezel stoot zich geen twee maal aan dezelfde steen,' ergerde Tob zich. 'Ik stel me heus niet aan, hoor.'

Bij hun voeten ritselde er iets, alsof er papier onder de deur door werd geschoven. Omdat Muzak hem bezorgd en hulpeloos aanstaarde, bukte Tob en tastte in de mist over de bodem. Het tapijt was kortpolig en zacht. Hier en daar voelde hij wat losse plukjes wol, maar hij ontdekte niets bijzonders. Nóg een beetje meer bij de deur voelen misschien… 'Aha!'

'Wat aha?' siste Muzak. 'Nou?'

Vlug kwam Tob overeind en liet twee zwart-witgeblokte enveloppen zien die hij had opgeraapt. *Tobias* stond er met zilveren inkt op de ene geschreven, *Muzak* op de andere.

'Voor ons?' vroeg Muzak. 'Wat moeten we doen.?'

'Laten we ze openmaken,' hakte Tob meteen de knoop door,

gaf Muzak zijn envelop, en scheurde zijn eigen envelop open. Er zat een opgevouwen vel lijntjespapier in.

Muzaks nieuwsgierigheid kreeg nu ook de overhand. Al snel stond ook hij met een opgevouwen velletje in zijn hand. 'Wat nu?'

'Lezen,' commandeerde Tob, en vouwde het briefje open.

Er klopte iemand aan de andere kant van de deur.

Beiden hielden ze zich stil, ze maakten geen geluid, geen beweging.

Weer werd er geklopt, deze keer sneller en langer.

'Wie daar?' vroeg Tob met onvaste stem. Zijn keel voelde aan als schuurpapier. Het bleef stil. 'Wie klopt daar?'

'Wie dacht je, knul?' vroeg een zoetgevooisde stem. 'Wie dacht je? Zwarte piet?'

'Morgan!' riep Tob ontzet uit. 'Ik dacht dat je…'

'Dood?' krijste Morgan vol leedvermaak. 'Ik? Stom jong. Met wie denk je nou werkelijk te maken te hebben? Zonder de kracht van Xin ben je nergens, jongen. Jullie gaan er allemaal aan, Quillen als eerste.' Een duivelse lach klaterde door de deur. 'Hebben jullie de post al gelezen?'

Tob en Muzak keken tegelijk naar hun papier. Tob had een merkwaardige tekening voor zijn neus, een plattegrond van een doolhof waarvan de helft ontbrak. 'Wat moet ik daarmee?'

'Kijk maar,' gilde Morgan hysterisch.

Een trilling ging door de vloer, en meteen achter zich zag Tob de meubels verdwijnen en plaatsmaken voor metershoge wanden, die vervolgens ook in de rest van de kamer uit de vloer rezen. 'Muzak, we moeten…' Pal tussen hen in verrees een zwarte wand en onttrok Muzak aan het oog. 'Muzak!' riep Tob en bonkte met zijn vuisten tegen de muur, die niet eens ervan trilde.

'Ben je je vriendje kwijt?' spotte Morgan op de gang. 'Naar, hè?'

'Ik ben aan de andere kant,' riep Muzak. 'We moeten elkaar helpen. Het is een doolhof.'

'Goed geconcludeerd,' zei Morgan. 'Jullie zitten in een doolhof, en om eruit te komen moet je bij de kluis in het hart van het centrum zijn. Ik doe jullie een voorstel. Als jullie elkaar helpen en het centrum vinden, zal ik jullie snel en niet al te pijnlijk doden, maar als je de weg alleen vindt, zal ik je in leven laten en belonen, en de ander doden. Wat doen jullie?'

Tob stampvoette van kwaadheid. Dat was een onmogelijk voorstel. Hijzelf moest er in ieder geval heelhuids uitkomen, maar kon hij daarvoor het leven van zijn beste vriend opofferen? Aan de andere kant: met een halve plattegrond kon hij niet veel beginnen, en was de kans dat hij alleen ontsnapte astronomisch klein. Samenwerking was dus sowieso geboden. Hij voelde aan de zwarte wand. Die was taai, ondoordringbaar en zo glad dat hij er nooit tegenop kon klauteren om over de rand te kijken. Wat nu? Hij moest iets verzinnen, en vertrouwen op zijn intuïtie. 'Muzak?'

'Ja?' klonk Muzak benepen aan de ander kant van de wand. Tob haalde diep adem. 'Het spijt me, je zult het alleen moeten uitzoeken.'

Even was het stil. 'Nee, dat kun je me niet aandoen,' schreeuwde Muzak.

'Ik heb geen keus,' riep Tob vastbesloten. 'Ik moet mijn vader en Quillen redden.'

Op de gang kraaide Morgan luidkeels van plezier. 'Ik wist het! Ik wist het wel... Arme Muzak. Zie maar dat je sneller bent dan dat vriendje Tob van je. Dat is veel beter. O ja, jongens. Nog wat. Jullie hebben niet onbeperkt de tijd. Er zijn er die jullie een handje willen schudden. Doei!' Morgans weerzinwekkende lach stierf weg naarmate hij zich verder van hen verwijderde. 'Denk eraan, niet stiekem praten om bij het midden te komen, want ik kan jullie horen, jongens...' Toen was hij weg.

Tob keek op de plattegrond. Die ene gang moest hij niet ingaan, dat was duidelijk, die liep dood. Dan maar een andere kant op. Struikelend werkte hij zich een willekeurige gang door, tussen de hoge zwarte wanden die hem als het beleg van een sandwich tussen zich in leken te willen klemmen. Waar moest hij nu in hemelsnaam weer naartoe? Hij kon Muzak niet roepen, want dat zou Morgan horen, en dan zou hun lot bezegeld zijn. Hij probeerde na te denken, het hoofd koel te houden. In het plafond siste er iets. Als door een wesp gestoken keek hij omhoog. Vijf meter boven hem ontstond er een donkere plek in het plafond, waarin een paar seconden later rode vlekken verschenen. Zwarte druppels van een pekachtig materiaal vielen naar beneden, vlak langs zijn hoofd, en sloegen uiteen op het door de mist onzichtbare tapijt. Wat was dit nu weer? Zo'n soort gat, dat herkende hij uit Quillen. Als een inktvlek verspreidde het zwarte materiaal zich in een snel tempo over het plafond, tot het een gigantische zwarte gladde spiegel vormde. Zou het daarbij blijven? Nee, de lucht zinderde en trilde, er stond hen nog meer te wachten. Verbeeldde hij het zich nu, of kwam het plafond naar beneden? Nee, hij zag het goed. Het plafond daalde, geleidelijk, maar zeker. Plotseling vertoonden zich in het peilloze spiegelvlak witte stippen. Ze trilden en borrelden. Langzaam veranderden ze in bleke roze stompjes die als dunne asperges hun kopje opstaken. Tob huiverde. Het was alsof er een vreselijk verdriet op zijn schouders neerdaalde, het verdriet van honderden overledenen die geen gewone dood mochten sterven. Hij bleef naar de roze stompjes kijken, die steeds verder uitgroeiden. Aan de punten ontsproten smalle tentakelachtige draden, die slap naar beneden hingen. Tob knipperde met zijn ogen. Zag hij het goed? De draden verdikten zich en stulpten uit tot vingers, die op hun beurt aan de bovenkant verder groeiden tot levende handen met een pols en een onderarm, die tot slot in het niets van het plafond verdween. Het werden er steeds meer, en… de handen leefden! Langzaam maar zeker was het alsof ze ontwaakten uit een winterslaap. Honderden en honderden waren het er, graaiende vingers, die traag met het plafond mee omlaag zakten en Muzak en hem in stukken uiteen zouden trekken als ze niet op tijd de kamer uit waren.

Tob slikte. Nat van het zweet bestudeerde hij de plattegrond weer. Zou Muzak hem begrepen hebben? Op goed geluk sloeg hij een gang in en begon te rennen. Hij concentreerde zich en dacht: 'Muzak?'

Geen antwoord.

'Muzak!' riep hij van binnen. Hij hield halt. Zijn hart bonsde als een stoomhamer.

Hij kwam weer in beweging. Er doemde een wand voor hem op. Hij had een doodlopende gang uitgekozen. Terug maar weer. Van boven waaiden kleine schilfertjes naar beneden die van de wriemelende vingers afvielen. De vingers maakten een fluisterend geluid, als van horden fladderende vlinders rond een bloesemstruik. Maar die hadden geen dodelijke bedoelingen…

Hij was weer op het punt aangekomen waar hij net was. Verdomme! Waarom deed Muzak niets.

'Tob?' hoorde hij een stem in zijn hoofd. Hij maakte een sprong van blijdschap. Wat hij gehoopt had gebeurde. Muzak kon het! Voor het eerst! Muzak kon niet alleen gedachten van anderen lezen, maar ook zijn eigen gedachten naar anderen uitstralen. Blijf je concentreren Muzak, dacht Tob en deed zijn ogen dicht.

Voor zijn gesloten oogleden ontstond een visioen, een plaatje, eerst vaag, toen steeds helderder en helderder. Lijnen, zwarte lijnen kwamen erbij, het werd weer vager, wat was dat nou? Opnieuw verscherpten de contouren van het plaatje zich. De plattegrond! Het was Muzaks helft van de plattegrond! Als hij, Tob, zich op zijn plaatje zou concentreren, zou Muzak dat dan kunnen oppikken? In gedachten liep hij ieder lijntje van zijn eigen plattegrond na. Links, rechts, dan door de grote gang vanuit het centrum, terugdraaien naar rechts. Bah! Hij werd er duizelig en draaierig van, tot hij besefte dat dat niets met zijn overmatige concentratie te maken had, maar alles met het feit dat in zijn gedachten zijn tekening zich met die van Muzak samenvoegde. Het lukte! De plattegrond was compleet! Hij opende zijn ogen en zette het weer op een lopen. Links, rechts, rechtdoor, weer rechts...

Boven zijn hoofd kwamen de handen angstwekkend snel dichterbij. Hij kon ze nu veel beter bekijken. Het waren oude handen, jonge handen, kinderhanden, gladde handen, rimpelige handen, handen met donkere en blonde haren, schone handen en eeltige handen met zwarte nagels: de handen van verdoemde zielen die in de ban van de duivel waren geraakt, en die in hun verdriet niet anders konden dan de levens van Muzak en hem tot zich nemen, in de hoop daarmee verlost te worden van de eeuwige hel.

Hij hoorde hun geweeklaag en gekerm, net zoals dat uit de heuvels achter Quillen was komen aanwaaien. Niet wegdromen, Tob! Opzettelijk beet hij keihard in zijn wang. Even hoorde hij de snelle voetstappen van Muzak, die op een andere plek in het doolhof ook zijn weg aan het zoeken was. Hij sloot zijn ogen licht en concentreerde zich een paar seconden opnieuw op de plattegrond. Hij was niet ver van het centrum meer, waar de pilaar met de kluis was.

Daar hoorde hij Muzak weer, nu ving hij zelfs diens gehijg op. Die arme Muzak sjouwde nog steeds met Tobs rugzak. Hij keek naar boven. Nog maar een halve meter voor de eerste handen zijn kruin bereikten. Veel tijd had hij niet meer! Snel! Snel! Zijn adem ging met horten en stoten. Hij... met een klap botste hij tegen een wand op. Zijn neus deed vreselijk pijn. Hij smoorde zijn kreet door zijn mond stijf dicht te houden, waardoor het een lange kreun werd. Het was of de handen er opgewonden van werden, zo snel begonnen de vingers te wriemelen. Hij richtte zijn aandacht weer op de denkbeeldige plattegrond. Sukkel die hij was! Hij had een verkeerde afslag genomen. Terug, en dan de goede gang in. Zijn voeten deden pijn, zijn hoofd voelde aan als een op ontploffen staande stoomketel. Daar waren Muzaks voetstappen weer. Het was nu erop of eronder. Doorzetten nu! *Yes*! Daar was de pilaar. Tien stappen, en hij had het centrum van het doolhof bereikt. Van rechts schoot ineens Muzak tevoorschijn. Als een stormram botste hij tegen de pilaar en bleef duizelig staan, hijgend en zwetend uit al zijn poriën. 'Tob,' siste hij verrast.

Ze vielen elkaar om de hals. 'Je had het door, niet?' Nu ze het midden eenmaal bereikt hadden, konden ze weer praten.

Muzak knikte. 'Vraag me niet waarom, maar ineens wist ik wat Mir betekent. Vrede en vriendschap. Toen snapte ik dat je me niet liet vallen.'

'Tuurlijk niet. Ik…' Tob voelde iets aan zijn hoofd en dook instinctief inelkaar. Met grote kracht werd een pluk haar uit zijn hoofd getrokken, wat hem een korte hevige pijn bezorgde. Op zijn beurt dook Muzak ook inelkaar. De handen waren intussen zo ver gedaald dat ze niet meer gevaarloos overeind konden staan.

Door zijn knieën zakkend ging Tob voor het kluisje staan. Aan het stalen deurtje zat een handgreepje waar hij aan trok. Gladjes zwaaide het deurtje open en gaf zicht op een luikje met een cijferslot. Vlak ervoor zat een klein rond kuiltje in de bodem. 'Hoe krijgen we dat ding open? Ik ken de code niet.' Muzak bekeek de kluis van dichtbij. 'En wat moet er in dat vakje?'

'Daar staat wat,' fluisterde Tob. *Vide et crede* las hij onder het cijferslot.

'Het lijkt op een toverspreuk.' Muzak lachte nerveus, intussen de stekelige vingers van een natte kleverige hand ontwijkend. De situatie werd benard, heel benard.

'*Shit* zeg!' Tob werd gek van die vingers, het was een regelrechte nachtmerrie waar ze in waren geraakt. *Vide et crede*. Uit onmacht draaide hij maar wat aan de knop. Achter dat luikje zat iets wat hij moest hebben, hij was ervan overtuigd, maar wat? Hij zuchtte, vatte nieuwe moed. Alles in het leven had een doel, zei zijn vader altijd, dus ook wat in dit bizarre kantoorgebouw gebeurde.

'Au.' Een grote hand met uiterst lange vingers en puntige nagels prikte Muzak in zijn schouders. Hij ging nog dieper door de knieën. Het dalende plafond drukte de doolhofwanden gewoonweg de grond in, en het zou absoluut blijven dalen, net zolang tot Muzak en Tob in de greep van honderden wurgende handen waren gekomen.

'Van Pakdal kreeg je die kastanje, toch?' merkte Muzak attent op. 'Heeft hij je nog meer meegeven?'

'Nou, niet veel. Alleen maar goede raad. Maar wacht eens...' Tob kon zichzelf wel voor zijn hoofd slaan. Meteen zocht hij in al zijn broekzakken. Daar was het! Het steentje dat Patricia hem gaf! Hij liet het Muzak zien.

'Is dat iets bijzonders?' vroeg Muzak zonder veel vertrouwen. 'Het lijkt me gewoon een mooi blauw steentje.'

'Stil!' zei Tob, enkele uit het plafond vallende pekdruppels ontwijkend, en legde het steentje in het kuiltje in de kluis. Ze wachtten en wachtten. Er gebeurde niets. Intussen zakte het plafond krakend verder en verder. De handen leken in een soort extase te raken, zo druk en gretig strekten ze zich naar Tob en Muzak uit. In de kluis gebeurde nog steeds niets.

'Die moeite hadden we ons kunnen besparen.' Muzak wierp een angstige blik boven zich, waar twee benige handen steeds feller hun sprietige vingers naar hem uitsloegen. Druppels bloedrood zweet lekten uit de handpalmen naar beneden. 'We moeten opschieten!'

Tob pakte het steentje terug. 'Kijk.' Hij wees naar de tekst in de kluis. 'Kijk wat er nu staat!'

Zie en geloof lazen ze tegelijk.

Tob lachte. 'De steen heeft ons geholpen!'

'Fijn,' schamperde Muzak. 'Maar hoe dan?'

Dat was een goede vraag, want wat had *zie en geloof* te betekenen? Tob herhaalde de tekst in zichzelf. *Vide et crede, zie en geloof.* Bevend bracht hij zijn vingers in de kluis en legde het topje van zijn wijsvinger in het vakje. 'Engelen in de hemel, help me,' smeekte hij fluisterend. 'Laat me niet in de steek.' Opeens klikte er iets in de pilaar, alsof er een mechaniek in werking werd gezet, en het deurtje sprong op een kier. Muzak trok het voorzichtig verder open. Met ingehouden adem keken ze wat erachter zat. Er wachtte hen een nieuwe teleurstelling. Het kluisje was zo goed als leeg, op een klein plastic doosje na. Tob pakte het en opende het. 'Kijk!' stootte hij een opgewonden kreet uit. Midden in het doosje, vastgehouden door een kartonnen klemmetje, flonkerde een prachtige diamant. Triomfantelijk nam hij de diamant tussen duim en wijsvinger, gunde hem een korte bewonderende blik en stak hem goed weg in zijn achterzak.

'*Yes!*' riep Muzak blij uit. 'Kijk, er zit nóg een knopje achter in de kluis,' ontdekte hij en zette er zonder erbij na te denken zijn duim tegen. Zoemend schoven opeens de zwarte wanden de nevelige bodem in, waardoor ze de deur naar de gang eindelijk weer konden zien.

Tob zette het bijna op een juichen, maar een vervelend gevolg van het verdwijnen van de muren was dat het plafond nu nog sneller omlaag kwam. De situatie werd nu echt levensgevaarlijk. Veel tijd hadden ze niet meer. Het klaaglijke geluid in zijn hoofd zwol aan, honderden stemmen die riepen om verlossing. Het ging door merg en been, maar Muzak leek niets ervan op te vangen.

'Het is tijd om te gaan,' schreeuwde Tob, en Muzak sprak hem niet tegen. 'Snel, snel,' riep die alleen nog maar en wees naar de deur. 'Daarheen. Nu!' sloeg Muzaks stem over.

Half kruipend op handen en voeten haastten ze zich onder de graaiende handen door naar de deur. Een harige hand met roodgelakte nagels zwaaide langs Muzaks oor en schampte zijn oorlel. 'Au!'

Tob trok aan de deurklink. Goddank, de deur was open! Verdimme!

Hij bleef steken tegen een stuk van het plafond. 'Harder trekken, samen,' riep Tob, en Muzak hielp onmiddellijk mee. Ze kreunden om kracht te kunnen zetten. Stukje voor stukje, centimeter voor centimeter, gaf de deur toe. Tob sloeg een vettige smoezelige hand van zich af die zijn schouder beetpakte. De hand deed een nieuwe vergeefse poging. Aan de middelvinger zat een protserige ring met een wapen erop. Tob las de kleine letters onder het wapen. *Gezegend de familie Vugt*. Sprakeloos bleef hij staan. Deze hand behoorde toe aan zijn deze zomer verdwenen leraar meneer Vugt. Hij wilde de hand vastpakken. 'Ik zal je redden, meneer Vugt.'

'Ben jij bepoedersuikerd! Kom mee!' gilde Muzak die al half op de gang stond. Hij gaf een geweldige ruk aan Tobs arm en sleurde hem de gang op. Voor Tob het wist zaten ze allebei op hun achterwerk in de gang, en had Muzak in hun val de deur dichtgetrokken. Hijgend en ontdaan bleven ze zitten om bij te komen. Achter de deur was het stil geworden, doodstil. 'Daar hoef ik niet meer binnen,' zei Muzak.

'Ik ook niet.' Tob veegde het zweet van zijn voorhoofd. 'Zullen we…'

'Jullie spelen vals,' schreeuwde iemand aan het einde van de gang achter een glazen deur, buiten op de brandtrap.

Tob keek op en versteende. 'Morgan! Hij gaat vast naar beneden om het personeel van Ovil te waarschuwen.'

'Tot zo, sukkels!' Morgan schudde triomfantelijk met zijn vuist en verdween op de brandtrap, weg naar beneden.

Ze krabbelden op en holden naar de lift. Absoluut moesten ze vóór Morgan beneden zijn. De lift was nog boven en opende zijn deuren zodra ze op de knop hadden gedrukt. Ze schrokken van hun spiegelbeeld, zo smerig en vermoeid zagen ze eruit. Met een snoeksprong doken ze de lift in en drukten op de knop voor de begane grond, grommend als twee boze honden toen het sluiten van de deuren weer zo lang op zich liet wachten. Eindelijk, daar gingen ze weer, als een baksteen langs alle verdiepingen naar beneden. Vlak voor ze op de grond te pletter dreigden te slaan, hield de lift in en landde beschaafd op de parterre. Weer gingen de deuren niet open, maar Tob hamerde meteen met zijn vuist op de knop met het uitroepteken. De diamant zat nog in zijn achterzak, maar het was of de edelsteen door zijn broek heen een plek op zijn bil brandde. Eindelijk, eindelijk, daar gingen de deuren open. Ze zetten zich schrap, want juffrouw Tarva had vast en zeker gemerkt dat ze weg waren, en had waarschijnlijk de bewakingsdienst bij de lift klaargezet.

Tob kneep zijn ogen samen en keek de gang in. Wat hij zag was verbazend. Er stond helemaal niemand! Muzak durfde niet eens te kijken. Starend naar de punten van zijn schoenen wachtte hij af.

'Er is niemand,' zei Tob nuchter, waarop Muzak dat pas zelf durfde te controleren.

'Vet *sticky*, ze hebben niks gemerkt. Het is hier *business as usual*!'

'Kom, wegwezen voor de deuren dichtgaan, *mister president*,' siste Tob.

Ze stapten de lift uit. Tob hield de balie in de gaten waar Tarva achter een pc aan het werk was. Ze leek hen niet te op te merken. Kijkend of hun neus bloedde liepen ze op hun gemak langs de receptie. Tob verwachtte een sommering om halt te houden, maar niemand liet zich horen. Stiekem loerde hij naar Tarva. Hij schrok. Vanuit haar ooghoeken hield ze hen nauwlettend in de gaten te houden, en plotseling glimlachte ze. 'Vlug,' fluisterde ze. 'Meneer Bouillon is jullie aan het zoeken. Vlug! Je vader is hier echt niet meer.'

Tob viel bijna om van verbazing. Hij hield in. 'Hij is hier echt niet meer?'

'Hij moest weg.'

'Maar waarheen dan?'

'Terug naar huis, zei hij, maar...' Omdat er aan het einde van de kantoorgang een enorm kabaal klonk, stopte Tarva met praten. Iemand gooide de ruiten van de branddeur in, opende de deur en kwam de gang in gesprint. Het was Morgan, en de duistere blik in zijn ogen voorspelde niet veel goeds.

'Wegwezen,' gilde Muzak en gooide zich met rugzak en al de draaideur in. Tob ging er meteen achteraan, want Morgan naderde hen krijsend met gebalde vuisten. Wat was hij toch voor iemand? Een duivel? Een monster? Of allebei? Ze kegelden via de draaideur de straat op, waar het felle zonlicht hen verblindde. Geen tijd om zich te oriënteren. Ze moesten rennen, vluchten, want Morgan zou geen spaan van hen heel laten.

'Hierheen!' riep Tob en trok Muzak op goed geluk een kant op. Muzak had het warm, zijn hoofd was rood, de rugzak werd veel te zwaar. Wég holden ze, weg van kantoor Ovil, waar binnen het geschreeuw van Morgan tot ongekende hoogten steeg. 'Rotjongens. Ik pak jullie!'

'Hij heeft ons zo ingehaald. Ga jij maar alleen verder, ik wacht hem wel op,' zei Muzak.

'Nooit. Hij zal je vermoorden. We ontkomen samen, of helemaal niet.'

Plotseling schoot Muzaks nieuwe mobieltje uit zijn zak en kletterde op straat in stukken uiteen. 'Laat maar. Mogen we toch niet hebben in Quillen,' zei Muzak buiten adem.

Ze staken de straat over, tussen het verkeer door, om een heenkomen tussen de geparkeerde auto's te zoeken. Achter een busje doken ze weg. De deur van Ovil draaide sneller en sneller rond, tot Morgan als een raket naar buiten schoot. Midden op de stoep bleef hij hijgend staan. Gebukt slopen ze achter de auto's langs, in de hoop dat hij hen niet zou ontdekken. Soms konden ze Morgan kort zien tussen twee auto's door. Zijn ogen schoten vuur. Hij keek de straat uit, toen weer terug, en nog eens.

'Blijven lopen,' siste Tob. 'We moeten terug naar het station, terug naar Quillen.'

'Dat vreesde ik al,' mopperde Muzak. Hij kreeg weer wat praats.

'Zijn we eindelijk eens buiten Quillen op stap, wil jij weer terug. Ik…'

'Daar zijn jullie!' krijste Morgan aan de overkant van de straat. 'Verdomme, daar zijn jullie!'

'Rennen!' gilde Muzak, Tob met zich meesleurend.

Morgan stampvoette zo hard dat ze het in de grond konden voelen, en zette de achtervolging in.

'Dat halen we nooit,' zei Muzak en voelde aan de rugzak op zijn rug. 'Ga nou toch alleen…'

'Nooit!' zei Tob beslist, maar zoals hij het inschatte, maakten ze geen schijn van kans. Morgan stak over en kreeg hun nu recht in het vizier. Zij waren de prooi, en Morgan was de bloedhond. Hij rook hun geur, en hij wilde hun bloed proeven.

Plotseling scheurde er een rood autootje voorbij en stopte langs de straat. 'Jongens! Hierheen!' trok de bestuurder hun aandacht.

'Het is Forek, Forek Vink!' riep Tob uit.

Ook Muzak had hem meteen gezien. '*Speeden*!' Met zijn laatste krachten sjouwde hij naar de wagen en liet zich voorover op de smalle achterbank vallen, met de rugzak nog aan zijn schouders. Tob sprong naast Forek in de stoel. Forek gaf een dot gas, en reutelend trok de auto op.

Schuimbekkend sprong Morgan de straat op en zette het, vlak voor een aanstormende taxi, op een sprinten. Nijdig claxonnerend remde de taxi af, maar Morgan sloeg er geen acht op. Zijn vaart was zo verbluffend dat hij op hen inliep.

'Harder, harder!' riepen Tob en Muzak tegelijk.

Forek schakelde grijnzend naar een hogere versnelling. De naald van de snelheidsmeter sprong vooruit.

'Rotjongens!' schreeuwde Morgan, die gelukkig rap terrein op hen verloor, achter hen. 'Ik krijg jullie nog wel.'

Ze scheurden een hoek om, en weg was Morgan. Hoog in de lucht klonk een vreemde knal, zoals die van een fles champagne die ontkurkt wordt.

'Kijk,' zei Muzak en wees naar het Ovil-kantoor dat ver boven de andere gebouwen uittorende. Uit de op een na bovenste verdieping dreven zwarte rookpluimen naar buiten. 'Er is brand.'

'De enige brand die me echt interesseert is die in mijn open haard,' zei Forek die er vluchtig naar keek. 'Maar dit lijkt me niet best voor het kantoor.'

Tob durfde eindelijk een beetje te ontspannen. 'Hoe kom jij eigenlijk hier? Ik dacht dat je niet weg kon.'

'Ik kreeg vanmiddag een verlaat briefje van je vader. De postbode had het vergeten af te geven. Er stond in dat ik met alle middelen moest voorkomen dat je hem ging zoeken.'

'Met alle middelen?'

'Zoiets ja. Maar het was al te laat, niet?' Forek gaf nog meer gas en racete door een rood verkeerslicht. Dat schoot lekker op. 'Er zat dus niets anders op dan je hier te gaan halen. Gelukkig heb je me verteld waar je naartoe ging, en het vinden van het kantoorgebouw was een koud kunstje.'

'Breng je ons naar huis?' vroeg Tob. 'We hebben hier niets meer te zoeken.' Ergens achter zijn kruin begon die hinderlijke jeuk weer op te steken. Hij krabde en voelde een puistachtig bultje.

'Graag even stoppen bij Geelkoten. Mijn scooter staat daar nog bij het station,' merkte Muzak op.

'Goed,' antwoordde Forek mat. Ondanks de goede afloop van zijn redding bleef hij bedrukt kijken.

'Je lijkt niet erg blij om ons weer te zien,' zei Tob.

Forek schudde zijn hoofd. 'Er was nóg een reden om je snel te gaan halen. Na je vertrek is er iets gebeurd in Quillen.' Hij perste zijn lippen even op elkaar. 'Je ziet het straks wel.'

Tob hoefde geen gedachtelezer te zijn om te weten dat Foreks mededeling geen vrolijk nieuws inhield.

4

Niet te hard rijdend, zodat Muzak hen op zijn gele scooter kon bijhouden, reden ze tegen de avond het dal van Quillen binnen. De zon zakte achter de Zeven Heuvels. De zwarte vlek boven de bergtoppen leek gegroeid te zijn. Het had iets onnatuurlijks en sinisters. Tob keek ernaar tot het uitzicht op de heuvels achter een rij bomen verdween. Even later passeerden ze de eerste huizen van Quillen.

'Daar is ons dorp weer,' merkte Forek droog op. 'Die woning daar heb ik laatst nog verkocht,' zei hij met enige trots toen ze voorbij een oud herenhuis aan de rand van het dorp reden. 'Leuk,' antwoordde Tob. Zijn wangen en neus voelden koel aan van de avondwind. Er woelde een zeker ongeduld in zijn binnenste. Hij wilde zo langzamerhand wel eens weten waarom Forek zo ongerust was geweest.

Forek leek dat aan te voelen. 'Ik laat je zo iets zien,' mompelde hij op een goed moment terwijl ze van de buitenwijken door de steeds smallere straatjes naar het centrum reden. De kerkklok sloeg zeven uur. Het was rustig, zelfs voor een zondagavond. Het geknetter van Muzaks scooter, die hen nog steeds trouw volgde, verstoorde de stilte.

'Is het erg wat je me wilt laten zien?' vroeg Tob.

'Daar moet ik naar gissen, Tob, maar ik ben bang van wel.' Hij liet zijn stuur door zijn handen glijden toen ze een bocht uitkwamen. Vervolgens nam hij snelheid terug, draaide zijn auto om een scherpe straathoek en reed het kerkplein op. 'Ik zet de auto even tegenover Louis weg.'

'Louis?'

'Ja, die heeft het ontdekt. Hij vertelde het me toen ik vanmiddag voor ik vertrok nog snel een broodje kaas haalde.'

Dat verbaasde Tob. Louis was een toffe kerel, en betrouwbaar, maar over de geheimen van Quillen deed hij geen mededelingen, misschien wel uit angst voor represailles van… Ja, van wie eigenlijk?

Forek parkeerde de auto naast de kerkhofmuur. 'Net als ik, vraag je je waarschijnlijk af waar je vader gebleven is. Geloof me: ik weet het net zo min als jij, en ik maak me net zo veel zorgen, maar ik denk niet dat hij nog in de grote stad is.'

'Waarom niet?'

'In zijn brief stond nóg wat, namelijk dat hij, ongeacht of zijn werk klaar was, over een week naar Quillen terug wilde gaan, omdat er hier een ramp dreigde te gebeuren.'

Knetterend met zijn scooter hield Muzak naast hen halt en haalde de oortelefoontjes uit zijn oren. 'Zeg, wat gaan we hier doen?'

'We komen zo,' zei Tob.

Muzak grijnsde en tufte naar de overkant van de straat, naar de snackbar.

'Enfin, we hebben dus alle reden om aan te nemen dat hij naar Quillen terug is gegaan, want dat bureau Ovil deugt in ieder geval niet.' Forek zette de motor af en opende zijn portier. 'Kom. We gaan.' Hij reikte Tob zijn rugzak aan die op de achterbank stond.

Eenmaal uitgestapt staken ze de straat over en liepen Louis' snackbar binnen, waar het redelijk druk was. Muzak stond binnen te wachten op een bestelling die hij maar meteen geplaatst had. Bij de deur stond Louis tevreden een sjekkie te roken terwijl zijn assistent achter de frituur met kroketten en zakjes patat goochelde.

'Tob!' riep Louis opgetogen en loodste hen onmiddellijk mee naar een tafeltje achterin, wat Tob wel een beetje spijtig vond, want hij barstte van de honger.

Louis keek om zich heen alsof iemand hen zou kunnen afluisteren. Daarna trok hij fanatiek aan zijn sjekkie, maakte het uit in een asbak en boog hun kant op. De over tafel uitgeblazen tabaksrook maakte Tob aan het hoesten.

'Sorry,' verontschuldigde Louis zich met een grimas. 'Foutje.'

Hij schraapte zijn keel om te laten merken dat hij iets van belang te zeggen had. 'Vanmorgen vroeg maakte ik een wandelingetje, zoals iedere morgen voor ik de zaak open, en soms neem ik daarbij een klein stukkie van het doolhof mee.' Hij hief een hand op alsof iemand daartegen bezwaar wilde maken, maar Tob en Forek luisterden slechts aandachtig. Louis richtte zijn ogen nu op Tob alleen. 'Ik wilde je het laten weten, maar je was weg, hoorde ik van Forek.'

'Hebben jullie dan contact met elkaar?'

Louis grijnsde. 'Forek kwam een broodje halen.' Weg was de grijns. 'Toen wilde ik het Forek vanmiddag meteen laten zien, maar die had vliegende haast om naar jou toe te komen. Eigenlijk ben ik over de schreef gegaan, want...'

'Want wat?' boog Tob zich op zijn beurt naar Louis toe.

'Je weet dat wij niets mogen vertellen aan anderen... Horen, zien en zwijgen. Maar wat ik vanochtend zag maakte me bang. De zaken lopen hier uit de hand, wat ik je brom.'

'Heb je vanmiddag nog gekeken?' vroeg Forek. 'Was het erger geworden?'

'Geen tijd gehad.' Louis veegde zijn handen af aan zijn grauwe schort. 'Kom mee.'

Hij stond op, zijn blik op onweer. Ongeduldig stampte hij meteen naar de uitgang, waar Muzak net buiten de deur van een patatje met mayonaise stond te smikkelen.

Forek en Tob maakten dat ze er snel achteraan gingen, maar Louis was zo attent om bij de deur op hen te wachten. Hij keek naar de lucht. Pas na een tijdje kreeg hij in de gaten dat Tob, met zijn rugzak weer op zijn rug, en Forek er inmiddels ook bij waren. 'Aha! Daar zijn jullie! Kom jij ook maar mee,' bromde hij tegen Muzak.

'Er zitten stenen in je hoofd. Bakstenen,' liet Muzak zich ontvallen.

Louis keek Muzak verbijsterd aan. 'Hoe weet jij dat ik daar aan denk?'

Muzak bloosde. 'Zomaar. Ik zie het zomaar.'

'Zal wel.' Zonder nog een moment te wachten ging Louis de zaak uit. Met stroeve bewegingen liep hij van hen weg, de straat overstekend naar het kerkplein. Als vanzelfsprekend holden ze achter hem aan.

'Is er wat?' vroeg Muzak, al rennend, aan Tob. Patatten uit Muzaks bakje vielen op de grond. 'Heb ik iets gemist?'

Tob knikte, maar zei niets. Inmiddels hadden ze Louis bereikt en liepen ze pal achter hem. Louis bleef er een razend tempo in houden.

Ongevraagd begon Tob van Muzaks patat mee te peuzelen. 'Niet slecht.' Hij smakte luid. 'Louis wil ons iets laten zien.'

De kerk liet zijn avondschaduw over het plein vallen. De straatlantaarns floepten aan, maar in plaats van de boel aangenamer te maken, gaf het een griezelig, onwerkelijk effect. Louis sloeg zonder te waarschuwen een kleine steeg in die bij het doolhof hoorde. Heel even aarzelde hij, keek over zijn schouder naar hen om en liep weer verder. 'Het kan nog net,' mompelde hij, kijkend naar de rozige laatste resten avondlicht in de lucht. 'Het kan nog net.'

Muzak zette zijn halflege bakje op een vensterbank weg. Smakkend likte hij zijn vingers af. De eetlust was kennelijk ineens verdwenen.

'We moeten wel voor het donker hier weg zijn,' riep Forek naar Louis, maar deze reageerde niet. Hij leidde hen door een heel smalle steeg die Tob nog nooit had gezien en waar het zo schemerig was dat ze moesten oppassen niet over de onregelmatige straatklinkertjes te struikelen. Opeens kwamen ze uit op een pleintje dat bij Tob wél enige herinnering opriep. Ooit was hij er eens min of meer per ongeluk doorheen gekomen. Afgezien van enkele hoge woonhuizen met rode daken en rode bakstenen gevels, was er een oude herberg, die net als alle andere huizen een uitgestorven indruk maakte. De deur was dicht, en het eenzame tafeltje met stoeltjes voor de deur maakte allesbehalve een uitnodigende indruk.

Louis draaide zich om en wees naar een huis achter hen. 'Dat is het.' Zijn stem trilde.

Tob draaide zich tegelijk met de anderen om. Hij keek naar een huis waarvan er honderden stonden in het doolhof, met plastic bloemen in de bakken op de vensterbank en de hangmand bij de deur. Voor de ramen hing dikke witte vitrage, en binnen was alles donker. Een moment vroeg Tob zich af wat Louis zo ongerust maakte, tot hij naar de onderste rijen bakstenen keek. Vanuit de grond had zich een zwarte substantie over de stenen verspreid, die het meest op pek of olie leek. Aan de randen borrelde de smurrie zacht, en af en toe leek er een vage damp vanaf te komen. Tob haalde zijn neus op. Het stonk op het pleintje naar rotte eieren. Kippenvel trok over zijn rug, via zijn billen naar zijn benen. Hij deed een stap dichterbij en voelde een merkwaardige elektrische activiteit vanuit de bodem komen.

'Pas op!' waarschuwde Louis. 'Het kan gevaarlijk zijn!'

'Wat is dat?' vroeg Tob. 'Wat is die afschuwelijk troep toch?'

'Het is de voorspelling,' huiverde Louis. Zijn mutsje was scheef op zijn hoofd gezakt. 'Het is het kwaad, de absolute duisternis die Quillen gaat overnemen. Niemand, jullie niet, en Patricia Woeswel niet, zullen het kunnen tegenhouden. Ik…'

Louis leek te stikken in de oplaaiende emoties. Handenwringend wipte hij op en neer. 'Het is alweer veel meer dan vanmorgen. De arme zielen hier. Ze zijn verdoemd. Ze zijn…'

Vanuit het huis klonken geluiden, het gerinkel van kettingen. Forek keek naar de halfdonkere lucht. 'We moeten gaan. Straks zijn we te laat.'

Louis ging meteen uit de startblokken, die liet zich dat geen tweede keer zeggen.

'Waar moeten we dan bang voor zijn?' vroeg Tob.

'Ik weet het niet, maar het is hier niet veilig.' Forek pakte Muzak en Tob bij de schouder en duwde ze vooruit, achter Louis aan, die al bijna het pleintje verlaten had. 'Wat gebeurt er hier eigenlijk 's nachts, Louis?'

De rug van Louis kromde zich. 'Kom nu maar snel mee.'

Tob had Louis nog nooit echt bang gezien. Hij ging steeds sneller lopen, en ze moesten in het halfduister opletten hem niet kwijt te raken. Boven hun hoofd ging een raam open.

'Doorlopen. Niet kijken,' stamelde Louis. 'Niet kijken.'

Een deur ergens in een zijsteeg piepte. 'Opschieten,' riep Forek. 'Het lijkt me verstandig hier zo snel mogelijk uit te komen.' Hij hijgde.

Ze liepen nu met een noodgang door de steegjes. Louis leek precies te weten waar hij heenging, want hij aarzelde geen moment. 'We moeten een andere route terug kiezen, want zoals we gekomen zijn is te riskant. Daar komen ze eerder.'

'Wie dan? Wie komen daar eerder?' probeerde Tob nog eens, maar Louis antwoordde niet.

'We zijn er,' riep hij na een tijdje opgelucht. 'We zijn er!'

Als bij toverslag waren ze weer op het kerkplein beland. Tegenover hen lag de kerk met zijn hoge toren. Voor de trappen, in het licht van een lantaarnpaal, stond de pastoor naar de hemel te kijken. Het was te ver weg om zijn gezicht te zien, maar zijn houding was zorgelijk. Hij draaide zich om en verdween in de kerk.

'Kom, ik ga terug naar mijn zaak,' zei Louis. Hij was duidelijk aangeslagen, en om hem een hart onder de riem te steken riepen ze wat bemoedigends toen Louis wegliep, maar hij haalde zijn schouders alleen maar op en zwaaide met een slappe hand boven zijn hoofd. 'Pas maar op, jullie!'

Gedrieën bleven ze op het plein staan.

'Wat kunnen we ondernemen, Forek?' vroeg Tob.

Forek maakte een klakkend geluid met zijn tong. 'Geen idee, Tob. Ik vrees helemaal niets voorlopig. Ik hoop dat je vader snel weer iets van zich laat horen.' Hij zuchtte. 'Kom. We gaan maar eens.'

Ze slenterden zonder iets bijzonders te zeggen terug naar Foreks auto.

'Ik ga ook naar huis. Mijn ouders zullen zich wel afvragen

waar ik uithang,' zei Muzak. 'Getver! Morgen weer naar school!'
Hij sleutelde aan zijn discman, propte de oortelefoontjes in
zijn oren en stak over naar zijn scooter, die hij een teder klap-
je op het zadel gaf. 'Tot morgen!' Daar knetterde de scooter
al. Muzak scheurde zonder uit te kijken weg en zoefde aan de
achterkant van de kerk de bocht om.

'Ik breng je naar huis,' zei Forek en ze stapten in. De motor
ronkte. Tob mikte zijn rugzak op de achterbank. Hij keek nog
bij de snackbar naar binnen. Met een bleek gezicht stond Louis
patat in te pakken. Nee, dat was niets voor Louis, dat bange
gedoe.

Omdat Forek zijn rechtervoet weer niet in bedwang kon houden, scheurden ze met piepende banden weg. 'Sorry,' grijnsde Forek, en deed zijn koplampen aan, die hun gele bundels
over de straatstenen uitwierpen.

Via de rondweg bereikten ze vijf minuten later Tobs huis. Het
was donker geworden. Tob sprong uit de auto en lachte besmuikt
naar Forek. 'Bedankt voor je hulp. Blij dat we zo'n goede
vriend als jij hebben.'

Forek greep het stuur met twee handen vast en knikte bevestigend. 'Je vader zou het niet anders gewild hebben. Ik hoop
echt dat we hem snel weer vinden. Een ding weet ik zeker:
hij is gezond en wel.'

'Ik mag het hopen,' zei Tob, zijn rugzak uit de auto tillend.
'Ik moet er niet aan denken dat ik hem ook nog verlies.'

'Maak je geen zorgen. Je vader is een taaie,' riep Forek. Hij
liet de motor weer brullen, zwaaide naar Tob en scheurde de
straat uit.

Met een leeg gevoel bleef Tob op de stoep staan. Hij draaide
zich om naar het huis. Maria had binnen alle lichten aange-
daan, waardoor het huis er behaaglijk en veilig uitzag. Kijk,
Maria was in de huiskamer bezig een kast met een doek af te
nemen. Die had ook geen zitvlees. Hij duwde het hek van de
voortuin open en sjokte, de rugzak met twee armen voor zijn

borst dragend, de oprijlaan naar de voordeur af. Het grind van het pleintje knarste vertrouwd onder zijn schoenen. De lamp bij de voordeur was gepoetst door Maria, zo schoon was het glas. Oost west, thuis best. Hij was moe. Het was een drukke dag geweest. Hij maakte zich over talloze zaken zorgen, maar eerst moest hij een nacht goed slapen. En morgen na school moest hij naar Patricia gaan om haar om raad te vragen. Hij…

Ineens was het licht voor zijn ogen weg. Twee met leren handschoenen beklede handen omklemden zijn hoofd en dekten zijn ogen af. De handen waren koud, alsof er geen leven in zat. Achter zich hoorde hij een opgewonden gehijg, vervolgens klonk er een sarcastisch lachje. Hij probeerde zich los te trekken, maar zijn hoofd werd zo stevig omklemd dat hij geen kant op kon. Met een plof liet hij de rugzak op de grond vallen. Zijn hart klopte zijn keel bijna uit. 'Wie… wie is dat?'

'Kiekeboe!'

Even had Tob gehoopt dat het een grapje van Mirte of Pien zou zijn, maar die hoop vervloog onmiddellijk. 'Morgan!'

'Goed geraden,' kirde Morgan. 'Jullie waren me te slim af. Jammer. Wat moest je eigenlijk bij Ovil?'

'Mijn vader zoeken.'

'O ja?' Morgan verstevigde zijn greep. 'Meer niet?'

'Nee.' Tobs oren deden pijn, zo hard werden ze tegen zijn hoofd gedrukt, en zijn ogen leken in hun kassen te worden gedrongen. 'Laat me los.'

Morgan lachte. 'Heb je je wel eens afgevraagd hoe het voelt als je ogen langzaam je hoofd in worden gedrukt? Als ze langzaam hun weg vinden in het zachte weefsel dat erachter ligt, en stuiten op het bot van je oogkas, en dan wegglijden, je hersens in?' Weer duwde hij harder.

Tob voelde op de tast naar de deurpost. Daar was het hout. Langzaam schoof zijn hand naar boven, op zoek naar de bel. 'Wat wil je van me?'

'Heb je iets gevonden bij Ovil?'

'Nee,' loog Tob. Zijn hand moest er toch bijna zijn, waar bleef die bel toch?

'Jammer.' Morgan ging dichter bij Tob staan. Zijn adem blies in Tobs nek. 'Ik hoop dat je je blind ook kunt redden, Tob.'

Tobs ogen brandden, rode vlekken en gele sterren dansten in zijn hoofd. Hij tastte verder met zijn hand. Waar was die stomme bel toch? Eindelijk, de knop! Met zijn duim drukte hij de knop bijna door de sponning heen. Binnen klingelde de bel luid en duidelijk.

Morgan vloekte hartgrondig. 'Slim van je!'

Achter in het huis klapte een deur dicht. Maria had de bel gehoord, goddank!

'Ik kom terug. Hoewel, je kunt het toch niet meer tegenhouden. Het is te laat. Of dacht je de kracht van Xin nog te vinden?'

Ineens waren de handen verdwenen. Tob knipperde met zijn pijnlijke ogen, waarmee hij de eerste seconden niets kon zien. Hij haalde diep adem. In zijn oren ruiste het bloed. Daar ging de voordeur open.

'Tob. Ben je er weer. *Mamma mia*! Hoe is het met je, je ogen zijn helemaal rood.'

Nog voor hij iets kon zeggen, omarmde ze hem, waarbij hem de adem bijna benomen werd. 'Rustig aan, Maria. Ik stik.'

Ze liet los, deed een stap terug en pakte zijn handen vast. 'Gelukkig dat ik je weer zie, veilig en wel. Je vader, waar is hij?'

'Niet meer in de stad, in ieder geval,' zei Tob. 'Maar waar hij wél is?' Hij trok een vragend gezicht.

'Kom binnen. Ik zal een stukje lasagne voor je opwarmen, arme jongen, je hebt vast honger. Ze haalde hem aan zijn armen naar binnen en sloot de deur. 'Hier ben je veilig.'

Tob knikte. Hier was hij veilig, dat wilde zeggen: voorlopig.

De volgende morgen opende Tob zijn ogen pas toen zijn wekker voor de tweede keer ging. Hij voelde zich alsof hij in een steengroeve een dag dwangarbeid had verricht. Alles in zijn lijf deed pijn.

'Tob, tijd om wakker te worden,' klopte Maria op zijn deur. 'Tob?'

'Mja, ik ben wakker,' gromde hij meer dan hij sprak. Allemachtig, wat had hij gedroomd die nacht. Over Morgan, over slangen die hem wilden bijten, over bureau Ovil... Hij sloot zijn ogen weer even, maar deed ze open voor hij weer in slaap zou sukkelen. Wat een weekeinde was het geweest!

Buiten scheen de zon, zo veel licht kwam er door de gordijnen. Ergens achter zijn oor kriebelde het zacht, en het herinnerde hem eraan dat hij op die plek 's nachts weer die ondraaglijke jeuk had gehad. Hij kwam overeind en wentelde zijn slungelige benen het bed uit. Hij was aan het groeien, want zijn broeken werden opeens aan de korte kant. De laatste groeispurt voor hij volwassen werd, volgens zijn vader, en dan was het afgelopen. Zijn pyjamajasje zat gedraaid om zijn bovenlijf. Hij trok het recht. Pien en Mirte moesten er soms om lachen als ze het over zijn keurige streepjespyjama hadden, maar hij was nu eenmaal aan dat type pyjama gehecht.

Oké, opstaan nu. Hij zette zijn voeten stevig op de vloer en ging rechtop staan. Een moment draaide de kamer, maar al snel ging het beter. Tijd voor een warme douche en een stevig ontbijt. Eerst keek hij nog even, plat op zijn buik liggend, in het geheime vakje onder zijn bed, een ruimte onder een losse plank, waar hij het tandenstokerdoosje met de diamanten had verstopt. Ze zaten er allebei in, zelfs nog fonkelend in het weinige licht dat de onderkant van zijn bed bereikte. Hij schoof het doosje terug, ging weer staan en liep naar de badkamer. Een gekke bek trekkend bekeek hij zichzelf weer in de spiegel.

'Hallo Tob Timp!' zei hij met een hoog stemmetje tegen zijn spiegelbeeld.

'Morgen meneer Timp,' bromde hij tegen zichzelf terug. Ja, die Tob was een keurig opgevoede jongen, dat kon je wel merken. Het puistje op zijn voorhoofd zat er nog, en als hij goed voelde zat er ook een bultje achter zijn oor, en eentje op zijn kruin. Blij was hij er niet mee, maar de pluizige haartjes op zijn kin begonnen intussen wel een beetje op stoppels te lijken. Zou zijn vader niet door hebben dat hij af en toe diens scheerapparaat leende?

Terug op zijn kamer haalde hij schone kleren uit de kast, trok die snel aan en deed zijn gympen aan zijn voeten. Op zijn nachtkastje lag de duivenveer nog. Zaterdagochtend leek wel een maand geleden. Hij schoof de gordijnen open en zag de postbode Henk Malsen met zijn fiets de oprijlaan oprijden. Henk was er vroeg bij. Tob rende de trap af en opende de voordeur. Pal voor zijn neus stond Henk, zijn hand al in de aanslag om de post in de bus te duwen. 'Zo, Tob,' sprak hij. 'Vooral nota's voor je vader. Alsjeblieft.'

Tob pakte de post aan. 'Alles goed met je?'

Henk reageerde zoals gewoonlijk afwerend. 'Niet iets dat jou moet interesseren, geloof ik. Als het niet goed gaat, en ik vind dat jij dat moet weten, zeg ik het wel.' Hij stapte op zijn fiets die hij op de standaard bij de deur had geparkeerd en reed een rondje op het pleintje. 'Goedendag.'

'Dag Henk,' zei Tob met ingehouden lach en deed de voordeur dicht. Inderdaad bestond de post vooral uit rekeningen, maar ergens onderaan zat een envelop met zwart-witte strepen. Hij was meteen gealarmeerd. Zijn naam en adres waren er met een getypte sticker opgeplakt. In de linker bovenhoek zat een zegeltje: *expresspost.* Dat moest post van Ovil zijn. Ongeduldig scheurde hij de envelop met het topje van zijn pink open en haalde er een vel grijs papier uit. Het was een brief van zijn vader, afgelopen zaterdag verstuurd.

Lieve Tob. Ik weet niet waar ik ben op het moment dat je deze brief ontvangt. In een halve dag tijd is het me duidelijk geworden dat er hier bij Ovil en in Quillen veel dingen fout zijn (gegaan). Weet dat ik mezelf in veiligheid heb gesteld als je deze brief leest. Ik red me wel, maar ben gedwongen voorlopig onder te duiken. Vertrouw niemand in Quillen die niet per se te vertrouwen is. Een pakkerd van je vader (ook al ben je daar misschien te oud voor).

Hij herlas de brief nauwkeurig. Waar was zijn vader in verzeild geraakt? Het moest met het naderende onheil te maken hebben, dat kon haast niet anders. Hij draaide de brief om. Een lege achterkant. Daarna inspecteerde hij de envelop, ook aan de achterzijde. *Tamquam in speculo* had iemand er met haastige krabbels op gezet. Wat betekende dat nu weer?

Ondanks de vreemde en zorgelijke brief, werd zijn aandacht getrokken door de verrukkelijke geur van gebakken eieren en toast die uit de keuken kwam. Maria zette haar beste beentje weer voor, en eerlijk gezegd was hij compleet uitgehongerd, want meer dan die paar patatjes en dat stukje lasagne had hij gisteravond niet binnengekregen. Eenmaal thuis was hij te moe geweest om aan tafel te zitten.

Hij liep naar de keuken en ging aan de tafel zitten. Maria gunde hem vanaf het fornuis een korte blik en roerde vervolgens dapper verder in de pannen die op het vuur stonden. 'Ga zitten, jongen. Het ontbijt komt er zo aan. Je ziet er erg hongerig uit.'

'Dat zal toch wel meevallen, Maria,' zwakte Tob haar opmerking af.

'*No no no*,' zei Maria met stemverheffing. 'Als jij zo door gaat, word je zo mager als een lat en val je op een goede dag vanzelf om. *Mangiare*, Tob.' Ze was een tijdje druk bezig en zette even later een stevig ontbijt voor zijn neus.

Hij begon gehoorzaam van zijn ontbijt te eten. Al na een paar happen verdween zijn eetlust, maar hij at alles op, waarna hij boven zijn tanden poetste, zijn schoolspullen pakte en op weg naar school ging. '*Ciao*, Maria,' riep hij in de gang vanaf de voordeur en verliet het huis.

'*Ciao!*' riep Maria terug. 'Pas op jezelf!'

Aan de overkant van de straat stonden Mirte en Pien hem op te wachten. Piens met gel bewerkte haren stonden als egelstekels overeind. Haar hele gezicht lachte op het moment dat ze Tob zag. 'Ha Tob! Alles goed? Ik had nog bij je willen aanwippen gisteren, maar ik had te veel huiswerk.'

'Nou,' antwoordde Tob nadat hij was overgestoken en bij zijn vriendinnen was aangekomen, 'Ik heb een behoorlijk drukke dag gehad.'

Daar wilden Mirte en Pien alles van weten, en terwijl ze door de smalle en donkere stegen van het doolhof naar school liepen, vertelde Tob wat hem op zondag overkomen was.

'En zodoende zie ik er vanochtend behoorlijk duf uit, volgens mij,' was zijn laatste zin toen ze uit het doolhof kwamen. Ze staken de brede rondweg naar hun school over. Voor de school was het druk, ze waren een van de laatsten zo te zien. Op het plein van de basisschoolkinderen werden spelletjes gespeeld, maar op het plein van de middelbare school stonden jongeren vooral met elkaar te kletsen en te ginnegappen. De bel zoemde, en ze konden meteen door naar binnen.

'Ben je niet bang dat die Morgan bij je in huis komt?' vroeg Mirte. Met de meute mee liepen ze de trap op naar de lokalen op de eerste verdieping, waar ze Engels kregen.

'Ik denk niet dat hij dat durft. Op de een of andere manier lijkt ons huis het kwaad af te weren. Misschien is dat de reden dat mijn grootouders er zijn gaan wonen.'

Hij stommelde met de anderen het lokaal in, zocht zijn plek achter Mirte en Pien op, deed zijn schoolrugzak af en zette die naast zijn stoel. Als laatste van de klas ging hij zitten. Het roezemoesde door de klas. Iedereen wilden zijn belevenissen van het weekend met een ander delen. Tob hield niet zo van maandagochtenden. Dan moest alles op gang komen, en was het net of de wereld nog niet helemaal wakker was. En het vervelendste was dat je wist dat je weer een hele week naar school moest voor er een volgend weekeinde kwam. Hij vroeg zich af waarom er nog geen leerkracht verschenen was, tot het hem te binnen schoot dat ze vandaag voor het eerst een nieuwe leraar zouden krijgen, omdat de vorige met pensioen was gegaan.

Plotseling werd er op de openstaande deur gebonsd. Iedereen was ineens stil. Twintig paar ogen fixeerden zich op de deuropening, waar de eerste seconden niemand te zien was. Als een spook verscheen er een lange, broodmagere man in een zwart pak. Zijn hoofd was zo kaal en glimmend als een biljartbal, en zijn dun perkamenten gezicht leek een misprijzende uitdrukking ingebrand te hebben. Hij droeg een leren aktetas met een motief van zwarte en witte Schotse ruiten. Zonder hen aan te kijken stevende hij op het bureau af en zette zijn tas met een daverende klap op het schrijfblad. '*Goodmorning*,' snerpte een neuzige stem door de klas. '*My name is Mr. Black.*'

'Goedemorgen, meneer de Bruin,' zei de lolligste jongen van de klas, wat hem meteen op een vernietigende blik van de leraar kwam te staan. Meneer Blacks ogen verborgen zich onder borstelige overhangende zwarte wenkbrauwen die het haar dat hij op zijn hoofd miste compenseerden. Zonder iets te zeggen gleden zijn ogen over de klas, waarna hij ijzig zwijgend tussen de bankjes doorliep naar de andere kant van het lokaal.

Tob rook een vreemde kruidige lucht toen meneer Black hem passeerde, maar wat het meest zijn aandacht trok was de zwartwitte tas op het bureau. De tas zou zo in het interieur van bureau Ovil passen. Wat zou erin zitten?

Mirte draaide zich half naar hem om. 'Maxxi mag hem niet,' fluisterde ze. Meteen keek ze weer voor zich.

Tob hoorde de stappen van Black halt houden bij de achterste muur. Zijn schoenzolen piepten bij het omdraaien, daarna kwamen de voetstappen weer terug. Niemand in de klas durfde het geringste geluid te maken. Tob was een beetje verkouden en zocht naar een zakdoek in zijn broekzak. Heel zachtjes snoot hij zijn neus. Dat luchtte op! Schuin achter hem hielden de voetstappen van Black halt. Tob waagde het niet om achter zich te kijken. Vóór hem zat iedereen strak in de houding, alleen Pien verschoof op haar stoel. Buiten wipte een mus op de vensterbank heen en weer, pikkend naar insecten.

'En wie mag jij wel zijn?' sneed Blacks stem door de klas. Tob aarzelde. Had Black het tegen hem? Hij verroerde zich niet.

'Wie mag jij dan wel zijn?' vroeg Black opnieuw. '*Can't you talk anymore, silly boy?*'

Tob huiverde, maar hij wilde niets laten merken en hield zich flink. Meneer Black deed twee afgemeten stappen vooruit tot hij naast Tob stond en hem in het gezicht kon kijken.

Tob draaide zijn hoofd naar Black toe en keek hem aan. Bijna meteen wilde hij zijn ogen neerslaan, zo indringend waren Blacks ogen, maar hij liet zich niet kisten. 'Bedoelt u mij?'

'*I'am pointing at you,*' zei Black en wees met een magere wijsvinger Tobs kant op. '*What is your name, boy?*' vroeg hij opnieuw, deze keer duidelijk dreigend. '*Answer me!*'

Tob ging rechtop zitten en greep de rand van zijn tafeltje vast. 'Tob. Tob Timp.'

'*Tob what?*'

'Tob Timp.' Tob merkte dat iedereen de adem inhield. Het leek of Black de pik op hem had, nog voor ze elkaar hadden leren kennen.

'Tob Timp?' Black trok zijn indrukwekkende wenkbrauwen omhoog, en zijn voorhoofd rimpelde tot boven op zijn kale hoofd. Hij kruiste zijn armen voor zijn borst en boog een stukje over Tob heen. 'Aangenaam kennis met jou en je klas te maken, Tob. Willen jij en je klasgenoten zo vriendelijk zijn

hun boek te pakken zodat we met de les kunnen beginnen?'
Abrupt liep hij naar zijn bureau, ging op een stoel zitten, en
keek hen, nadat hij zijn tas op de grond had gezet, strak aan.
'*Come on!*'
Iedereen was plotseling bezig zijn tas uit te pakken, alsof er
een strenge straf op stond om als laatste klaar te zijn. Zonder
ook maar het geringste lachje zag Black het aan, intussen met
zijn vingers trommelend op zijn bureau.
'Wat een mafketel,' hoorde Tob Pien tegen Mirte fluisteren.
'En een engerd,' antwoordde Mirte achter haar hand.
Eindelijk zat iedereen klaar. '*Please give me the past tense of
the following verbs.*' Black stond op en pakte een krijtje om
iets op het bord te schrijven.
Tob sloeg zijn oefenschrift open. Het handschrift van Black
was onberispelijk en ongelooflijk regelmatig, een robot had
het niet kunnen verbeteren.

Het uur met Black was gelukkig snel voorbijgegaan, evenals
de rest van de ochtend. Mirte, Pien en Tob zaten op het schoolplein in de najaarszon met hun lunchtrommeltjes op schoot te
eten, toen Muzak kwam aanlopen. Hij zat een klas hoger dan
zij.
'Zo, gruis weertje, zeg! Het lijkt wel zomer.' Muzak prutste
aan zijn discman. 'Toffe mp3'tjes heb ik gisteren weer *gedown-
load*. Willen jullie eens horen?'
'Straks,' wimpelde Tob hem af. 'We hadden het over onze
nieuwe leraar Engels. Hij schijnt de pik op mij te hebben.'
'Op jou? Zo snel al,' verwonderde Muzak zich. Hij zette zijn
discman uit en veroverde een plaatsje op de bank naast Tob.
'Lekker eten heb jij. Is dat kaas?'
'Italiaanse schimmelkaas, ja,' zei Tob, een hap van zijn sandwich nemend.
'Goor,' zei Muzak. 'Hoef ik niet. Heb jij dropjes bij je?' vroeg
hij aan Pien.

'Natuurlijk heb ik dat,' lachte Pien, haalde een doosje met zoete katjes tevoorschijn en bood Muzak er een aan. 'Jij hebt die Black nog niet gezien?'

'Jullie nieuwe leraar? Nee. Waarom zou ik?'

'Zijn tas,' zei Tob op een samenzweerderig toontje. 'Die heeft zo'n soort blokjesmotief dat we ook bij Ovil zagen.'

'Dat kan toeval zijn,' zei Muzak.

'Tuurlijk. Maar ik zou maar wat graag eens in dat ding kijken,' zei Tob.

'Denk je dat dat zin heeft?'

'Waarom niet?' Tob haalde zijn schouders op. 'Baat het niet, dan schaadt het niet. Stel dat hij connecties met Ovil heeft. Misschien komen we er dan achter waar mijn vader is en wat er met hem aan de hand is.'

'Zou kunnen,' gaf Muzak schokschouderend toe. 'Maar hoe wil je aan die tas komen. En wanneer?'

'Na schooltijd,' zei Tob. 'Maar het moet niet te lang duren, want ik wil vanavond ook nog naar Patricia toe om haar om raad te vragen.'

'Laten we hier afspreken,' zei Muzak. 'Dan zien we wel weer verder.'

'Waar komt die Black eigenlijk vandaan?' Mirte pikte snel een stukje kaas van Tobs boterham en stak het in haar mond. Ze proefde met het puntje van haar tong. 'Niet slecht. Maxxi houdt ook van dat soort smaakjes.'

'Tja,' schraapte Muzak zijn keel, 'alle leraren wonen in Quillen, dus neem ik aan dat Black daar ook woont.'

'Vreemd.' Pien kon het niet laten ook een stukje van de kaas te bietsen. 'Ik heb hem nog nooit eerder gezien. Jullie wel?'

Tegelijk schudden de anderen van nee. Meneer Black was, geheimzinnig als hij was, kortom, een groot raadsel.

'Hebben jullie nog naar het huis in het doolhof gekeken vanochtend?' vroeg Muzak.

'Daar kunnen we de weg tóch niet heen vinden zonder de hulp

van Louis. Maar ik neem aan dat het rottingsproces, of wat het ook mag zijn, zich uitbreidt.' Tob nam een grote hap van zijn gehavende boterham. Het leek of er muizen van gegeten hadden.

'Ik hoop dat we je vader snel terugvinden,' zei Mirte opeens.

'Njmwa,' zei Tob. Het duurde even voor hij zijn mond leeg had. 'Hij zit ondergedoken, en ik vind het prettig dat hij veilig is. De vraag is, waarom hij zich verschuilt. En voor wie.'

Flarden bewolking schoven voor de zon, en in de verte naderde een pakket donkere wolken dat regen zou gaan brengen. Tob maakte zijn ogen klein en keek door zijn wimpers naar de zon. Het was alsof die minder krachtig brandde, alsof haar stralen plaats maakten voor de komende herfst- en winterkou. Maar hij had er nog een ander vreemd voorgevoel bij. Het leek of de zon zélf onderdook voor de kwade machten die hun tentakels over Quillen uitspreidden.

De bladeren van de bomen op het plein waren vandaag sterk aan het verkleuren. Rood en goudgeel. Het was mooi om te zien. Een korte hevige windvlaag joeg over het plein. De bladeren dwarrelden naar de grond, waarvan er een paar bij Tobs voeten terechtkwamen. Hij boog voo: over om een blad op te pakken. Het dunne steeltje trilde tussen zijn vingers, alsof het blad zei: Breek me niet, ik wil nog niet dood, laat me nog even rondkijken.

Ja, vandaag was de zomer definitief verdrongen door het nieuwe seizoen.

'Kijk, daar gaat hij naar het lerarenlokaal,' zei Muzak, die zich samen met Tob achter een pilaar in de gang verborgen hield.'

Meteen na hun laatste les hadden ze zich naar het lokaal van Black gehaast en vlakbij de deur gewacht tot hij naar buiten kwam.

'Zie je die tas met die ruiten? Die is verdacht.'

'Ja,' humde Muzak, net als Tob met schooltas op zijn rug.

'Die doet wel heel erg aan Ovil denken.'

Tob prikte Muzak in zijn zij. 'Zie je hem nog?' Tob keek nu alleen maar tegen de rug van Muzak op. 'Zie je hem nog?' fluisterde hij opnieuw.

'Even geduld.' Muzak gebaarde dat Tob zijn mond even moest houden. 'Hij loopt het lerarenlokaal voorbij.'

'Voorbij?'

'Ja, dat zeg ik,' siste Muzak. 'Hij… hij…' Zijn ogen kregen ineens een vreemde glans. 'Hij denkt aan… aan…' zei hij op een dromerige toon.

'Aan wat?'

'Aan iets… donkers… iets…' Muzaks neus werd bleek.

'Ja wat?'

'Iets kwaads dat hij van plan is…' Muzak zuchtte en krabde zich achter zijn oren. Hij leek er nu weer helemaal bij te zijn. 'Meer zie ik niet in zijn gedachten. Het spijt me.'

'Leuk vooruitzicht!' mopperde Tob en duwde Muzak zachtjes opzij. Black sloeg net een hoek van de gang om. Ze wachtten tot een andere leraar de docentenkamer was ingegaan en kwamen achter de pilaar vandaan.

'Opschieten, anders zijn we hem kwijt.' Tob ging voor en hipte als een soort kangoeroe op pantoffels de gang op, in een poging te voorkomen dat zijn hakken te veel lawaai op de vloertegels zouden maken. Hij vergewiste zich ervan dat Muzak achter hem aan kwam en haastte zich naar de hoek van de gang, waar hij even inhield om zijn hoofd om de hoek te steken. De volgende gang was leeg. 'Niemand!' Hij liep de gang op.

Muzak dook naast hem op. 'Dikke bleek! Niemand te zien. Zou hij een lokaal zijn binnengegaan?'

Op een holletje gingen ze de gang door, tot ze bij het trappenhuis kwamen dat alleen in geval van nood gebruikt mocht worden. De dikke branddeur werd dichtgehouden door een sterke dranger. 'Zou hij hier in zijn gegaan? Waarom pakt hij de gewone trap niet?' Tob zette zijn schouder tegen de deur en duwde hem open. Ze kwamen uit in een kale betegelde hal met trappen naar beneden en naar boven. 'Sst!' legde Tob een vinger op zijn lippen. 'Hoor je dat?'

Muzak luisterde aandachtig. Er klonken voetstappen, maar in tegenstelling tot wat ze verwachtten gingen die niet naar de bovengelegen verdieping, maar naar beneden. 'Kom op.'

Op hun tenen daalden ze de trappen af naar de begane grond, waar hun een nieuwe verrassing wachtte. Tob had het als eerste door. 'De school heeft een kelder!' fluisterde hij opgewonden toen hij een volgende trap naar beneden zag leiden. Daar waren ze niet van op de hoogte, omdat er in de rest van de school niets wees op de aanwezigheid ervan. Geen andere trap, geen kelderluik of kelderraam, niets.

In de kelder sloeg een deur dicht. Tob aarzelde. Werd het niet té riskant nu? Als Black hen betrapte zwaaide er wat, want ze hadden niets in de school te maken op dit tijdstip.

Muzak had geen zin om lang na te denken. Hij wurmde zich langs Tob heen en begon de trap naar beneden af te gaan.

'Wacht!' zei Tob zacht, maar Muzak gebaarde met enig ongeduld dat hij mee moest komen. Goed, dat deed Tob dan maar. Weinig enthousiast hobbelde hij achter Muzak aan. Al dat gedoe van het weekeinde was hem niet in de koude kleren gaan zitten, en nu waren ze alweer met iets bezig waarvan het nog maar de vraag was of het goed af liep.

Twee trappen verder naar beneden stonden ze voor een witte deur die op een kier stond.

'Hier is Black binnengegaan,' zei Muzak samenzweerderig. 'Ja,' zei Tob. 'En nu?'

Muzak grijnsde. 'Niet zo bangebroeken. We kijken binnen, en als we niets bijzonders zien, gaan we meteen weer terug.' Hij zette zijn vingers achter de rand van de deur en trok hem naar zich toe. Een muffe lucht kwam hen tegemoet.

Omdat Muzak de deur voor hem open hield, voelde Tob zich gedwongen als eerste binnen te gaan. Hij zette twee stappen en nam de situatie op. Muzak kwam naast hem staan. Ze waren aangekomen in een kelder met booggewelven. Er waren slechts deurloze, door zware muren gescheiden vertrekken, zo ver ze konden kijken. Ze konden onmogelijk schatten hoe groot de kelder precies was, maar groot was hij, dat was zeker. In de eerste kamer, waar ze nu stonden, waren kartonnen dozen en versleten schoolmeubelen opgestapeld.

Tob maakte een doos open. Er zaten oude schoolboeken in.

'Waar is Black?'

'Laten we hem roepen,' spotte Muzak en maakte met zijn handen een toeter voor zijn mond.

'Leuk hoor,' siste Tob. Hij wilde niet langer voor paal staan en liep onder het gewelf door naar een volgende ruimte, waar het er niet veel anders uitzag. Overal zorgden gelige peerlampen, hangend aan kale stroomdraden aan het plafond, voor een armoedig licht dat net genoeg was om je weg te kunnen vinden. Ergens verderop klonk opeens een zacht schurend geluid.

'Dat moet Black zijn,' zei Tob zacht. 'Het komt ergens daar vandaan.' Min of meer op goed geluk sloop hij onder een volgende boog door, en toen nog een. Rondkijkend merkte hij dat sommige vertrekken meerdere uitgangen hadden die weer naar andere kamers leidden. 'Kom eens bij me staan,' zei hij tegen Muzak.

'Wat? Ben je bang?'

'Nee. Kijk maar.' Aan Muzaks dungebreide trui had Tob een draadje zien hangen, en met een nagel pulkte hij het verder los en maakte het vast aan de poot van een tafeltje.

'Wat doe je nou?' vroeg Muzak verontwaardigd.

'Telkens als we lopen windt die draad zich af. Zo kunnen we altijd de weg terugvinden.'

'Mooi is dat. Straks sta ik half in mijn blootje, en Black kan ons zo óók vinden.'

'Wat het eerste betreft moet je je niet aanstellen,' vond Tob. 'Je draagt er nog een T-shirt onder. En wat het tweede betreft, heb je gelijk.'

Weer klonk dat droge schurende geluid.

'Wat vreet hij toch uit?' vroeg Muzak zich af.

'Laten we maar eens persoonlijk poolshoogte nemen,' zei Tob plechtig. Hij wachtte tot Muzak ter instemming knikte en ging voorop. Ze kwamen van het ene gewelf in het andere, het leek eindeloos door te gaan. Het enige baken dat ze hadden was het schurende geluid dat langzaam maar zeker naderbij kwam en zich vermengde met een ander brommend geluid.

Tob glimlachte naar Muzak, die het tempo bijna niet kon bijbenen, vooral omdat hij moest opletten dat de draad van zijn trui niet verstrikt raakte in de poten van een meubelstuk of achter de losse spaken van oude fietsen die ze, naarmate ze vorderden, steeds meer tegen kwamen.

'Wacht!' Muzak was blijven staan. Met een trillende vinger wees hij naar een hoek van de ruimte waar ze waren. 'Daar, achter die stoel.'

Tob merkte dat Muzak geschrokken was en tuurde naar de aangegeven hoek, maar hij zag niets.

'Ik zie niets.'

'Kijk dan. Een bot.'

Tob liep naar de hoek en bukte. 'Een oude schenkel, van een hond of zo.'

'O,' lachte Muzak opgelucht. Zijn wangen kleurden van schaamte. 'Ik dacht dat het van een mens was.'

'Je ziet spoken,' zei Tob, en verder gingen ze weer. Plotseling werd het geluid een stuk luider. Ze gingen een hoek om, passeerden een ruimte met oude kasten, en waren er opeens vlakbij. Ze hielden in en gingen voetje voor voetje verder. Daar, uit het volgende vertrek, kwam het geluid vandaan. Ze konden nu duidelijk de stem van Black horen, die een merkwaardig lied zong, dat klonk als een gezang van monniken. En nog steeds was er dat schurende geluid. De schaduw van Black was op de muren van het volgende vertrek te zien, en het was er zo licht dat hij een sterke lamp moest hebben meegenomen. Tob keek naar Muzak. Diens lippen trilden van de spanning, en hijzelf voelde zich niet veel flinker. Wat zouden ze aantreffen om de hoek? Zijn tong lag als een lap leer in zijn mond en plakte aan zijn droge gehemelte. Liever was hij nu teruggegaan, maar hij dwong zichzelf heel voorzichtig om de hoek te kijken. Zijn neus schuurde tegen de ruwe wand. Daar was meneer Black. Om zichzelf bij te schijnen had Black een grote halogeen zaklantaarn op een stapel kistjes gelegd. Hij stond met zijn rug naar hen toe en was bezig met een beitel de wand uit te schrapen. Een hoopje fijn wit stof lag op de grond, waarin zijn voetafdrukken te zien waren.

'Ik moet er toch bijna zijn,' mompelde Black, en zijn kale schedel glom van het zweet. Met een gekromde rug zette hij alle zeilen bij om nog meer kalk uit de muur los te maken.

Tob voelde Muzak tegen zijn rug duwen. Hij schudde met zijn schouders om te laten merken dat Muzak hem bijna voorover deed vallen, waarop Muzak terugweek. Nu kon hij tenminste Black weer rustig bespioneren.

Black maakte meer haast, hij steunde en kreunde. 'Ah, daar zal je het hebben. Ik ben er. Ik ben er,' mompelde Black. Hij deed een stap terug om het resultaat van zijn arbeid te bewonderen. Tob stak zijn neus nu verder de kamer in om beter te kunnen zien wat er gebeurde. In de muur, precies tegenover Black, was een deurtje vrijgekomen, net zo'n soort kluisdeurtje als ze in het gebouw van Ovil hadden gezien. Er zat geen cijferslot op, maar een eenvoudig zilverkleurig knopje. Dat deurtje, daar was Black naar op zoek geweest, want hij knorde vergenoegd, liet de beitel zomaar op de grond vallen en wreef in zijn handen.

Tob wenkte dat Muzak kon meekijken als hij wilde, want Blacks aandacht was nu geheel en al voor het resultaat van zijn werk. Langs de kieren van het deurtje dropen pekachtige taaie druppels naar buiten die zwarte sporen over de witte muren trokken.

'Zwart ectoplasma,' mompelde Black. 'Ik heb het gevonden.'

Hij snoot zijn neus, poetste zijn schedel schoon met de net gebruikte zakdoek en liep sidderend naar de muur. 'Daar moet het verborgen zitten.'

Blacks rug ontnam hen het zicht op de muur nu weer geheel. Ze hoorden hoe het deurtje open ging.

'Nee maar. Nee maar,' reutelde Black en barstte in een gedempt gegiechel uit, dat zo sterk was dat zijn hele lijf ervan schokte. Met een klap ging het deurtje weer dicht. Blijkbaar ineens op hete kolen zittend keek Black naar zijn horloge. 'Verdomme, het is tijd om te gaan. Anders ben ik te laat. Ik kom dit later wel ophalen.' Hij maakte aanstalten zich om te draaien.

Tob schrok zich een ongeluk. Zijn hart bonkte. Onmiddellijk trok hij zijn hoofd terug en gebaarde naar Muzak. Ze draaiden zich om. De lichtbundel van de zaklantaarn viel al in hun vertrek. Nog slechts enkele tellen en Black zou er binnenstappen. Vlug slopen ze de voorgaande kamer in, nog een verder, nog een, en nóg een, het touw volgend van Muzaks gehalveerde trui. Tob zag ineens een onverlichte ruimte links van hen, waar ze daarstraks aan voorbij waren gegaan. Hij trok Muzak mee aan zijn arm en siste: 'Hierheen.'

Ze verborgen zich achter een stapel kratten onder het donkere booggewelf. De voetstappen van Black echoden naderbij. Nu was hij in de ruimte naast hen. Black stopte en mompelde iets onduidelijks. 'Terugkomen... wanneer dan... kruis van jade...' Toen begon hij weer te lopen. Zijn verende pas verdween in de catacomben van de school.

'Kom op,' sprong Tob snel tevoorschijn. 'Jij wilt toch ook weten wat meneer Black ontdekt heeft?'

Muzak verliet wat minder energiek de schuilplaats. 'We kunnen de weg naar die kamer niet terugvinden, vrees ik.'

'Nee, nee, manneke,' lachte Tob. 'Zo makkelijk kom je er niet onderuit. We hoeven alleen maar dit te volgen.' Hij wees naar het spoor van witte schoenafdrukken dat Black had achtergelaten.

'Niet slecht gezien, maestro,' zei Muzak beteuterd. 'Ik hoop wel dat Mirte en Pien Black volgen als hij de school verlaat, anders weten we nog niet waar hij woont.'

'Die kunnen heel goed hun eigen boontjes doppen,' merkte Tob nuchter op en begon langs het witte spoor te lopen dat Black onbedoeld had uitgezet. Links, rechts, dan weer links. Ze zouden het nooit zelf gevonden hebben, realiseerden ze zich.

'Het is hier net zo'n doolhof als in het centrum van Quillen,' vergeleek Tob.

'Ja, en net zo'n doolhof als bij Ovil.'

'Maar dat was een écht doolhof,' zei Tob.

'Het is maar hoe je er tegenaan kijkt.' Muzak stopte een oor-telefoontje in een oor en zette de muziek van zijn discman aan. 'Lilo, ken je die?'

Tob schudde van nee. 'Eerlijk gezegd hou ik het de laatste tijd niet zo bij.'

'*Cool*,' grinnikte Muzak en stak een duim op.

Onverwachts stonden ze weer in het stoffige vertrek waar Black aan het werk was geweest. 'Wat een rommel.' Tob keek naar de spinnenwebben in de hoeken. 'Hier is al jaren niemand geweest. Behalve Black dan.'

'Wat zou je hier ook moeten zoeken.' Beduusd staarde Muzak naar het luikje in de muur, waaronder de pekachtige stroop een plas bij de plint had gevormd. Aan de randen verdampte de stroop in het niets. 'Wat is ectoplasma eigenlijk?'

'Weet ik niet,' antwoordde Tob onverschillig. 'Zullen we kij-ken wat achter het luikje zit?'

Onverwacht enthousiast deed Muzak een stap naar voren. 'Volvet idee! Kennelijk is Black niet voor niets op onze school komen lesgeven. Hij wilde in de kelder terecht kunnen zonder te hoe-ven inbreken of argwaan te wekken.'

'Goed geconcludeerd,' oordeelde Tob. Hij pakte het zilveren knopje beet en trok er licht aan. Langzaam opende hij het deurtje. Een zwavelachtige geur verspreidde zich door de kamer. 'Rotte eieren,' zei Muzak, de geur opsnuivend.

Tob sloeg er geen acht op. Achter het deurtje kwam een donkere nis vrij. De pek kon nu onbelemmerd langs de randen wegstromen. De achterkant van de nis was zwart, en het leek of er geen muur achter zat, maar een grote open ruimte. Op een tegel voorin stond een doos, omgeven door een zwarte damp die langzaam optrok. Tob voelde zijn keel zich dichtsnoeren en zijn handen trillen. 'Kijk!'

Muzak kwam naast hem staan. 'Godallemachtig!' In een afgesloten glazen vierkante doos lag een rode klomp vlees.

'Het is een hart, een dood hart,' lispelde Tob.

'Is het van een koe?' vroeg Muzak na een tijdje met een hese stem.

'Nee, lijkt me niet.' Tob aarzelde. 'Ik ben bang dat… het een mensenhart is.' Vervuld van afschuw boog hij zich eroverheen. 'Het ziet nog helemaal rood. Het lijkt wel zo'n geleipudding.' Korte stukken van de op het hart aangesloten aderen zaten nog aan de vleesmassa.

'Wat moet Black ermee?' Muzak stopte zijn discman. 'Wat wil hij met dat ding?'

'Wat is dat?' Tob spitste zijn oren. Terwijl de pek heviger vanuit de achterwand rond de doos naar buiten begon te stromen en Tob angstvallig vermeed het spul aan te raken, zwol er een merkwaardig geluid op, een geluid dat hij eerder had gehoord, het klaaglijke koor van geteisterde en gemartelde mensen.

Deze keer hoorde Muzak het ook. Hij bleef stokstijf staan. 'Dat koor! Vreselijk. Het lijken wel zielen die hun rust niet kunnen vinden.'

Tob knikte. 'Het komt uit de ruimte hierachter. Het lijkt wel of dit kluisje een soort doorgang is naar…' Hij durfde het bijna niet uit te spreken. 'Een andere wereld.'

Muzak knipperde met zijn ogen. 'Wat doen we? Dat luik moet weer dicht. Ik voel dat er gevaar nadert,' fluisterde hij.

Tob knikte naar de glazen doos. 'Zullen we hem meenemen?'
'Zit hij los?' Muzak keek er met een timmermansblik naar.
'Kun je de doos optillen?'

Tobs hoofd kriebelde weer vreselijk. Hij krabde de huid onder zijn haardos, en strekte vervolgens zijn armen uit naar het kluisje, tot zijn handen de glazen doos aan twee kanten omsloten, zonder het glas aan te raken. 'Proberen?'

'Toe maar,' moedigde Muzak Tob aan.

Tob klemde zijn kaken op elkaar. Het was griezelig, om zo'n dood hart op te pakken, ook al zat het veilig opgeborgen. Langzaam pakte hij de kubus beet. Het oppervlak voelde warm aan, bijna prettig, als een warme kruik in de vrieskou. Hij zette een beetje kracht en... de kubus kwam los. Heel even trilde de dode vleesmassa.

'Kijk,' riep Muzak. Op de plaats waar de kubus had gestaan, had iemand woorden gegraveerd. '*Improbe amor, quid non mortalia pectora cogis!* Dat is toch weer Latijn?'

Tob knikte ernstig. 'Kun je het onthouden?'

'Ik doe mijn best,' zei Muzak. 'En laten we nu in vredesnaam gaan. Het is hier behoorlijk *creepy*.'

'Sluit jij het kluisje, dan kan ik dit met twee handen vasthouden.'
Zijn vingers plakten aan het glas, en de jeuk op zijn hoofd werd steeds erger. Het leek wel of er bijtgrage luizen tussen zijn haren wroetten. Zijn vingers begonnen te tintelen, en hij haalde de kubus uit de nis naar zich toe.

Muzak had het deurtje al beet. 'En dan kunnen we nu...' Plotseling werd hij lijkbleek en staarde naar Tobs handen. 'Dat... dat...'
Meer dan wat onsamenhangend gebrabbel bracht hij niet meer uit.

'Wat heb je?' vroeg Tob. Eerst keek hij naar Muzak, toen naar de kubus in zijn handen, die hij bijna van schrik losliet. Op de bodem, drijvend in een plasje bloed, klopte het hart, langzaam, maar regelmatig en sterk. Tobs maag trok samen tot een tennisbal. 'Wat is dit... ik...'

'Luister!' Ondanks de lugubere ontdekking was Muzak op zijn hoede gebleven. 'Er komt iemand aan!'

Muzak had gelijk. Tob aarzelde geen moment en zette de kubus met het nog steeds kloppende hart terug in de nis. Het klaaglijke gezang op de achtergrond was intussen gestorven. Hij keek over zijn schouder. De voetstappen kwamen snel dichterbij. Muzak duwde het deurtje al half dicht, ruim voor Tob de doos los had. Verontwaardigd trok Tob zijn handen weg. Nog net zag hij hoe het hart stopte met kloppen zodra hij het losliet.

'Vlug!' siste Muzak, sloot het deurtje en veegde met een lap die hij op een krat vond hun sporen van de vloer weg, intussen Tob naar een volgende ruimte dirigerend. Het licht van een zaklantaarn zwaaide het vertrek in. Net op tijd doken ze weg in de volgende ruimte. Daar kregen ze een grote stapel todden in het oog waar ze zich, op hun tenen lopend, achter verborgen.

'Heb ik nou...?' Om de hoek neuzelde de stem van Black. 'Ja, ik heb het luik gesloten. Ik dacht al... Nou, dan moet ik snel weer gaan, anders ben ik te laat thuis.' Zijn schoenen piepten. 'Hé, wat is dat?' bromde hij verbaasd.

Dankzij het feit dat Black steeds hardop in zichzelf praatte, begrepen de jongens dat er iets aan de hand was.

'Een snoertje?' riep Black uit en slikte goed hoorbaar een brok weg.

Muzak kneep Tob in zijn arm en wees naar zijn trui. Black had de draad ontdekt waarmee ze de weg terug wilden vinden. Tob verstijfde. Zijn hoofd jeukte maar door, en nu dit weer.

Als de bliksem deed Muzak zijn rugzak af, trok zijn trui uit en legde hem op de stapel todden. Kordaat pakte hij Tob beet en trok hem naar de andere hoek van het gewelf waar een grote kast stond. Hij opende de deuren, duwde Tob erin, daarna zijn rugzak, en dook er zelf als laatste bij. Snel, maar geluidloos, deed hij de kastdeuren toe.

Tob liet het over zich heen komen. Hij was de kluts kwijt, en niet zo'n beetje ook. Het moest de indruk zijn die het hart op hem gemaakt had. Het kloppende hart had – al was het onmogelijk – iets in hem opgeroepen, een vreemd soort herkenning, alsof daar zijn eigen vlees en bloed gelegen had. Ineens sprak hij zichzelf boos toe. Hij moest er wél met zijn hoofd bij blijven. Kom op, Tob, wees een kerel!

In de kastdeuren zaten kleine lamellen waar ze tussendoor konden gluren zonder gezien te worden. Met ingehouden adem volgden ze wat er gebeurde. Schijnend met zijn zaklantaarn drentelde Black in zijn zwarte kostuum het vertrek binnen, de draad in zijn handen houdend.

'Waar komt die nu vandaan. Zo'n vreemde draad?' sprak hij. Na enkele stappen gezet te hebben, kwam hij bij de stapel todden uit, die hij intensief met de zaklantaarn bescheen. 'Ach, is het dat!' zei hij met een mengeling van geamuseerdheid en opluchting. Hij pakte Muzaks trui een moment op en liet hem weer vallen. 'Ik dacht al!' Zonder ook nog maar een moment te aarzelen draaide hij zich om, spuugde op de grond en liep weg.

Muzak blies zijn adem nog dieper uit dan Tob. 'Dat scheelde niet veel!'

'Nog minder dan de haren op het hoofd van Black,' zei Tob en duwde de kastdeur open. De voetstappen van Black waren al niet meer te horen. 'Laten we snel teruggaan. Misschien hebben de meiden onze hulp nodig. Ik stel voor dat we het hart hier laten. Als we er boven mee betrapt worden...'

'Best,' gromde Muzak en haalde zijn gehavende trui tussen de todden vandaan. 'Die kan ik wel afschrijven.' Hij zwaaide zijn rugzak weer op zijn rug.

Ze maakten nu tempo om terug te komen, en dankzij Muzaks voor het goede doel opgeofferde trui stonden ze binnen vijf minuten weer bij de trap. Onderweg hadden ze de draad tot een bolletje opgerold en dat met de rest van de trui in Muzaks rugzak gepropt.

Ze holden de treden op, en openden voorzichtig de deur van de begane grond. De lichten in de schoolgang waren al uit, alleen in de hal verderop had iemand nog lampen aangelaten. Alle leraren en leerlingen waren normaal gesproken al weg rond deze tijd, dus de enige die ze moesten vermijden, was de conciërge. Ze slopen naar de hal en keken om de hoek naar binnen. Achter in de hal was de conciërge bezig kluisjes op te poetsen. Langs de andere kant van de kluisjes sluipend, bereikten ze de buitendeur, checkten of de conciërge hen niet gezien had en gingen het schoolplein op.

De zon was buiten ver te zoeken. Het regende behoorlijk. Hun schouders deden pijn van de rugzakbanden, maar pas op straat, bij de ringweg, durfden ze halt te houden en hun rugzakken even op de grond te zetten.

'Frisjes,' zei Muzak, rillend in zijn T-shirt.

Vanaf de overkant, waar het doolhof begon, stak Mirte de natte rondweg over. 'Zijn jullie daar eindelijk!'

Meteen sprong Tob overeind. 'Waar is Pien?' vroeg hij ongerust.

'Die is achter Black aan die net naar buiten kwam. Maxxi en ik zijn op jullie blijven wachten.'

'Hoi Maxxi,' groette Tob. 'Fijn dat jij er ook bij bent.' Hij lachte vriendelijk naar een lege plek schuin achter Mirte.

'Maxxi vindt dat jullie moeten opschieten,' zei Mirte vinnig en keek met een schuin oog naar de donkere wolken. 'Wat een rotweer trouwens.'

Tob en Muzak deden hun rugzakken weer om en staken samen met Mirte over. In tegenstelling tot wat ze verwachtten, dook Mirte niet meteen het doolhof in, maar loodste hen aan de andere kant van de weg langs de rand van het centrum.

'Waar is Pien nou?' vroeg Tob. Het zat hem niet lekker dat het zo lang duurde.

Mirte haalde haar schouders op. 'Meneer Black achterna. En die ging deze kant op.'

'O,' zei Tob en tuitte zijn lippen bedachtzaam. Als Pien maar niets was overkomen. Dat zou hij niet op zijn geweten willen hebben.

'Maxxi zegt dat je verliefd op Pien bent,' merkte Mirte plomp-verloren op.

'Ik?' riep Tob uit. 'Waarom denkt Maxxi dat?'

'Heeft Maxxi gelijk of niet?' zei Mirte plagerig. 'Maxxi ziet dat soort dingen meestal heel goed.'

'Ach, wat zal ik zeggen. Ik vind Pien best wel erg aardig, ja!' Tob sloeg zijn ogen neer.

'Nou,' grijnsde Muzak. 'Je wordt anders wel behoorlijk rood, voor iemand die haar alleen maar aardig vindt.'

'Onthoud jij die Latijnse tekst nou maar,' kaatste Tob bele-digd terug. Inderdaad gloeiden zijn wangen. Maar dat was beter dan die vreselijke jeuk, die hij in de kelder weer had gehad, en die nu gelukkig verdwenen was. Hij tastte op zijn hoofd. Ergens rond zijn kruin waren er twee bulten bijgekomen. Hij begon er zich langzamerhand flink ongerust over te maken.

'Nou, weet je het nog?'

'Doe niet zo boos, joh,' suste Muzak. '*Improbe amor, incog-nito…*' Nu bloosde Muzak op zijn beurt. 'Ik ben het kwijt.'

'Geeft niet,' glimlachte Tob, zich schamend dat hij zo onaardig reageerde. Zo kende hij zichzelf niet. De laatste tijd betrapte hij er zich meer op dat hij vol ergernis en boosheid zat. Nee, hij was zichzelf niet. '*Improbe amor, non mortalia pectora cogis.*'

'Wat is dat?' vroeg Mirte. 'Klinkt als Latijn.'

'Zover waren wij ook.' Zijn glimlach smolt meteen weer weg. Waar bleef Pien nou?

'Wacht,' riep Muzak opeens. 'Hier moeten we naar links.'

'Het doolhof in?'

'Ja. Pien is daar. Ik voel haar nabijheid. Ze wacht op ons.' Muzak was er heel zeker van. Hij liep een steegje in, en ze volgden hem zonder te aarzelen. Al na vijf meter maakte het straatje een bocht en waren ze alleen in het doolhof, opnieuw in een deel waar ze nog niet eerder waren geweest. Tob bleef zich verbazen over de grootte van het doolhof. Steeds opnieuw ontdekte hij steegjes die hij nog nooit had gezien.

Terwijl ze langzaam verder liepen, probeerde hij af en toe door de vitrages van de rode baksteenhuisjes te loeren, maar nergens had hij succes. Waar waren de bewoners toch?

Muzak liep een ander steegje in. Ze konden er niet eens met zijn drieën naast elkaar lopen.

'Pien is hier geweest,' mompelde Muzak. 'Dat is zo zeker als wat.'

Plotseling, kort na een scherpe bocht, kwam de rondweg in de verte weer in beeld. Aan het einde van een steeg, vlakbij het eerste huisje, zagen ze Pien ineens op de stoep van de rondweg staan. Ze had hen allang horen aankomen, zwaaide en legde met een overdreven gebaar een vinger op haar lippen. Zo te zien was alles in orde. Haastig, zoveel mogelijk lawaai vermijdend, schoten ze door de steeg op haar af.

Tob had haar als eerste bereikt. 'Alles goed?' vroeg hij met gedempte stem.

Ze glimlachte. 'In dit huis is hij binnengegaan.'

'Werkelijk?' Op de rondweg, waar ze nu met zijn allen weer stonden, passeerde een vrachtauto. Tob nam het huis in zich op. De raamluiken aan de kant van de rondweg waren stuk voor stuk gesloten, maar de voordeur bevond zich vlak om de hoek in de steeg. Het huis lag precies aan de rand van het doolhof. Meneer Black was de eerste bewoner van het doolhof die Tob ooit in levende lijve ontmoet had. Maar goed, voor hetzelfde geld kon je betogen dat hij er net buiten woonde.

'Heb je hem zélf zien binnengaan?' vroeg Mirte.

'Tuurlijk. In dit huis,' bevestigde Pien nog eens. 'Hij droeg een zwart-witgeruite aktetas en zat onder het stof.'

'Dat kan niet missen.' Tob knipoogde naar Muzak. 'Maar heb

je verder nog iets bijzonders gezien, Pien?'

'Niet echt. Behalve dan...'

Tob ging wat dichter bij Pien staan. 'Ja. Wat?'

'Hij mompelde de hele tijd in zichzelf. En hij zocht iets in zijn aktetas. Het leek wel of hij iets kwijt was. Bij zijn voordeur, toen hij zijn sleutels pakte, vond hij het in zijn broekzak. Iets van papier of karton. Daarna is hij naar binnen gegaan.'

Tob wisselde een blik met Muzak. 'Heeft hij nóg iets in de kelder gevonden?' Het liefst zou hij meteen bij meneer Black naar binnen zijn gestormd om rond te neuzen.

'Waar heb je het over?' vroeg Mirte.

'Vertel ik straks wel,' antwoordde Tob. 'Jammer dat Black thuis is.'

'Komt tijd, komt raad,' zei Muzak en monsterde iedereen. 'Volgens mij zijn we allemaal hartstikke nat en koud. Ik stel voor dat we er een punt aan draaien. Morgen is er weer een dag.'

'Goed,' zei Tob, maar in zijn achterhoofd was hij al met een volgend bezoek bezig. Vanavond wilde hij Patricia spreken en haar om advies vragen, want dit ging allemaal flink boven zijn pet. Hopelijk niet boven die van Patricia.

Tob duwde het hek van landgoed Witvleughel open. De scharnieren piepten harder dan ze ooit gedaan hadden. Misschien was het een slecht voorteken. Hij huiverde. De familieparaplu die Maria hem had meegegeven beschermde hem wel tegen de nattigheid van de regen, maar niet tegen de koude avondlucht. In de verte sloeg de kerkklok zeven uur. Het was schemerig, en niet ver van de duisternis af. Hij liep over het lange donkere pad door het bos, langs de vijver naar het grote gazon dat villa Huis der Engelen omringde. Aan de rand van het gras, net onder de beschutting van een notenboom, bleef hij staan. Het dak van de imposante villa glom in de regen alsof een reuzenhand het had opgepoetst. Voor de rest oogde alles verlaten, en zelfs wat deprimerend. Achter geen van de tientallen ramen brandde licht, en de grote Romeinse pilaren leken weinig zin te hebben in hun ondersteunende taak. Alleen onder de hemelboog van het voordeurportaal scheen er een vaag blauw licht. Tob had er spijt van dat hij besloten had in zijn eentje te gaan, want nu het snel donker werd zag alles rondom de villa er spookachtig uit. Boven zijn hoofd ritselde er iets in de takken. Opnieuw trok er een huivering door zijn lijf. De paraplu stevig omklemmend liep hij het gazon op, haastig, om zo snel mogelijk bij de villa te komen. Het licht bij de voordeur was er nog steeds, wat hem bemoedigde om verder te gaan. Er was in ieder geval iemand thuis. Hier en daar zakten zijn schoenen een stukje weg in het zachte gras.

Tob was blij toen hij het portaal bereikte. Hij stopte en keek vanaf het gazon naar de voordeur. Op de grote houten deur prijkte een koperen klopper, een afbeelding van een monster met slagtanden. De ring door zijn neus was de klopper. Tob vouwde de paraplu dicht en stapte huiverend onder het portaalgewelf. Het blauwe licht kwam van de voorstelling van engelen in het plafond, waarachter een diffuse verlichting brandde. Hij vermeed naar het koperen monster te kijken en klopte aan. De echo binnen was goed te horen, maar er kwam niemand. Patricia had hem toch gezegd naar de voordeur te gaan als hij haar weer wilde spreken? Pakdal zou hem dan waarschijnlijk naar haar huisje in het bos brengen.

Binnen bleef het stil. Tob pakte de klopper weer beet. Het monster staarde hem venijnig aan. Weer bonkte het metaal op de houten deur, en weer galmde het geluid lamlendig in de ontvangsthal weg. Hij voelde aan de klink, maar de deur zat op slot. Moest hij dan maar naar huis teruggaan? Plotseling hoorde hij vanuit het bos iets op hem afkomen. Het was een soort ingehouden gegrom. Hij keek over zijn schouder. Er was niets te bespeuren op het gras, maar dat maakte hem alleen nog maar ongeruster. Snel dook hij weg in een hoek van het portaal. Wat was dat voor iets? Op dit tijdstip kon het niet veel goeds betekenen. Hij hield zijn adem in en luisterde. Het geluid was er nog steeds, maar het veranderde in een zacht gehijg. Hij zou niet beter weten of…

Nu was het geluid weg. Op zijn voorhoofd vermengde het zweet zich met de druppels van de regen. Hij wachtte in stilte af, verroerde geen vin.

Pas na enige tijd durfde hij weer tevoorschijn te komen. Hopelijk beschermden de gelukzalig kijkende engeltjes boven zijn hoofd hem. Op het intussen halfdonkere gazon was niets te zien, evenmin als in de lucht, als je de regenwolken niet meerekende. Hé, hij voelde iets nats aan zijn kuit, alsof iets hem likte. Meteen keek hij naar beneden. Van schrik deinsde hij terug tot hij met zijn rug tegen de deur kwakte. In het landhuis echode de klap na. Voor hem, midden in het portaal, zat een hondje hem parmantig aan te kijken. Het beest had zo te zien geen kwaad in de zin.

'Hallo,' zei Tob met een bevende stem.

Het hondje, wit en bruin gevlekt, stond op en blafte precies één keer. Hij droeg een rode halsband met een klein plaatje eraan.

'Kom je voor mij?' Het was best een leuk beestje om te zien. Tob deed een stap vooruit en bukte. Het hondje had een grappige spitse snuit, en met zijn goedmoedige ogen hield hij Tob ononderbroken in de gaten. Tob stak een hand uit. Het beest trippelde naar hem toe en likte zijn hand. Het was zo aandoenlijk dat Tob het niet kon laten te hurken en het beestje over zijn rug te aaien. Het hondje liet het zich welgevallen, en het gaf Tob de gelegenheid de tekst op het zilveren plaatje aan de halsband te lezen. *Naam: Heaven. Ras: Jack Russellterriër. Functie: wachter en beschermer.* Meer stond er niet. Geen adres, geen telefoonnummer. 'Wat kom je doen? Moet je niet terug naar huis?'

Weer dat grappige blafje.

'Heet je Heaven?'

Opnieuw een blafje, dat aan het einde bevestigend omhoog ging.

'Oké Heaven, wat wil je van me?'

Heaven veerde op, liep naar het gras en keek Tob aan.

'Moet ik je volgen? Ga je me naar Patricia brengen?'

Dat was precies wat Heaven wilde horen, want hij blafte en begon meteen te lopen.

Tob vouwde zijn paraplu weer uit en volgde de hond, die in de richting van Patricia's werkhuis liep. Tob liet zich graag door de hond over de donkere paden door de bossen gidsen, want hijzelf zou de weg naar Patricia nooit vinden. Regelmatig bleef zijn paraplu achter de takken steken, maar door er een flinke ruk aan te geven schoot die steeds weer los. Heaven leek onvermoeibaar, hij hield alleen in als hij merkte dat Tob achterbleef. Heel soms herkende Tob delen van het landgoed van zijn vorige wandeling met Pakdal, maar meestal had hij geen idee waar hij zich in het schemerdonker bevond. De regen werd intussen heviger, maar dankzij zijn paraplu en waterdichte wandelschoenen bleef hij droog. Na een tijd kwamen ze op een open plek in het bos. Daar was het werkhuis van Patricia weer. Heaven posteerde zich voor de deur en blafte. Door de gesloten jaloezieën kierde licht.

'Moet ik alleen binnengaan?'

Heaven blafte weer.

'Goed, ik ga al,' zei Tob, ging het tuinhuis binnen en sloot de deur achter zich. Het was warm in de gang. Hij zette zijn paraplu weg in een hoek en liep verder tot aan het kralengordijn in de deuropening van Patricia's werkkamer.

'Kom verder, Tob. Ik had je al verwacht.' Patricia's stem was zacht. 'Kom verder.'

Tob stapte de werkkamer binnen, waar Patricia weer achter haar werktafel zat. Ze had een groot opengeslagen boek voor zich liggen. 'Kom maar bij me zitten.'

Tob pakte een krukje, zette het naast Patricia en liet zich erop zakken.

'Ben je moe?' vroeg Patricia. 'Je ziet wat bleek.'

'Ik zit er helemaal doorheen. Bedankt dat je Heaven stuurde, zonder hem had ik je nooit gevonden.'

De verbaasde blik van Patricia gleed van Tob naar de deuropening. 'Heaven?'

'De Jack Russellterriër,' verduidelijkte Tob.

'Die heb ik niet gestuurd,' zei Patricia. 'Wacht hij buiten? Laat hem maar binnen.'

'Hij is niet van jou?' lachte Tob schaapachtig. Hij stond op om Heaven binnen te laten, en even later zat de hond op de grond tussen hen in. Zijn glanzende vacht was nauwelijks nat geworden van de regen.

'Dus dat is Heaven?' Patricia aaide de hond en las het kaartje. 'Heaven is een beschermer! Mooi. Ik vraag me af of...'

Ze maakte haar zin niet af, maar trok een boek van de plank dat ze met een bons voor hem op tafel legde. Vervolgens nam ze de munten van de I Ching ter hand en vroeg Tob, net als een paar dagen eerder, de munten te werpen, net zo lang tot ze genoeg combinaties had om de toekomst te voorzien. Peinzend haalde ze het Boek der Veranderingen er weer bij. 'Vuur, veel vuur, Tob. Je moet je bewust worden van je plaats in de wereld, en je afhankelijkheid daarin van anderen. Dat is de sleutel naar jouw en onze bevrijding. Wist je dat vuur een symbool van bevrijding is?'

'Eh... nee.'

'Geeft niet,' zei Patricia. 'Je moet volhouden en doorzetten, ook in tegenspoed en als anderen je dwarsbomen, want daarin schuilt de kracht om de duisternis in jezelf te overwinnen.'

Het laatste interesseerde Tob het meest. 'Welke duisternis in mezelf?'

Patricia klapte het boek dicht. 'Heb je bulten op je hoofd?'

Tob gleed bijna van zijn stoel. 'Ja. Hoe weet je dat?'

'Ik vermoedde het de vorige keer al.' Ze schakelde over op een minder ernstige toon. 'Pakdal hoorde vandaag van het huis in het doolhof. Hij is gaan kijken. Het huis is al half ingenomen.'

'Ingenomen?' Hij kreeg het vage gevoel dat Patricia informatie achterhield over de buitenissige bulten, maar had te veel respect om brutaalweg door te vragen. Bovendien was hij verbaasd dat ze niet eerder op de hoogte was geweest van wat er zich in het doolhof afspeelde.

'Ingenomen, ja,' ging Patricia verder. 'Bezet door het materiaal uit de duisternis. Vertel me eens, Tob.' Ze pauzeerde om de hond weer te aaien, die genotzuchtig spinde als een kat. 'Hoeveel diamanten heb je?'

'Twee.'

'Dat komt overeen met mijn voorspellingen, in ieder geval. Je ligt op schema.'

'Nou zeg. Je lijkt wel een weervrouw van de radio,' zei Tob knorrig, en meteen schaamde hij zich voor zijn uitval. 'Sorry.' Patricia legde een hand op zijn schouder. 'Het geeft niet. Je bent jezelf niet. Ga nu maar weer. Maak je niet druk over je vader. Met hem komt het wel goed.'

'Maar wanneer dan?' Tob pakte Patricia's hand vast, een gebaar dat ze beantwoordde door haar andere hand weer op de zijne te leggen.

'Tob, veel dingen weet ik niet, ik kan alleen maar trends voorspellen, meer niet. Ga nu maar naar huis, en wacht tot de volgende stappen nodig zijn. Vertrouw op Pien en je vrienden. Hun vermogens zullen de komende weken sterk groeien. En pas op voor de duisternis. Je hebt veel vijanden, Tobias, meer dan je denkt.' Ze liet zijn hand los. 'Dat was het.'

'Hoezo: dat was het? Moet ik het nu verder zelf uitzoeken,' riep hij verontwaardigd uit.

'Het kan niet anders. Het is jouw lot, dat je niet kunt ontlopen. Bovendien heb ik al mijn kracht nodig om de opmars van het kwaad te vertragen.'

'Nog één vraag: wat deed mijn vader bij Ovil?'

'Ovil?'

'Ovil is een bedrijf in de stad. De burgemeester deed er zaken mee, geloof ik.'

'Het spijt me.' Patricia schudde haar hoofd. 'Ik heb er nog nooit van gehoord.' De rimpels in haar voorhoofd werden dieper. 'Wat je vader ook doet, hij doet waarschijnlijk hetzelfde als ik: proberen te redden wat er te redden is.' Vermoeid sloot ze haar ogen. 'Je moet nu echt gaan. Mogen de engelen met je zijn.'

'Kom, Heaven.' Beteuterd stond Tob op. Hij draaide zich om, aarzelde net als bij zijn vorige bezoek een moment of hij nog iets zou vragen, maar sjokte uiteindelijk de gang in naar de voordeur. Tevreden was hij allerminst. Hij voelde zich met een kluitje in het riet gestuurd. Buiten werd hij er door de koude wind en de regen onmiddellijk weer aan herinnerd dat het herfst was. Wat een rotweer! Bij zijn voeten jankte de meegelopen Heaven zachtjes alsof die hem wilde opbeuren. Tob glimlachte. Had Patricia niet gezegd dat hij door de duisternis moest heenkijken, of zoiets? Nou, vanavond had hij er in ieder geval een vriend bij gekregen.

'Kom Heaven. We gaan naar huis. Eens kijken of Maria wat lekkers voor je heeft.'

Heaven likte zijn snuit en blafte. Het was alsof hij Tob verstaan had.

'Heaven, jij mag me de weg wijzen.'

Natte herfstbladeren tolden plagerig rond Tobias' hoofd, maar hij kon zich er ineens niet meer aan storen. Wat er ook gebeurde, hij, Tob Timp, had vrienden, heel goede vrienden, en mensen die van hem hielden. Was dat niet het enige dat telde in de wereld?

5

Tob prees zich gelukkig dat de rest van de week rustig ver-
liep. Weliswaar had hij een berg huiswerk gekregen, maar dat
leidde hem lekker af van de beslommeringen. Met Pien had
hij nog gesproken over de vondst in de kelder, maar zij had
hem aangeraden voorlopig geen actie te ondernemen, omdat
het onverstandig was om meneer Black argwaan te laten krijgen. Tob gaf haar deels gelijk, maar het stoorde hem dat hij
niet wist wat Black met het hart van plan was. En dan was er
die Latijnse spreuk. Hij had hem op papier gezet en de blauwe steen erbij gehouden, maar er was niets verschenen dat op
een vertaling leek. Tenslotte was er nog zijn vader. Patricia
had hem wel enigszins gerustgesteld, maar hij zou toch maar
wát opgelucht zijn als zijn vader weer boven water kwam.

Voor Tob het wist was het vrijdagavond. Maria had het idee
geopperd om zijn vrienden voor het eten uit te nodigen, en
dat had hem een perfect plan geleken. Vandaar dat ze nu met
zijn vieren, terwijl Maria aan het aanrecht in een grote houten bak de salade stond om te scheppen, voor hun nog lege
borden aan tafel zaten. Er hing een verrukkelijke geur van
pizza's die in de grote keukenoven werden gebakken. Buiten
regende en stormde het, maar binnen was het behaaglijk.
'Ik barst van de honger,' zei Muzak. 'Alles rammelt in mijn
lijf.'
'Anders bij mij wel.' Vergenoegd wreef Tob in zijn handen.
'En, nog nieuws?'
Hij keek naar de lege stoel aan het hoofd van de tafel, waar
Maxxi had plaatsgenomen. 'Heeft Maxxi nog iets te melden?'
'Nee,' zei Mirte geheimzinnig. 'Dat heeft ze niet. Maar ze
zegt dat ze er zal zijn als het nodig is.'
'Laten we het hopen,' zei Muzak, zijn lippen likkend. 'Ik stel

voor dat we eens even op een rijtje zetten hoe de zaken ervoor staan. Op de eerste plaats wat er wég is: het jaden kruis met één diamant, en Tobs vader, die ondergedoken is.' Muzak schraapte zijn keel. 'En dan wat we wél hebben: twee diamanten. Dat is mooi, maar niet genoeg. We moeten er nog twee vinden.'

Pien schoof op haar stoel heen en weer. 'Nu ben ik aan de beurt,' eiste ze de aandacht op. 'Tob moet de kracht van Xin veroveren, maar hoe? Onze tijd is beperkt, want in het centrum van Quillen is iets gaande, evenals boven de Zeven Heuvels.'

'En dan,' viel Tob in, 'hebben we nog meneer Black met zijn duistere geheim, en de nieuwe spreuk.'

'De spreuk?' vroeg Pien.

Tob keek haar verrast aan. Dat was waar ook. Dat had hij Pien vergeten te vertellen.

'Onder het doosje met het hart stond een spreuk,' kwam Muzak hem te hulp. '*Improbe amor, kwast...*' Hij stokte en keek Tob hulpvragend aan.

'*Improbe amor, quid non mortalia pectora cogis,*' zei Tob plechtig.

'Wat?' riep Pien uit. 'Wat voor taal is dat?'

'Latijn.' Tob tikte met zijn vork tegen de rand van zijn bord. 'Alleen weet ik daar geen snars van.'

'Nee, daarin zijn we behoorlijk soepig,' zei Muzak.

'Ik heb nooit Latijn gehad op school,' zei Pien, en Mirtes ogen spraken in dat opzicht ook boekdelen.

Maria klapte de oven open om er met een grote platte schep de eerste pizza uit te vissen. 'Die is voor de jongedame Pien. Een *quatro stagione. Magnifico!*' De hitte zinderde de oven uit. Handig balancerend met haar schep liep Maria naar de tafel en liet de pizza op Piens bord glijden. Meteen haalde ze de volgende op. 'Een *calzone vegetariana*, voor onze meneer Tob.' Daar werd Tob van een schitterende pizza voorzien. De damp kwam ervan af.

'En nog een voor onze Mirte,' zong Maria. 'En de laatste voor onze Muzak. Een prachtige pizza peperoni en ananas.'

Likkebaardend keek Muzak toe hoe hij als laatste van pizza voorzien werd. Maria zette een welgevulde Italiaanse salade-schaal midden op tafel, knikte naar de stoel van Maxxi – 'Jij krijgt later nog wel, *mia Maxxima*' – en keek hen met de handen in haar zij aan. 'Smakelijk eten.'

'Dank je, Maria. Eet je niet mee?'

Ze lachte, liep even heen en terug om de oven te sluiten en zei: 'Malle jongen. Moet ik nog dikker worden? Jullie zijn nog in de groei.' Ze veegde wat bloem van haar schort. 'Geniet ervan, kinderen, want jullie krijgen het nog zwaar.'

Tob had net een gloeiende hap in zijn mond. 'Ghoe gheet je gat?'

'Soms weet ik dingen gewoon,' ontweek ze de vraag. 'Verder niets.' Ze draaide zich half om naar het aanrecht. 'Wrede lief-de, waartoe breng jij de harten van mensen niet!'

Tob slikte zijn eten zo snel door dat een stukje artisjok bijna in zijn luchtpijp schoot. 'Wat zeg je daar nou?'

'Jullie Latijnse spreuk,' zei Maria. 'Dat wilde je toch weten?'

Hoewel iedereen op zijn pizza was aangevallen, stopten ze nu met eten. Vier paar ogen keken Maria aan of ze het in Keulen hoorden donderen.

'Tja,' grinnikte Maria. 'Italiaans ligt heel wat dichter bij Latijn dan dat rare taaltje van jullie, kinderen.' Geamuseerd hobbelde ze naar het aanrecht en vulde een karaf met water. 'Eten jul-lie!'

Muzak nam als eerste weer een hap. 'Ruig zo'n hulp! Dankzij Maria weten we wat de spreuk betekent.'

'Wrede liefde, waartoe breng jij de harten van mensen niet,' mompelde Tob. Zijn ogen lichtten op. 'Ik snap het. Het hart moet ergens naartoe worden gebracht. Maar wie zegt dat Black het al niet ergens mee naartoe heeft genomen?'

'Lijkt me onwaarschijnlijk,' zei Muzak.

'Ik vond hem de laatste dagen anders hartstikke zenuwachtig, net of hij er met zijn hoofd niet bij was,' zei Pien.

'Ja, Pien heeft gelijk,' zei Mirte. 'Ik vond hem minder streng en sikkeneurig, dus dat zegt genoeg. Niet dat ik hem goed ken hoor, want we hebben nog maar kort les van hem, maar ik denk dat hij iets in zijn schild voert.'

Muzak sneed een punt pizza af die hij met zijn handen begon op te eten. 'Black heeft niets met dat hart gedaan,' zei hij eigenwijs. Op zijn neus zat een spetter tomatensaus.

'Hoe kun je dat nou zo zeker weten?' vroeg Tob. 'Misschien zijn we al te laat. Laten we dat ding maandag gaan halen, je weet maar nooit.'

'Hoeft niet,' sprak Muzak. Een stuk paprika viel op zijn bord terug.

'Waarom niet?' vroeg Pien op hoge toon.

'Omdat hij bij mij op zolder staat,' zei Muzak laconiek.

Dat nieuws sloeg in als een bom. Iedereen aan tafel bleef verstijfd zitten. Als Maria niet voor het fornuis zachtjes een aria had gezongen, was het een minuut doodstil gebleven.

'Bij jou op zolder?' Tob ging rechtop zitten en legde zijn bestek weg. 'Hoezo?'

'Nou,' zei Muzak, intussen verder smullend van zijn pizza. 'Ik vertrouwde het al niet met Black, en toen ik hem woensdag tegenkwam wist ik zeker dat hij binnenkort het hart wilde ophalen.'

'Dat vermoedde je?' vroeg Tob.

'Nee, dat wist ik zeker. Ik zag in zijn hoofd dat Black een plan beraamde om het hart te pikken. Na schooltijd ben ik stiekem naar de kelder gegaan. De glazen doos paste net in mijn rugzak.'

'Dat je dat durfde, alleen,' zei Mirte vol bewondering.

Muzak kleurde. 'Jullie waren al met Tob naar huis, en veel keus had ik niet. Stel dat Black die avond terug wilde komen.'

'Was je niet doodsbang?' vroeg Mirte.

Muzak ging er eens goed voor zitten. 'Om eerlijk te zijn: de poepstrepen stonden na afloop in mijn onderbroek. Bij wijze van spreken dan. Het was hartstikke stil daar beneden. In de trappenhal brandde nauwelijks licht, en in de kelder was het schemerig. Ik had de hoop dat er nog een stofspoor vanaf de deur zou lopen naar het kluisje. En ik had gelijk. Er was niets veranderd daar beneden.'

Tob fronste zijn wenkbrauwen. 'Dat betekent wel dat Black dat spoor ook gezien kan hebben.'

'Ja,' gaf Muzak volmondig toe. 'Maar tegelijk vermoedde ik dat hij sinds zijn vorige bezoek niet meer in die uitgestorven kelder was geweest. En de laatste keer toen hij met haast vertrok, heeft hij niets van ons gemerkt, anders was hij alsnog achter ons aan gekomen. Nog sterker: ik wist het zeker dat hij niets gemerkt had, want mijn intuïtie bedriegt me niet in dat soort dingen. Het engste vond ik nog dat ik de doos met het hart moest pakken, uit dat kastje met dat rare gat op de achtergrond. Maar ook dat ging *okédepoké*.'

'Geweldig,' zei Tob blij. 'Maar zeg eens: wat gebeurde er toen je het hart oppakte?'

'Niets,' zei Muzak. 'Het bleef zo dood als een pier, als je dat bedoelt. Het reageerde totaal niet op mij, zoals dat bij jou gebeurde.'

'Dat wil zeggen dat jij iets bijzonders hebt?' vroeg Pien aan Tob. 'Iets wat het hart doet kloppen?'

Tob haalde zijn schouders op. 'Zolang we niet weten wat we ermee moeten, hebben we weinig aan die wetenschap.'

Pien kuchte, droog en kort. Ze sneed in haar pizza, maar ze leek er niet helemaal bij te zijn. In plaats van een punt begon ze een vierkante vorm eruit te snijden.

'Pien, wat doe je?' siste Mirte, die naast haar zat, maar Pien reageerde niet.

'Stil even,' zei Muzak. 'Ik denk dat ze in een trance is.'

Muzak leek gelijk te hebben. Tob boog voorover en zag dat Pien, die met haar bovenlijf half over de pizza hing, haar ogen gesloten had. Spiertjes in haar gezicht bewogen onrustig op en neer, terwijl haar kaken zich strak op elkaar klemden. Nu ze een vierkant stuk had uitgesneden, veegde ze reststukken van haar pizza naar de rand van haar bord, en hervatte haar snijwerk in het vierkant. Daar ging een driehoekig stuk van het vierkant af, en daar nog een. Ze draaide haar bord en werkte verder, nog steeds met gesloten ogen.

Maria had ook doorgekregen dat er iets aan de hand was. Ze stopte met zingen en lispelde 'Madre mia,' een kruisteken slaand met haar linkerhand.

Pien was klaar. Haar lijf schokte, alsof ze even onder stroom stond, waarna ze als een veer rechtop schoot, haar ogen opende en verdwaasd rondkeek. Ze voelde aan haar hoofd en schraapte haar keel. 'Was het weer zo ver?'

De anderen staarden eerst naar haar, toen naar haar bord, waar een keurig uitgesneden letter M lag.

'Het teken van mijn moeder, Maqualte,' fluisterde Tob. Zijn handen tintelden. Hoe lang was het niet geleden dat hij iets van haar gehoord of gezien had? 'Ze is nog steeds mijn beschermengel.'

Maria sloeg weer een kruisteken. 'Een mirakel, het is een mirakel.' Ze pakte een vaatdoek en begon het aanrecht schoon te vegen, onverstaanbaar voor zich uit mompelend.

Pien glimlachte opeens. 'Ik zag sneeuw, veel sneeuw, en een kribbe, en een kerstboom.' Haar gezicht verstrakte. 'Hoed je vlak voor kerst, Tob. Dan is er een belangrijk moment.'

'Wat gebeurt er dan?' Tobs mond voelde droog aan. 'Wat dan?'

'Dat heb ik niet gezien,' zei Pien. 'Maar rond kerst is er een soort… afrekening. We moeten er dan klaar voor zijn. En het heeft met je moeder te maken, Tob. En…' Haar ogen werden groot en schrikachtig. 'Als we het kwaad niet stoppen, staan er ons verschrikkelijke dingen te wachten.'

'Vertel! Wat dan?' drong Muzak aan.

'Weet ik niet. Dat kan ik niet zien,' antwoordde Pien. Er stond kippenvel op haar armen, terwijl het binnen warm was. 'Nog niet.'

Buiten krabbelde er iets aan de achterdeur, en er klonk geblaf. Tob sprong op om open te doen. 'Dat is Heaven.'

Heaven was de hele avond in de tuin aan het rondrennen geweest om zijn energie kwijt te raken. De hond stond, nat tot op zijn huid, met een paar modderpoten hen vanaf de deurmat parmantig aan te kijken. De afgelopen dagen was hij thuis bij Maria gebleven, omdat er op school geen honden werden toegelaten, dus met het weekeinde op komst had hij wel extra aandacht verdiend. 's Nachts had hij zich steeds op het voeteneind van Tobs bed genesteld, waardoor Tob met een gerust gevoel in slaap kon vallen. Hij was er zeker van dat Heaven hem zou beschermen en wakker zou maken als er iets aan de hand was.

Mirte en Muzak hadden Heaven nog niet gezien.

'Wat een schattig hondje,' riep Mirte uit.

Muzak imiteerde kattengejammer, waarop Heaven het vrolijk op een blaffen zette. Zonder enige schaamte schudde hij zich grondig uit, waarbij de druppels in het rond spatten. Verschrikt keek Tob naar Maria, die altijd erg netjes op haar keuken was, maar ze glimlachte vergevingsgezind.

'Maria, je pizza is ver-ruk-ke-lijk,' riep Muzak enthousiast.

'Werkelijk heerlijk!' vielen Mirte en Pien hem uitgelaten bij. Ze giechelden en gedroegen zich als kleuters op een pannenkoekenfeestje. Tob hield zijn lachen ook niet meer in.

Vrolijk gebarend wendde Maria zich tot de eters aan tafel en knipoogde met een schuin oog naar Tob, die nog bij de achterdeur stond. '*Tradizione*, dat is de kern van het leven. Mag ik voorstellen dat we dit iedere vrijdag doen, als jullie ouders het goedvinden?'

'*Perfectissimo*,' antwoordde Muzak zonder de anderen te raadplegen, maar niemand protesteerde uiteraard.

'Afgesproken, Maria,' zei Tob en liep terug naar tafel met Heaven aan zijn zijde. 'Daar houden we je aan.'

Maria glom van trots, omdat haar kookkunst zo gewaardeerd werd. 'En dan hebben we straks natuurlijk jullie favoriete toetje.'

'Laat me raden,' zei Pien en zette haar lippen opzettelijk zuinig. 'Toch geen tiramisu?'

'*Si si*,' knikte Maria. 'Maar natuurlijk.'

Tob liet zich weer op zijn stoel zakken. Het leven in Quillen zat vol met verrassingen, vaak onaangename, maar soms ook met hele prettige. En was het niet zo, dat die zaken waar je je het meest voor had ingespannen, de meeste voldoening gaven?

Gedoucht en aangekleed kwam Tob de trap af voor het ontbijt. Heaven dartelde voor hem uit, en stond het eerst in de gang. De avond daarvoor was het nog erg gezellig geweest, en Maria had hen onovertroffen tiramisu voorgezet. 'Met echte mascarpone uit mijn familiestreek,' had ze gezegd.

De deurbel ging drie keer over. Tob sloeg de laatste treden met een sprong over. Zijn gymschoenen piepten over de tegels. Maria had de keukendeur al opengedaan en keek om de hoek. '*Buongiorno*, Tob.'

'Goedemorgen Maria. Blijf maar, ik doe wel open.'

'Prima,' zei Maria en verdween weer.

Wie zou er zo vroeg voor de deur staan? Van Mirte, Pien of Muzak kon hij zich dat niet voorstellen. Die hadden zich allemaal voorgenomen uit te slapen. Hij liep naar de voordeur, maar voor hij er goed en wel was gearriveerd, werd er weer gebeld, aanhoudend en dringend.

'Ik kom al,' riep hij wrevelig. 'Geduld!'

Hij draaide de sleutel van het nachtslot om en deed open.

'Morgen. Ik wilde zo vrij zijn om te informeren of je nog over mijn aanbod hebt nagedacht. Tenslotte is het de uitdrukkelijke wens van je vader, maar ook ik vind dat in educatief opzicht een actieve muziekbeoefening niet aan je opvoeding mag ontbreken.'

Tob deinsde terug. Xander Vlemitz stond in vol ornaat voor

zijn neus. Die kwam met de deur in huis vallen, zeg! 'Tja,' overwoog Tob, 'ik moet zeggen dat ik de laatste tijd niet erg met uw voorstel bezig ben geweest.'

'Zeg maar jij tegen mij,' zei Xander met een lichte buiging. Met zijn strikje en zijn vest onder zijn pak zag hij er veel te netjes uit voor dit vroege tijdstip.

Heaven snuffelde geïnteresseerd aan Xanders schoenen, hield zijn kop een beetje schuin en verdween de gang in.

'Ik ben, eerlijk gezegd, niet erg met je voorstel bezig geweest,' herhaalde Tob.

'Dat vermoedde ik al. Maar, temeer daar jeugd en jonkheid een garantie zijn voor een vluchtige levensstijl waarin de culturele verplichtingen van het leven moeilijk een plek krijgen, is het van belang dat we tot zaken komen. Wat zou je zeggen van vanmiddag twee uur. Ik woon in een huis vlakbij je school. Ja?'

'Ik weet niet of...' hakkelde Tob.

'Dat is dan afgesproken,' zei Xander afgemeten. Hij draaide zich op zijn hakken om en verdween met militaire precisie langs de oprijlaan de voortuin uit, waar hij zijn fiets aan de straat tegen een boom had weggezet.

Van zijn stuk gebracht keek Tob toe hoe Xander vertrok. 'Wacht even,' riep Tob hem na. 'Waar woon je precies?'

'Je hebt mijn kaartje toch,' riep Xander vanaf de straat terug en stapte op zijn fiets. 'Quillense Landstraat 5. Tot vanmiddag.' Hij ging op de pedalen staan en stoof ervandoor.

'Mooie boel,' mopperde Tob hardop. Tot overmaat van ramp stak die jeuk op zijn hoofd ook weer op. Hij krabde zich en voelde de bulten van de vorige keren, die niet in het minst geslonken waren. De jeuk verplaatste zich tot achter zijn rechteroor. Hij begon er steeds meer over te piekeren. Patricia had zich ook bezorgd over die jeuk en bulten getoond. 'Heaven, waar ben je?'

Geblaf uit de keuken verraadde waar Heaven uithing.

Natuurlijk! Daar waar de lekkere hapjes te halen waren. Tob trok zijn shirt recht en sloot de voordeur. Omdat hij de krant wilde lezen bij het ontbijt, liep hij eerst de huiskamer in. Maria had de plaatselijke krant op de salontafel klaargelegd. Zelden had hij een krant gezien met zoveel prietpraat, maar het was beter dan niks. Andere dagbladen werden nu eenmaal niet in Quillen bezorgd. Hij bukte en sloeg de krant open. Vrolijk werd je niet van het wereldnieuws. Alleen gisteren al waren er drie vliegtuigen neergestort, een statistische toevalligheid die maar zelden voorkwam. Hij moest er niet aan denken dat hij in zo'n vliegtuig zat. Als het eenmaal mis ging, was ontsnappen niet meer mogelijk.

Plaatselijk nieuws. De jongste kinderen van de Quillense basisschool hadden een toneelstuk ingestudeerd waar alle inwoners naar mochten kijken. Aardig, dat artikel wilde hij gaan lezen. Maar verdikkeme, wat jeukte zijn hoofd. De kriebels hadden zich over zijn hele kruin verspreid. Torretjes die onder zijn huid kropen, daar deed het weer aan denken. Hij probeerde zich op de krant te concentreren en bladerde naar de voorlaatste pagina. Daar was de strip. Vlak erboven zaten vlekken drukinkt, kleine dikke kringetjes onder het weerbericht. Hij boog over de krant om de strip beter te kunnen lezen. Wat was dat? Wat hij voor vlekken had aangezien, waren in werkelijkheid kriebelig geschreven letters. Iemand had in hun krant zitten rommelen. Het was nauwelijks te ontcijferen wat er stond. *Cor unum et anima una.* Wat had dat nu weer te betekenen? Hij vouwde de krant een stukje op, zodanig dat de tekst te zien bleef, en liep naar de keuken. Die ellendige jeuk ging maar door, alsof iemand zijn hoofd binnenstebuiten wilde keren. Hij passeerde de servieskast en keek in het spiegelende glas naar zijn gezicht. Meteen hield hij halt. Langzaam bewoog hij zijn gezicht dichter naar zijn spiegelbeeld. Beeldde hij het zich in? Zijn ogen! Zijn ogen leken een andere kleur te hebben gekregen, het leek of er iemand anders naar hem keek, een totaal onbekende persoon. Hoe kon dat? Hij werd duizelig en angstige gedachten schoten door zijn hoofd. Werd hij soms gek? Nee, daar wilde hij niet aan denken! Maar dat zou wel verklaren waarom Patricia zich zo bezorgd maakte. Zou zij al eerder hebben gezien wat hij nu ook zag? Nogmaals bekeek hij zichzelf. Het was écht of zijn blik van een vreemde was. Ergens in de kast knapte er iets, alsof er een plank barstte, en van het ene op het andere moment was de jeuk weg. Daar waren zijn vertrouwde ogen weer, de ogen die hij van zichzelf kende. Hij trok zijn schouders recht en slikte. Vooruit, vermande hij zich, naar Maria nu, en naar een ontbijt met eieren en ciabatta.

'Ha Maria,' riep hij vrolijker dan hij zich voelde toen hij de keuken binnenkwam.

Maria bukte naar Heaven en gaf die een stukje worst. 'Dat beest is geen vegetariër zoals jij.'

'Hoeft ook niet,' zei Tob en spreidde de krant op tafel uit. 'Weet jij toevallig wat dit zeggen wil?'

Maria aaide Heaven over zijn stevige lijfje en kwam bij Tob staan. '*Cor unum et anima una*. Een hart en één ziel.'

'Is dat alles?' vroeg Tob verbaasd.

'Me dunkt,' zei Maria. 'Heb jij dat geschreven?'

'Nee. Een onbekende.'

'Rare tekst, als je het mij vraagt,' zei Maria. 'Wat moest die meneer trouwens weer?'

'Xander bedoel je? Die kwam een afspraak afgeven voor zijn pianoles. Dat moest van mijn vader, zei hij.'

'Je vader?' Maria trok haar wenkbrauwen op. 'Ik wist niet dat die zoveel met piano's had.' Ze streek wat haren uit haar gezicht en veegde haar handen aan haar schort af. 'Nou ja. Het zal wel. Lust je thee bij je ontbijt?'

'Prima,' zei Tob en ging aan de keukentafel zitten. Buiten was het droog, maar een dikke laag wolken voorkwam dat de zon de aarde kon bereiken. 'Een hart en één ziel, zei je dus?'

'Dat zei ik.' Maria liet een ketel vol water lopen en zette het op het fornuis. 'Wat moet je daarmee?'

'Niks bijzonders,' antwoordde Tob, maar zijn hoofd was bij het kruis, en het hart uit de schoolkelder. Dáár moesten ze misschien iets mee, volgens de geheimzinnige boodschapper uit de krant. Zou de schrijver zijn vader zijn geweest? Nee, die had beslist een heel ander handschrift. Het moest iemand geweest zijn die niet wilde dat ze achter diens identiteit kwamen.

'Je zou eens meer moeten bidden, Tob. Dat zou je goed doen,' merkte Maria tot zijn verrassing op, want meestal had ze weinig commentaar op wat Tob zo de hele dag deed.

'Meer bidden? Waarvoor dan?'

'Soms kun je dat gebruiken. Kwaad kan het niet. Geloof je niet in God dan?'

'Nou, nee. Wie zou dat dan moeten zijn? Heb jij hem wel eens gezien?'

'Domme jongen. Dan zou het geen geloven meer zijn. Geloven in iemand die je in levende lijve voor je ziet, is geen kunst. Geloven is hopen op het beste in de mens. Hopen dat hij afstand kan doen van het kwaad, het kwade kan overwinnen.' Maria had nog nooit iets met zoveel overtuiging gezegd. 'Je zou de kerk eens moeten bezoeken. Ben je er wel eens binnen geweest?'

'Nee,' gaf Tob blozend toe. 'Niet in Quillen tenminste. Af en toe zie ik de pastoor wel eens staan op het plein. Meer niet.'

'Nou, dan moet je…' Maria werd overstemd door het gegil van de fluitketel. Ze draaide het gas laag en schonk water in een theepot waarin ze al een theezakje had gehangen.

'Wat zei je nou?'

'Niets. Ik zeg te veel,' zei Maria en schudde haar hoofd. 'Ik bemoei me met zaken die me niet aangaan. Als je maar voorzichtig bent, Tob.' Ze zette een bord met belegde broodjes op tafel neer. 'Smakelijk.' Ze aarzelde. 'Je kijkt wel uit met alles, hè?'

'Ja ja,' verzekerde Tob haar. 'Laat ik nou eerst maar eens gewoon bij Vlemitz gaan kijken.' Hongerig nam hij een hap van zijn ontbijt. 'We hebben niet eens een piano hier om te oefenen.' Maria knikte en begaf zich naar de kast met serviesgoed om daar wat spullen op te bergen, terwijl Tob doorsmulde.

Nog geen tien happen later ging de deurbel opnieuw. 'Zou Vlemitz iets vergeten zijn?' Tob sprong uit zijn stoel. Hij nam een snelle slok thee en haastte zich de gang in. Zowel een beetje boos als nieuwsgierig rukte hij de voordeur open. 'Meneer Vlemitz, maakt u zich…'

Grijnzend stond Muzak voor zijn neus. 'Zeg maar gewoon Muzak hoor.' Op zijn rug droeg hij een grote bruine rugzak. 'Was je onze afspraak vergeten?'

Tob voelde dat hij kleurde. 'Dat is te zeggen… eh… Ik had je pas later verwacht.'

Muzak bromde op een manier die liet blijken dat hij het antwoord van Tob maar half geloofde. 'Volgens mij was jij het vergeten.'

Tobs wangen brandden van het schaamrood. 'Je hebt gelijk. Vanochtend vroeg stond die Xander Vlemitz al voor de deur. Ik heb vanmiddag pianoles bij hem.'

'Pianoles?!' Muzak stapte de gang in en sloot de deur achter zich. 'Jij? Dat kan nooit wat worden.'

'Sta nou maar niet zo te grijnzen en kom mee,' zei Tob en loodste Muzak naar de keuken.

'Morgen, Maria,' zei Muzak.

'*Buongiorno*,' glimlachte Maria.

Muzak zette zijn rugzak bij de tafel en ging tegenover Tob zitten, die zich verder aan zijn ontbijt te goed deed.

'Heb je het bij je?' vroeg Tob.

'Met de hand op mijn hart kan ik je zeggen dat ik het bij me heb.'

'Mooi.' Tob knipoogde. 'En dat is weer een pak van mijn hart,' grinnikte hij terwijl hij naar zijn eigen hartstreek wees. 'Ik wil het op zolder opbergen.' Hij keek even naar Heaven, die zich op een behaaglijk plekje bij het fornuis genesteld had. 'Zodra ik mijn ontbijt op heb, gaan we naar boven.'

'Goed.' Muzak keek verlekkerd naar Tobs bord. 'Ik hoorde van Louis dat het huis in het doolhof steeds zwarter wordt. Het spul is nu al halverwege de gevel.'

Tobs eten smaakte onmiddellijk een stuk minder goed. 'Als ik toch eens wist wat dat te betekenen had. Straks wordt heel Quillen nog door dat goedje opgeslokt.'

'Niet te veel fantaseren,' zwakte Muzak dat idee af. 'Voorlopig hebben we nog alle tijd. Tot de kerst, als Pien gelijk heeft.'

'Dat lijkt nog lang, maar voor je het weet, is het zo ver,' zei Tob. 'We moeten nog twee diamanten zien te vinden, weet je nog? En dan het kruis nog terugkrijgen.' Hij veegde met het laatste stuk brood zijn bord schoon. 'Kom op. We gaan naar de zolder.' Hij stond op. 'Het was lekker, Maria.'

'Goed zo, jongen.' Maria had een lap in haar handen, waarmee ze het fornuis een poetsbeurt gaf. 'Een goed ontbijt is het halve werk.'

Muzak pakte zijn rugzak op en liep achter Tob aan naar de gang. Ze gingen de trappen op, via de overloop, naar de zolder.

Iedere keer als Tob daar kwam kreeg hij een vreemd gevoel, niet direct onbehaaglijk, maar het was net zoiets als wanneer je heel lang in de kou had gelopen en met tintelende handen en voeten voor de open haard zat op te warmen. De over de meubels getrokken lakens zagen er grijs en grauw uit. Door de dakkapellen viel er een melkachtig herfstlicht naar binnen dat alles nog onwerkelijker maakte dan het al was.

'Wauw, *spacy* zeg! Wat een spullen staan hier.' Muzak bleef staan. 'Is dat allemaal van jullie?'

'Ik denk het,' zei Tob en laveerde tussen een aantal stoelen door naar het midden van de zolder. Bij een salontafeltje bleef hij staan. 'Waar zullen we het opbergen? Het is te groot voor de nis waar ik soms andere geheime spullen opberg.'

Muzak kreeg een groot meubelstuk in de smiezen met een laken eroverheen. 'Is dat een kast?'

Laconiek trok Tob zijn schouders op. 'Ik denk het.' Hij liep ernaartoe en trok het laken weg. Stofvlokken dwarrelden over de zolder. Een stokoude donkerbruine kabinetkast, met grote laden, kwam tevoorschijn.

'Die onderste grote la lijkt me een prima plek,' had Muzak van een afstandje snel beslist. Hij voegde zich bij Tob die als een klein kind tegen de twee meter hoge kast opkeek.

'Wat een lelijk ding, zeg!' merkte Tob op.

'Een mooie plek voor onze vondst,' zei Muzak. Langzaam liet hij zijn rugzak op de grond dalen, niet ver van de la. 'Schuif hem eens open.'

Tob bukte. Een sterke tinteling trok over zijn hoofd. Ineens was daar die stem weer. 'Wees op je hoede, Tob. Wees op je hoede. Hij wordt sterker.'

Verschrikt keek hij op. De stem kwam ergens van de dakkapellen vandaan. 'Hoorde je dat?'

Muzak keek of hij zijn laatste oortje versnoept had. 'Wát moet ik horen?'

'Laat maar. Ik…' Tobs mond viel open. Binnen, voor het raam van de rechter dakkapel, zweefde een ondefinieerbare verschijning, een mistwolk waar je doorheen kon kijken, in de vorm van een menselijk lichaam. 'Kijk daar. Ik…' Hij begon ervan te stotteren.

Muzak richtte zijn blik op de plaats die Tob had aangewezen. 'Ik zie niets. Wat heb je?'

'Een soort geest, daar. Het heeft geen gezicht, een soort lichaam zonder armen en benen. Hij hoort hier thuis, geloof ik. Hij zegt dat ik moet uitkijken.'

De mist verplaatste zich naar de nok van het dak. Daar begon het te trillen, er ontstonden ronde cirkels van binnenuit, zoals die van een steen die in een vijver werd geworpen. Tob voelde een koude tocht, en ineens was de verschijning verdwe-

nen. 'Het is weg,' zei Tob en keek Muzak verbijsterd aan.
'*Conanti dabitur*,' mompelde Muzak.
'Wat?'
'*Conanti dabitur*,' zei Muzak luider. 'Iemand sprak in mijn hoofd tegen mij. Het was een soort... ziel, zou ik haast zeggen. Iemand die over je waakt.'
'Mijn beschermengel? Mijn moeder?' Tobs knieën knikten. 'Zou zij het zijn geweest?'
'Ik weet het niet.' Muzak stak zijn tong in zijn wang en dacht na. 'Doe die la eens open,' zei hij ineens zakelijk. 'We moeten het hart opbergen.'
Tob trok. Hij moest flink aan de grepen gaan hangen om de la open te krijgen. Daar schoot de la een stukje de kast uit. Hij was maagdelijk schoon en leeg, zelfs stof lag er niet in. Tob trok hem tot de helft de kast uit. 'Zo moet het wel lukken.'
Muzak gespte de rugzak open, stak er zijn twee handen tegelijk in en haalde er, terwijl Tob de rugzak aan de buitenkant tegenhield, de doorzichtige glazen doos met het hart uit. Vol ontzag zette hij het voor de kast op de grond neer.
Tob deed een stap terug. Het hart zag er nog steeds uit of het pas geleden uit een lichaam was gekomen. In niets deed het denken aan de foto van een hart die hij ooit in een biologieboek had gezien. Dat hart was dood geweest, had ook een heel andere kleur, maar dit hart, dat daar zo stil in het halfdonker lag, had het leven nog niet losgelaten.
Muzak hijgde, hoewel hij nauwelijks een inspanning had verricht. 'Durf jij... durf jij het in de la te zetten?'
'Ik weet niet.' Tob hurkte en schuifelde naar de doos. Wat zou er gebeuren als hij de doos oppakte? Zou het hart weer gaan kloppen? Van de vorige keer had hij zelfs een nachtmerrie gekregen, dat het hart weer was gaan kloppen en er lange taaie sprieten uit waren gekomen die hem probeerden te wurgen.
'Moet ik het doen?' vroeg Muzak.

Tob schudde van nee. Dit was een taak voor hem. Het hart had een verbinding met hem, daar was hij zeker van. Heel langzaam bracht hij zijn trillende handen naar de doos en hield er langs iedere kant een. Hij sloot zijn ogen en haalde diep adem. 'Daar gaat-ie.' Met een tedere maar toch doelbewuste beweging pakte hij de doos aan twee kanten vast. Zijn vingertoppen sloegen zich om de onderkant.

Muzak week terug. 'Er gebeurt niks!'

Tob keek weer. Het glas was warm. Het plakte aan zijn handpalm. 'Nou, dan zet ik hem maar...' Een tinteling trok door zijn onderarm. Het hart trilde, alsof het wakker schrok, en begon een merkwaardig blauw schijnsel te verspreiden. Toen, sterk en regelmatig, klopte het weer. Tob durfde de doos niet meer los te laten, nog sterker, hij kon het niet. Zomaar, zonder dat hij wist waarom, welden er tranen in zijn ogen. Hij tilde de doos op. Het kloppen van het hart kon hij met zijn vingers voelen. Mechanisch bewoog hij zijn handen tot boven de la, liet de doos precies in het midden neerzakken en liet langzaam los. Weer die trilling in zijn hand, en het hart verloor zijn blauwe licht, om meteen daarop weer doodstil te blijven liggen.

'*Fudge*!' zei Muzak. 'Als ik er niet bij had gestaan, had ik het niet geloofd.'

'Ikzelf ook niet. En als we het niet met zijn tweeën hadden gezien, zou ik denken dat ik gedroomd had.' Tob schoof de la dicht. Het hart verdween in de donkerte. 'Op mijn hele lijf heb ik kippenvel staan.'

'Ik ook,' zei Muzak. 'Het hart voelt als... wat zal ik zeggen...'

'Heilig, het voelt heilig, alsof het contact met iets daarboven heeft,' vulde Tob aan.

'Precies! Dat is het precies!' Muzak wees naar het laken. 'Zullen we dat ding er samen even overheen gooien?'

'Oké.'

Ze pakten ieder een punt van het laken beet en trokken het

weer over de kast. Zwijgend draaiden ze zich om en liepen naar de overloop. Met een zucht gleed het laken van de kast af op de grond.

Tob keek achterom. 'Laat maar liggen.'

'Het is alsof we het hart in de steek laten.' Muzak grijnsde.

'Maar dat is natuurlijk onzin, hè?'

'Kom!' Tob ging de trap als eerste af. Tot zijn verrassing moest hij bekennen dat hij hetzelfde gevoel had als Muzak. Maar nee, hij zou het hart heus niet vergeten. Dat kón ook niet, want hij wist zeker dat het een belangrijk deel uitmaakte van zijn grillige levenspad.

Xander Vlemitz woonde in een huisje dat van Hans en Grietje had kunnen zijn. Het had een rieten dak, maar als iemand had gezegd dat er dropveters op lagen, had Tob het onmiddellijk aangenomen. In de voortuin stonden kale doornstruiken en uitgebloeide rozen op stam, maar tegen de gevels was de groene klimop uitbundig uitgegroeid. Tob trok aan de ouderwetse belknop naast de groene voordeur. Binnen klingelde het gezellig, en niet veel later hoorde hij korte parmantige stappen koers zetten naar de voordeur. Daar zwaaide de deur open.

'Welkom, welkom, Tob,' zei Vlemitz en beduidde met een grote armzwaai dat Tob moest binnenkomen. 'Ik heb de thee al klaarstaan.'

Het warme onthaal verraste Tob. Hij lachte onbeholpen naar Vlemitz, die zijn chique leren schoenen had verruild voor gladleren kamerpantoffels met bontrandjes. 'Ik hoop dat ik niet te laat ben. Het duurde wat langer dan ik verwachtte. Ik moest over de ringweg komen, ziet u.'

'Ik zie het niet, maar ik geloof het wel,' grapte Vlemitz zangerig. Hij sloot de deur achter Tob en ging hem voor naar de huiskamer.

Tob gaf zijn ogen de kost. De gang was smal en donker. Aan de wanden hingen tientallen ingelijste fotootjes, sommige met en andere zonder Vlemitz erop. Halverwege de gang stond in een hoek een lege houten kapstok. Tob deed snel zijn jas uit en mikte die over een haak.

'Sorry, ik had je jas moeten aannemen,' riep Vlemitz die al bij de deur van de huiskamer stond. 'Kom, kom!' Meteen verdween hij er naar binnen.

Wat onwennig liep Tob door en schuifelde de huiskamer in. Mijn hemel! Het leek er wel een bazaar. Er stonden grote en kleine stoelen, tafeltjes, diverse kasten met serviesgoed en beeldjes, en zeker twintig schemerlampen in alle soorten en maten. Dikke Perzische tapijten lagen op de grond, en honderden fotolijstjes bevolkten de wanden. Het was er voller dan vol. Maar het klapstuk werd gevormd door de grootste vleugel die Tob ooit had gezien, een reus van een ding, glimmendzwart gepolitoerd, en hij vulde zeker eenderde van de huiskamer. De meterslange klep stond open. Verbaasd bleef Tob op de drempel staan.

'Loop maar door.' Vlemitz stond al bij de nog met een zwarte scharnierklep afgedekte pianotoetsen. 'Niet aarzelen, dat is niet nodig, al heb je mogelijk enige bedenkingen bij de culturele meerwaarde van dit schitterende instrument.' Geheimzinnig glimlachend sloeg hij de klavierklep voorzichtig open. Een zee van ivoorwitte en zwarte toetsen golfde de kamer in. Tob grijnsde en schuifelde naar Vlemitz. 'Ga zitten.'

Tob aarzelde. Had hij er wel goed aan gedaan zo klakkeloos op Vlemitz' verzoek in te gaan? Wie zei dat Vlemitz de waarheid sprak over zijn vader? En dan was er nog het feit dat hij, Tob, nog nooit op zelfs maar een triangel had gespeeld. Muzak had gelijk: hij had geen sikkepitje talent als het daar om ging. 'Kom maar,' spoorde Vlemitz hem aan. 'Ik bijt niet.'

Tob werd nu zo kinderlijk aangesproken, dat hij zich beledigd voelde. Wie dacht die Vlemitz wel niet dat hij was? Hij liep naar de kruk, keek Vlemitz brutaal in de ogen en ging zitten. 'Ik ben er klaar voor.'

'Mooi,' zei Vlemitz. Uit een stapel muziekboeken in een kastje naast de vleugel trok hij er één, zette die op de lessenaar van de vleugel neer en sloeg hem open.

Mozart, Sonate in C mineur, las Tob. In verwarring gebracht keek hij naar de met notenbalken volgepakte pagina's voor zijn neus. 'Dat is Mozart!'

'Weet ik,' zei Vlemitz. 'Daarom laat ik je die zien. Mozart is heel jong gestorven, wist je dat? Niet dat jong sterven een drama is, maar wel voor een genie als Mozart. Stel je eens voor wat een prachtige werken hij nog had kunnen schrijven als hij tachtig was geworden, en stel je eens voor…' Zo ging Vlemitz nog een tijdje verder.

Tob hoorde het allemaal gelaten aan. Wat moest hij in hemelsnaam met Mozart? Eindelijk beëindigde Vlemitz zijn betoog.

'En nu?' vroeg Tob, intussen weer last krijgend van die jeukende tintelingen op zijn hoofd. Intussen had hij er al zo'n acht bulten zitten die niet wilden verdwijnen.

'Spelen maar,' riep Vlemitz vrolijk uit.

'Spelen maar?' Tob viel bijna van zijn kruk. Al die tijd had hij zijn armen langs zijn lijf laten hangen, maar nu kruiste hij ze voor zijn borst. 'Hoe kan dat nou?'

'Kun je het niet?' Vlemitz trok er een krakkemikkige stoel bij en zakte naast Tob neer. 'Te moeilijk?'

'Ik heb nog nooit piano gespeeld,' zei Tob verontwaardigd. 'Dan kan ik dit toch nooit spelen!'

Grinnikend trok Vlemitz zijn strikje recht. 'Tuurlijk niet. Maar over een aantal weken, zo tegen de kerst, wil dat wel lukken.'

Hij boog naar Tob toe. 'Mozart was heel bijzonder weet je. Klopt het trouwens, dat jij met de doden kunt communiceren?'

Tob verstarde. 'Wat weet u daarvan?'

'Ach, je hoort wel eens dingen. Van Patricia Woeswel, bijvoorbeeld.'

'Kent u die?'

Vlemitz antwoordde niet en haalde het muziekboek met een

snelle beweging weg om het te vervangen door een beginnersboek met tekeningetjes. *Frompsons eerste pianolessen.*
Zwierig sloeg hij de eerste bladzijden op. 'Hier, speel dat maar eens.'
Tob legde zijn handen op de vleugel. Zijn vingers rustten als onhandige houtjes op de toetsen. 'Ik kan geen noten lezen.'
'Mooi. Dan moet je dat maar eens leren,' zei Vlemitz. 'Dit hier kun je zo al spelen. *Boer daar ligt een kip in het water.*'
Haastig streek hij over zijn kalende schedel. 'De komende tijd wordt het oefenen en oefenen, anders kom je nooit aan Mozart toe.' Hij likte zijn lippen. 'Ach, ik ga even thee inschenken.'
Lenig wipte hij van de krakende stoel en verdween naar de keuken. Tob kwam een stukje van zijn kruk omhoog om een blik op het innerlijk van de vleugel te werpen. Een indrukwekkend mechaniek van snaren en bevilte hamertjes werd zichtbaar. Hij drukte een toets langzaam in en zag hoe een van de hamertjes van onderaf tegen een snaar sloeg. Het geluid was zacht en nauwelijks hoorbaar.
'Hier, je thee,' zei Vlemitz achter zijn rug.
Tob schrok. Vlemitz kon goed iemand besluipen. 'Ja, bedankt.' Snel zakte hij terug op zijn kruk.
Vlemitz toverde een bijzettafeltje tevoorschijn en zette het aan de andere kant van Tob neer, waarna hij er een mok op zette. 'Niet omgooien.'
'Nee,' stamelde Tob.
'Spelen maar. Ik doe het een keer voor.'
Tob lette goed op, wat in ieder geval als resultaat had dat hij even later in staat was *Boer daar ligt een kip in het water* te spelen. De punten van zijn schoenen botsten steeds tegen de pedalen van de vleugel.
'Goed zo. De eerste stap naar Mozart is gezet.' Vlemitz gaf Tob een schouderklopje.
Tob staarde wanhopig naar de muziek voor hem. 'Dat kan ik toch nooit. Daar moet ik jaren voor studeren.'

'Hoop, geloof, liefde,' zei Vlemitz. 'Je beloning zal groot zijn, jongen.'

'Mijn beloning?' Tob ging zich onbehaaglijk voelen. Er zat een luchtje aan dat gedoe met Vlemitz.

'Niet voor je beurt vragen,' zei Vlemitz. 'Dat mag niet. Je moet het verdienen.'

Ineens kreeg Tob er genoeg van. Hij trok zijn handen van de toetsen af naar zijn schoot. 'Ik denk dat ik maar eens opstap.'

'Nee, niet doen,' reageerde Vlemitz enigszins paniekerig. 'Daar krijg je spijt van. Soms kunnen dingen niet anders.'

'O!' Tob begreep er steeds minder van, maar de oprechte schrik van Vlemitz hield hem aan zijn stoel gekluisterd. 'Als het echt zo belangrijk is, en u denkt dat ik het kan...'

'Natuurlijk kun je het. Dat waar je in gelooft, ligt voor het grijpen, maar dat waar je niet in gelooft, blijft buiten je bereik. Geloven, daar gaat het om. Je gelooft niet in God?'

Tob gnuifde. Dat was hem ook al door Maria gevraagd. 'Nee, ik geloof van niet.'

'Dan geloof je in elk geval iets,' meesmuilde Vlemitz. 'Speel nóg eens.'

Tob ging weer recht voor de vleugel zitten en speelde, waarop Vlemitz allerlei informatie op hem losliet over hoe hij zijn vingers op de toetsen moest zetten, en steeds moest Tob het uitproberen en oefenen om de houding van zijn armen, handen en vingers te verbeteren. Na drie kwartier waren zijn handen zo verkrampt dat het leek of hij een dag deeg aan het kneden was geweest.

'Het is mooi geweest,' zei Vlemitz tevreden. 'Je mag stoppen.'

Tob had het warm van het oefenen. Pianospelen was een stuk inspannender dan hij dacht. 'Hoe gaan we nu verder?'

'Simpel. Je krijgt van mij een schrift mee met opdrachten en oefeningen, en het boek van Frompson, en dan maar oefenen, iedere dag een uur minstens.'

'Een uur!' Tobs ogen rolden bijna uit hun kassen.

'Minstens!' benadrukte Vlemitz. 'Anders schiet het niet op.'

'Maar… maar… ik heb geen piano.'

'Een lastig punt,' zei Vlemitz. 'Dan maar oefenen op de keukentafel.' Hij lachte geheimzinnig. 'Hier zijn je spullen, en veel succes. Volgende week, zelfde tijd, zie ik je terug.'

Verbijsterd stond Tob op. Hij keek in de vleugel. Het binnenwerk grijnsde hem aan. Heel even meende Tob het instrument te horen grinniken.

Vlemitz was intussen druk bezig in een blauw schriftje te schrijven. 'Dit wordt je huiswerkschrift.' Hij vouwde het dicht en stak het, tezamen met het boek van Frompson, Tob toe.

'Dank u.' Tob pakte het aan. 'Dat was alles?'

'Dat was alles,' zei Vlemitz. 'Voor vandaag tenminste, en goed oefenen, want die waagt, die wint, Tob. Stel je vader niet teleur. Hij had nog wel zo'n hoge pet van je op. Je komt er wel uit, niet?'

Tob pakte de spullen aan en schoof de kruk naar achteren, zodat hij er langs kon. 'Ja maar ik…' Hij keek op, keek toen van links naar rechts de kamer door. Vlemitz was weg. Naar de keuken misschien? Daar wilde Tob niet ongevraagd gaan kijken, en dus leek het hem maar het beste om gewoon naar de gang te gaan. Hij deed zijn jas aan en sjokte langs de fotolijstjes naar de voordeur. Dat iemand zo veel spullen in huis kon hebben! Het was ongelooflijk. Hij opende de deur, liep de voortuin in en trok de deur met een knal dicht. Zijn fiets stond tegen een boom, niet op slot, want in Quillen werd nooit iets gestolen. Hij bond het schrift en het boekje onder zijn bagagedrager en stapte op. Zijn voorband ketste van de stoeprand. Hij had nog maar net een paar slagen gemaakt, of er kwam een politieauto langszij rijden. Een dikke agent met een vette snor zat er in zijn eentje in. Hij gebaarde dat Tob moest stoppen. Gezien de dreigende manier waarop dat gebeurde, gaf Tob er maar snel gevolg aan. Hij zette zijn fiets langs de kant stil en leunde laconiek over het stuur.

Bromsnor stapte uit en liep om de auto heen naar hem toe. 'Doet jouw verlichting het wel?'

Tob ging recht op zijn zadel zitten, met de punt van zijn schoen steunend op de grond. 'Goedemiddag, agent. Ik denk het wel. Maar doet dat ertoe, overdag?'

Bromsnor zei niets. Met een kritische blik liep hij een rond-je om Tobs fiets heen. 'Niet zo brutaal, we houden hier niet van Pietje Bells. Het gaat om het principe,' zei hij, weer voor Tobs neus staand. 'En die bel. Doet die het?'

Tob bediende de bel, die vrolijk door de straat rinkelde.

'Goed,' zei Bromsnor, zijn broek optrekkend. 'Je kunt verder gaan.' Hij stapte in en reed weg. Zo lang het kon leek hij Tob in zijn achteruitkijkspiegel in de gaten te houden.

'Wat een eikel!' zei Tob hardop tegen zichzelf. Boos ging hij weer op de pedalen staan en fietste weg. Het begon wat te miezeren. Hij zette zijn kraag op en stopte even om het schrift-je en het pianoboekje onder zijn jas te verbergen. Dan bleven die tenminste droog.

Een half uurtje later kwam hij thuis. De regen was opgehou-den.

Maria was de voorramen aan het lappen. Ze groette Tob. 'Leuke pianoles gehad? Alles goed gegaan?'

'Prima,' zei Tob. 'En bij jou? Fijne middag gehad?'

Maria glimlachte. 'Prima. Dank je. Pien is nog geweest.'

'Pien?' Zijn hart sloeg een slag over. 'Wat kwam ze doen?'

Maria sopte een zeem in een emmer water. 'Geen idee. Ze zou nog wel een keer langskomen, zei ze.'

'Moest ik bij haar langsgaan?'

'Nee,' zei Maria. 'Ze zei dat ze weg was.' Met haar sterke handen wrong ze de zeem uit boven de emmer. Druppels water spetterden over de rand.

Tob reed om naar de achtertuin, zette zijn fiets weg in het

schuurtje naast het huis en ging op het terras staan, uitkijkend over de tuin en de weilanden daarachter. Boven de heuvels hing nog steeds die onnatuurlijke donkere wolk, die opnieuw was uitgedijd en nu zonder enige moeite waargenomen kon worden.

Halverwege de tuin stond het raamloze schuurtje met golf-platen dak, waar zijn vader het gereedschap bewaarde. Heaven kwam vanachter een struik vandaan, liep enkele rondjes om het huisje en rende als een speer Tobs kant op. De korte hon-denpootjes trippelden haastig het trapje op en als een circus-hondje stond Heaven op zijn achterpootjes voor Tob in de hou-ding. De terriër deed het om Tob aan het lachen te maken, wat uitstekend lukte.

'Hoi Heaven,' schaterde Tob en aaide de hond over zijn kop. 'Heb je je vermaakt? Zeker achter de konijntjes aangezeten?' Heaven liet zich op zijn voorpoten zakken en blafte. Zijn oog-jes keken Tob trouwhartig aan. Achter zijn rug hoorde hij Maria de keukendeur openen. Ze was, eenmaal klaar met de ramen voor, binnendoor naar de tuin gelopen.

'Zeg Tob, wil jij wat drinken?'

Hij draaide zich om. 'Thee lijkt me heerlijk. Met…'

'Kaneelsmaak,' raadde Maria. 'En jij lust vast ook wel een stukje appeltaart, vers uit de oven.'

Tobs speekselklieren kwamen meteen in actie. 'Heerlijk!' Hij liep naar de keuken, waarin Maria alweer verdwenen was. Voor de drempel veegde hij uitbundig zijn voeten op de mat en stap-te de keuken in. 'Zeg Maria. Wat betekent eigenlijk *conanti dabitur*?'

Maria keek aan de keukentafel de krant in. 'Hij die waagt, wint.' Ze likte een vinger nat en sloeg een pagina om. 'Lijkt me nogal wiedes.'

'Ja,' lachte hij en legde de muziekspullen op het aanrecht. 'Nogal wiedes.' Hij zweeg even. Hij die waagt, wint. Dat was wat Vlemitz hem daarstraks ook al had gezegd. 'Heel handig dat je Latijn kent, Maria.'

Maria was zo verdiept in een artikel dat ze hem niet hoorde. Hij ging aan de andere kant van de tafel zitten en probeerde de op zijn kop staande tekst mee te lezen. Het ging over een honderdjarige in Quillen die bezoek van de burgemeester had gehad. Op het aanrecht stond de appeltaart. Het zou geen kwaad kunnen Maria werk te besparen door zelf een punt af te snijden. Hij stond op, pakte een mes, sneed de taart in stukken een legde een geurende taartpunt op een schoteltje. In de koelkast vond hij de geklopte slagroom. Tevreden sjokte hij naar de huiskamer.

'Help!' Hij schreeuwde zo hard dat zijn stem doorgalmde in de muren. In de hoek, naast de televisie, stond een spierwitte piano die rechtstreeks uit een bar afkomstig leek te zijn. De verf bladderde er hier en daar af, en de witte toetsen waren meer bruin dan wat anders. 'Wat is dat, Maria?'

Maria stond al achter hem te lachen. 'Die is bezorgd toen je weg was. Met de complimenten van een onbekende gever.'

Tob zette zijn bordje weg en sloop naar de piano alsof hij een tijger achter zijn oren moest krabbelen. Op zijn hoede, oppassend voor een denkbeeldige plotselinge aanval, ging hij er stapje voor stapje naartoe. De piano stond intussen op zijn gemak lelijk te wezen. Tob stopte voor de piano en drukte een toets in, de C, boven het sleutelgat. 'Hij is behoorlijk vals, geloof ik.'

'Ja,' antwoordde Maria gevat. 'De kat van mijn buurvrouw ook. Maar ik vrees tòch dat het de bedoeling is dat je gaat oefenen, Tob. Een heel sympathiek gebaar van de gulle gever.'

'Ja, heel sympathiek,' mompelde Tob. Alleen vroeg hij zich heel ernstig af of hij er blij mee moest zijn.

Heavens natte neus drukte tegen Tobs wang. Hij schrok wakker. 'Watte?'

De hond likte nu aan zijn kin.

'Is er iets, Heaven?' Tob droogde zijn kin af aan het bedden-
goed. Meteen ging hij rechtop zitten. Tegen het raam van de
slaapkamer tikte er iets. Zou het die vogel weer zijn? Hij rolde
zijn bed uit en wankelde naar het raam. Daar was het weer.
Een korte felle tik. Hij schoof het gordijn opzij. Buiten was
het donker. Door de bewolking heen zag hij de vage omtrek
van de maan. Hij opende het raam en stak zijn hoofd naar buiten. 'Au!' Iemand gooide iets hards tegen zijn hoofd. Boos keek
hij naar beneden, waar onder het raam in het plantsoen twee
figuren stonden. Een bleek gezicht was naar hem toegekeerd.
'Tob, ben je wakker?' Het was Pien!
'Wat is er?' antwoordde Tob met gedempte stem.
'Kun je beneden komen?' Pien stond te dansen van ongeduld.
'Wacht even.' Hij sloot het raam en vond op de tast wat kleren. Zijn gympen slingerden onder zijn bed, die waren snel
aan. Hij sloop langs de gastenkamer, waar Maria verbleef, en
ging de trap af, naar de voordeur, die hij heel zachtjes open-
deed. Hij was buiten.
'Daar ben je,' riep Pien, die in het goede gezelschap van Mirte
bleek te verkeren.
'Ja, daar ben ik,' mompelde Tob.
Pien pakte hem bij zijn mouw, zo heftig dat de deur achter
hem in het slot viel.
'Verdikkeme, nou kan ik er niet meer in.' Beteuterd keek Tob
naar zijn slaapkamerraam. 'Nou moet ik straks weer via de
klimop omhoog klauteren om binnen te komen.'
'Maakt niet uit. We gaan op stap,' zei Pien.
'Waarom? En hoe?'
'We hebben onze fietsen bij ons. Jij mag fietsen, dan kan ik
lekker achterop.'
'O,' zei Tob beteuterd, die weinig zin had zich op dit uur in
te spannen. 'Eigenlijk lig ik liever in mijn nest. Hoe laat is
het?'
'Twaalf uur. We hoopten dat je nog wakker was. Ik verwachtte

je afgelopen middag nog wel te zien bij Louis. Het is zaterdag, weet je?'

'Ik had geen zin. Dat pianospelen is hartstikke vermoeiend.'

'Pianospelen?' Mirte mengde zich nu ook in het gesprek.

Tob zuchtte. 'Dat vertel ik straks wel. Waar gaan we heen?'

'Naar het huis van meneer Black,' zei Mirte.

'Wat!' Net op tijd slikte hij de uitroep in. Het was niet de bedoeling half Quillen wakker te maken.

Pien trok hem mee. Op straat stapten ze op de fietsen. Pien
sprong bij Tob achterop. Omdat het volstrekt onverantwoord
was om door het doolhof te rijden, moesten ze de rondweg
nemen.

'Waarom moet ik mee en wat gaan we bij Black doen?' vroeg
Tob op een zeurtoon.

Mirte giechelde. 'We hoorden van Louis dat meneer Black in
de zaak was geweest om een patatje te halen. Hij zei dat hij
een weekendje wegging, naar zijn buitenhuisje.'

'Naar zijn buitenhuisje,' smaalde Tob terwijl zijn benen rond
en rond gingen. 'Dat klinkt logisch, ja, maar niet heus. Wat
voor buitenhuisje heeft een leraar nou? Trouwens, in Quillen
gaat niemand op vakantie. En meneer Black is nog nooit eerder bij Louis geweest. Ik vertrouw het maar niks.'

'Hoe dan ook,' pakte Mirte de draad weer op. 'Dat geeft ons
de kans.'

'De kans voor wat?' Ergens wilde Tob dat liever nog niet weten.

'Om bij hem binnen te kijken, suffie,' zei Pien.

'Ja,' zei Mirte. 'Maxxi zei me dat een goed plan was.'

'Zei Maxxi dat?' Tob sloeg zijn ogen ten hemel. Dat hij voor
de zoveelste keer op de wensen van een niet bestaand vriendinnetje inging... Het was niet te geloven! 'En waarom dacht
Maxxi dat dan?'

'Het was een tip van haar, en toen we hoorden dat Black weg
was, waren we natuurlijk niet meer te houden.' Pien pakte hem
innig om zijn middel vast. 'We moeten nu onze slag slaan. Ik

wil weten wat voor type die Black is.'

'En hoe had je gedacht binnen te komen?'

'Gewoon. Dat zien we nog wel.'

Pien drukte zich tegen hem aan, wat Tob van binnen week maakte. Pien had gelijk. Daar hoefden ze zich pas druk om te maken als ze voor het huis van meneer Black stonden.

In de straten van Quillen was het uitgestorven, en overal, ook aan de ringweg, verspreidden de straatlantaarns een zuinig licht dat het aanzicht van het dorp nog naargeestiger maakte. Tob vond het niet prettig om in het donker door de straten te rijden. Toen ze halverwege waren, fietsten ze vlak langs de buitenrand van het doolhof.

'Jullie weten dat het daar 's nachts niet veilig is?' vroeg Tob.

'Tuurlijk weten we dat,' zei Mirte beledigd. 'Wat?' Ze draaide haar hoofd in de richting van haar bagagedrager om te luisteren. 'Ja, dat weet ik Maxxi, maar we passen heus wel op hoor.'

'Zit Maxxi bij jou achterop?' Tob grijnsde. 'Wordt ze bang? Het was anders wel háár idee, hoor.'

'Ze is alleen voorzichtig,' verbeterde Mirte hem pissig.

'Waarom wil ze eigenlijk dat we bij Black gaan kijken?'

'Nou, weet je nog?' hoorde hij Pien ineens vanaf zijn eigen bagagedrager zeggen. 'Ik zag toch dat Black iets had meegenomen uit de kelder toen we hem volgden? Maxxi beweert dat dat voor ons van belang kan zijn.'

'O.' Meer zei Tob niet, al dacht hij er het zijne van. In zijn ogen bleef het een riskante onderneming. Ze trapten flink door en zoefden verder over de weg langs de onheilspellende grenzen van het doolhof. Alles was daar donker, op straat en in de huizen, nergens was een geluid te horen, het was een onnatuurlijke stilte die ontzag inboezemde.

'O ja,' zei Mirte. 'Maxxi zegt dat meneer Black een gevaarlijke hobby heeft.'

'Wat dan?' informeerden Pien en Tob tegelijk.

'Hij eh…' Mirte liet haar stuur even los. 'Maxxi kan er verder niets meer over zeggen. Iets met biologie, denkt ze.'

'Hij kweekt zeker wiet op zolder,' meesmuilde Tob. Hij kreeg het behoorlijk warm van het getrap, en hij was blij dat ze het huis van Black eindelijk in het zicht kregen. De zijkant met de gesloten luiken werd morsig verlicht door de straatlantaarns. Ze stopten en zetten hun fietsen weg tegen de zijgevel. Vanaf dat moment fluisterden ze alleen maar.

'Weet je echt zeker dat hij weg is?' Tob liep naar de straathoek en keek de donkere doolhofsteeg in, waar de voordeur van Blacks huis zich bevond.

'Laten we gewoon aanbellen en maken dat we wegkomen als er iemand open doet.' Pien masseerde haar billen die pijn waren gaan doen van de harde bagagedrager.

'Wie wil er eerst?' vroeg Tob, maar de blikken van de meiden zeiden genoeg. Hij was de sigaar.

Gedrieën slopen ze naar de hoek. Tob deed een paar stappen en ging aan het begin van de steeg staan. Voor de tijd van het jaar was het niet erg koud, maar uit de steeg kwam een ijzige wind zetten die recht van de Noordpool leek te komen. Hij zette zijn kraag op en liep de steeg in, slechts een paar meter maar. Over zijn schouder zag hij de strakke gezichten van Mirte en Pien om de hoek gluren. Vreemd, het was net of ze aan de andere kant van een doorzichtige wand stonden, alsof hij een andere wereld was binnengegaan. Niet aan enge dingen denken nu! Hij liep nog een klein stukje verder tot hij de deur van Blacks huis bereikte. Om hem heen was het stikdonker, het enige licht dat hij kon zien was het schijnsel van de ringweg, meteen aan het begin van de steeg. Hoe zag die deur er ook weer uit? Waar zat de bel? Had hij maar een zaklantaarn meegenomen… Op de tast vond hij de deurpost. De nerven van het knoestige hout gleden onder zijn vingers door. Zijn duim tikte tegen de klink. Langzaam liet hij zijn hand omhoog glijden, beetje bij beetje, tot hij stuitte op een vierkant doosje.

Bovenop voelde hij een knopje. De bel! Hij zette er zijn wijsvinger op en duwde. In de gang, vlak achter de deur, ging de bel. Het was zo'n elektronische Big Ben-bel. Het duurde even voor het muziekje was weggestorven. Vlug keek hij achterom, naar de overkant van de straat. De lichten van de overburen bleven uit. Het leek net alsof er boven in het huis achter hem het zachte piepen van scharnieren klonk. Zette er iemand een raam op een kier, was er iemand die hem bespioneerde? Snel keek hij weer voor zich. In het huis van Black bleef het rustig. Black was werkelijk niet thuis. Hij tuitte zijn lippen en floot zachtjes, net genoeg om Pien en Mirte te waarschuwen. Daar klonken hun voetstappen. Het laatste stuk schuifelden ze naar hem toe. Pien botste tegen hem op. 'Ho. Ik had je niet gezien.' Hij voelde haar warmte. 'Geeft helemaal niets,' zei Tob stoer. 'Mirte, ben jij er ook?'

'Ja,' klonk het vlakbij. Even was Mirte stil. 'Het is donker hier.'

'Heel donker,' zei Tob, maar opeens voelde hij Pien bewegen. Geen seconde later stond ze met een zaklantaarntje in haar hand en bescheen ze de deur met een smalle gele bundel.

'Had je die niet aan mij kunnen geven?' vroeg Tob.

'Vergeten,' grinnikte ze. 'Iemand een dropje?' In haar vrije hand hield ze een papieren zak met Engelse drop. Tob nam zo'n ronde met kokos, Mirte koos voor een dik vierkleurig exemplaar.

'En nu?' vroeg Tob, kauwend op het snoepje.

Pien scheen op de deurklink. 'Naar binnen gaan.'

'Je denkt toch niet dat we zo kunnen binnenwandelen!'

'Altijd eerst proberen,' zei Pien, pakte de klink beet en duwde er hard op. De voordeur sprong met een droge klik open. 'Zie je wel.'

Tob schudde zijn hoofd. 'Dit gaat me te gemakkelijk. Straks is het een val.'

'Volgens Maxxi is het veilig,' suste Mirte. 'In het doolhof sluit bijna niemand zijn deuren af, zegt ze.'

'Hoe kan ze dat nou weten?' Tob haalde verontwaardigd zijn neus op. 'Laten we maar het huis in gaan.' Hij duwde tegen de deur, die met een zacht slepend geluid naar binnen openzwaaide. '*Conanti dabitur*,' mompelde hij en zette als eerste een stap de gang in. Om ruimte te maken voor de anderen ging hij aan de kant staan. Mirte kwam als laatste binnen en deed de deur dicht.

'We kijken verder.' Pien liet haar zaklantaarn door de gang zwalken. Aan het einde was een opvallende deur met zwartwitte strepen, maar wat nog meer in het oog sprong waren de grote schilderijen aan de wanden. Het waren voorstellingen van engelen met zwarte kleren en zwarte vleugels. In hun handen hadden ze bijlen en zwaarden.

'De zwarte engelenschare die de macht over de wereld wilde overnemen.' Tob keek er met ontzag naar. Dit was waar Patricia bang voor was, dat deze duivels hun slag zouden slaan. Een van de schilderijen liet een grote sterke man met indrukwekkende vleugels zien die zweefde boven een heuvelrij. Hij leek de leider te zijn. 'De Zeven Heuvels,' fluisterde Tob.

Pien had het landschap ook herkend. 'De bergen achter jouw huis.' Ze klakte met haar tong. 'Kom, we gaan verder, anders staan we hier over een jaar nog.' Dit keer ging Pien voorop. Links zagen ze opeens een trap naar boven. Pien opende de deur aan het einde van de gang. Een zwart gat hing dreigend voor hun neus, maar Pien scheen meteen met haar zaklantaarn de ruimte in. 'Kom maar. Hier wordt gekookt.'

Ze schuifelden weer een stukje vooruit, tot ze allemaal over de drempel waren. Het licht van de lantaarn veroorzaakte langgerekte schimmen die dansten over de wanden en vloer. Ze waren in de keuken aangeland. Ze zagen een granieten aanrecht met een blinkende gootsteen, plafondhoge kastjes erboven en een fornuis dat er fonkelnieuw uitzag. Pien strekte haar arm en deed een kastje open. Het was leeg, helemaal leeg.

Geen achtergebleven etiketje of kruimeltje: niets was er te zien. Mirte en Tob namen de andere kastjes voor hun rekening. Ook die waren maagdelijk schoon en wekten de indruk nog nooit ook maar één potje pindakaas of pakje hagelslag te gast te hebben gehad.

'Misschien drinkt hij alleen maar cola,' zei Pien droog en gaf een ruk aan iets wat de deur van de koelkast leek te zijn. De deur zwiepte open, en meteen sprong er in de koelkast een lampje aan. Pien ging door haar knieën. 'Ook niets. Zelfs geen cola.' Ze loerde in het vriesvak. 'Geen ijsblokjes.'

'Leuk hoor,' giechelde Mirte zenuwachtig. 'Maar Maxxi houdt niet van dat soort grapjes.'

'Humor maakt rauwe bonen zoet,' zei Tob. Het was niet aan hem voorbijgegaan dat er geen stoel of tafel in de keuken stond. Meneer Black was geen liefhebber van kokkerellen. 'Kom.' Ze verlieten de keuken en bereikten via de gang de huiskamer. Deze was, vergeleken met de keuken, riant ingericht. Er stonden precies twee fauteuils, een glazen salontafel en een krukje, allen zwartgelakt. De witte muren waren brandschoon, zonder schilderijen of welke versiering dan ook.

'Wat doet die Black in hemelsnaam in zijn vrije tijd?' vroeg Pien zich af.

'Frisse lucht verzamelen,' maakte Pien weer een geintje. 'Ik wil boven kijken.'

Tob protesteerde door iets onverstaanbaars te brommen. Wat hem betreft was het einde oefening, maar Pien leek van geen ophouden te weten. Vastberaden loodste ze hem en Mirte naar de gang.

'Kunnen we niet beter gaan?' Mirte deed een aarzelend stapje naar de voordeur.

'Niets daarvan.' Pien nam meteen weer het voortouw en liep naar de met een dik wollen tapijt beklede trap. 'We gaan boven de boel bekijken.'

'Pas maar op,' piepte Mirte. 'Je weet niet wat er boven is.' Ze was bang, maar toen Pien de trap eenmaal opging, nam ze de eerste treden toch onverwacht kordaat, waarschijnlijk om te voorkomen dat ze alleen in het donker kwam te staan.

Tob volgde op zijn beurt Mirte, en hij keek zo goed en zo kwaad als dat ging over haar schouder naar de trap. Piens lichtbundel danste voor hen uit over de treden.

'Waarom doen we niet gewoon het licht aan?' vroeg Mirte klaaglijk.

'Dat valt te veel op. Misschien kan het op de overloop,' stelde Pien haar gerust. 'Als buiten maar niemand het ziet.' Met een sprong nam ze de laatste drie treden. Tob en Mirte wipten achter haar aan. Daar stonden ze op de overloop.

Mirte zag een lichtknop. 'Kijk!' Ongeduldig en zonder af te wachten hoe de anderen reageerden, drukte ze op de knop. Er gebeurde niets. 'De lamp is stuk,' zei ze verongelijkt. 'Dat heb ik weer.'

'Niet zeuren. Je bent hier niet alleen tenslotte,' zei Pien en gaf Mirte een bemoedigende por in haar zij.

'En Maxxi is er ook nog,' zei Tob ter geruststelling.

'Dat is het hem net,' zei Mirte. 'Die is ook doodsbang.'

Tob kreeg een zwart-wit gestreepte deur recht tegenover de trap in het oog. '*Werkkamer. Niet binnengaan,*' las hij op een bordje midden op de deur. 'Daar moeten we zijn!'

'Denk je?' vroeg Mirte. 'Misschien kunnen we echt beter teruggaan. Ik vind…'

'Mooi niet,' onderbrak Pien haar en deelde nog een keer Engelse dropjes uit. 'Lekker toch!' Smakkend wendde ze zich tot Tob. 'Ga jij eerst de kamer in?'

'Mij best,' zei Tob. Zijn hart bonsde in zijn keel toen hij de klink beetpakte. Hij verwachtte heel wat inspanning te moeten leveren om de deur op een kier te krijgen, maar die ging probleemloos open. Het eerste wat hij deed was naar het licht zoeken. Daar zat een knop. Gehoorzaam floepte er binnen een lamp aan. Nu hoefde Mirte in ieder geval niet zo bang meer te zijn. Hij duwde de deur helemaal open. Met open mond keken ze de kamer in. De ruimte was zeker tien meter diep en vier meter hoog, en iedere wand was tot de nok toe gevuld met boeken. Het raam aan het einde, dat normaal gesproken op de huizen van het doolhof uitkeek, was met luiken afgesloten, waardoor het licht geen gevaar voor ontdekking vormde.

'Hemel!' zei Mirte. 'Die Black heeft veel gelezen.'

Ze gingen de kamer in. Pien sloot de deur. Aan het plafond brandde een fel peertje aan twee kale elektriciteitsdraden. Onder het raam had Black zijn bureau opgesteld, een notenhouten exemplaar met laden, en een grote draaistoel ervoor.

'Hier bereidt hij dus zijn lessen voor.' Tob liep naar het bureau, draaide de stoelzitting naar zich toe en ging zitten. 'Comfortabel.' Hij zette zich af en liet zich drie keer rondtollen, tot hij er duizelig van werd.

'Kijk eens in de laden,' zei Pien, en pakte een boek van de plank. 'Moet je nou zien!'

Tob had al een la opengetrokken, maar nu keek hij weer naar Pien, die met een leeg kartonnen omhulsel van een boek in haar handen stond. 'Het is een nepboek.'

Mirte nam een ander boek uit de kast. 'Deze is hetzelfde.'

Ze controleerden nog een aantal boeken, maar het bleek met de geleerdheid van Black erg tegen te vallen. Hij hield er alleen maar nepboeken op na.

Tob ging met de laden verder. Bovenin lag er alleen een schrijfblok, in de tweede la een doosje met nietjes, en in de derde ontdekte hij de zwart-witte tas van Black. 'Hier is zijn tas!'

Pien en Mirte gingen bij hem staan. 'Zit er wat in?' vroeg Pien. 'Weet niet.' Tob bekeek de tas. Het ding had een beugelsluiting. Met twee vingers knipte hij de tas open. Er zaten twee schrijfblokken in, een agenda en een klein luciferdoosje.

Mirte slaakte een gilletje. 'Dat is wat we zoeken. Meenemen, zegt Maxxi!'

'Ik kijk liever eerst wat erin zit,' zei Tob. 'We moeten niet onnodig het risico lopen dat Black doorkrijgt dat hij bezoek heeft gehad.'

'Lijkt me een redelijke redenering,' oordeelde Pien wijs. 'Maak open dan!'

Tob schudde het doosje heen en weer. Er rammelde niets, maar het leek evenmin leeg. Met het topje van zijn pink duwde hij tegen de zijkant van het doosje. Langzaam schoof het open. Tobs handen trilden. Iemand had grote plukken watten in het doosje gestopt. Met twee vingers haalde hij er de bovenste dot uit. Zijn mond viel open. Ergens in zijn buik trilde iets van opwinding.

'Wat? Wat is er? Laat zien,' zei Mirte hijgerig.

'Nou, kkkkijk,' hakkelde Tob. 'Maxxi had gelijk dat het om iets belangrijks ging.'

Hij strekte zijn arm met het doosje om Mirte en Pien te laten zien wat erin zat. Midden in de achtergebleven watten flonkerde een diamant.

'De derde diamant!' fluisterde Mirte vol ontzag.

Tob knikte. 'Dat was wat Black in het kluisje in de kelder vond. Waarschijnlijk vond hij dat hart niet eens zo interessant. Hij is op jacht naar de diamanten.'

'Zou hij het jaden kruis soms hebben?' Pien had nog steeds haar zaklantaarn aan.

'Mogelijk. Maar hoe zou dat dan bij hem terechtgekomen zijn?' Tob schoof het doosje dicht en stopte het diep weg in zijn broekzak. 'Nu de laatste diamant nog.'

'Waar moeten we die nu weer vinden?' zei Mirte hopeloos. Ze pakte de tas van Black van de grond, legde hem in de la en schoof de la resoluut dicht. 'We moesten maar weer eens gaan, zegt Maxxi. Ze is bang voor Blacks verzameling.'

'Blacks verzameling? Ik denk niet dat die nepboeken veel kwaad kunnen,' glimlachte Tob.

'Nee, daar gaat het niet om. Maxxi...' Midden in Mirtes zin joeg een tochtvlaag vanaf de overloop de kamer in en sloeg de kamerdeur dicht.

'Ik denk…' Pien schraapte haar keel, '…dat we inderdaad maar eens moesten vertrekken.'

'Kom op.' Tob vond het ook welletjes. Het was niet verstandig het lot te tarten, maar nog voor ze zich naar de deur konden begeven, klonk er vanaf het plafond een vreemd gezoem, alsof duizenden muggen hun kant opvlogen. Hij keek naar boven. Midden in het plafond ontstond een kleine zwarte vlek met rode randen, die langzaam groter werd. 'We moeten snel wegwezen hier,' zei Tob. 'Dat gat daarboven komt van een wereld die niet de onze is. Vlug!'

Boven hun hoofd ontstond er vlakbij de lamp een scheur in het plafond. Van het ene op het andere moment viel het licht uit.

'Help,' gilde Pien en liet van schrik haar zaklantaarn vallen, die er tot overmaat van ramp meteen de brui aan gaf.

Het was nu aardedonker om hen heen. Tob greep de handen van Mirte en Pien beet. Het zoemen werd sterker en sterker, het geluid kolkte om hen heen, door de kamer, kaatste tegen de wanden en terug, tot ze er gek van werden. Bang drukte Mirte zich tegen Tob aan. Haar hele lijf beefde. Ze moesten hun vingers in de oren proppen, zo intens werd het geluid.

'Hou op,' gilde Mirte, nauwelijks boven het tumult uit komend. 'Hou op!'

Ineens was het stil, maar dan ook doodstil. Het enige wat ze konden waarnemen, was hun eigen gejaagde ademhaling.

'Alles oké?' fluisterde Tob. Zijn hart pompte zijn bloed als een stoommachine door zijn lijf.

'Ja,' siste Pien, die Tob had losgelaten. Zo te horen was ze op de grond naar haar zaklantaarn aan het zoeken. 'Hij moet hier ergens liggen.'

'Dan maar zonder,' zei Mirte. 'Laten we gaan.'

Tob sperde zijn ogen wijdopen, maar hij zag volstrekt niets, behalve een grote zwarte eindeloze donkere ruimte. Hij had geen benul welke kant ze precies op moesten. 'Weten jullie waar de deur is?'

'Ik heb hem!' zei Pien en stond weer rechtop. Er klonk geklik, twee, drie keer van het knopje dat ze indrukte. 'Het lampje is kapot.'

'Niet best,' zei Tob en zuchtte. 'Volgens mij is de deur die kant op.' Hij gaf een rukje aan Mirtes hand. Daar was Pien ook weer met haar hand.

'Luister eens!' zei Mirte met een schril stemmetje.

Inderdaad, er was een nieuw geluid gekomen. Iets sissends en schurends, en het kwam hun kant op. Opeens ging het geluid gepaard met een vreemd, snel getik, dat overging in geroffel. Wat hen naderde, had niets met deze aarde van doen. Tob ging voor de meiden staan om hen te beschermen. Hij was woest op zichzelf. Hij was de schuld van alle ellende. Als hij er niet was geweest waren ze niet in de problemen geraakt. Hij had moeten weigeren naar het huis van Black te gaan. Dat ding verderop, of wat het ook mocht zijn, was iets vreselijks, het was uit op hun bloed, hij wist het zeker…

'Niet bewegen,' zei hij zachtjes en spitste zijn oren. Het geluid bewoog zich nog steeds hun richting uit. Was het een slang? Waar kwam dat gesis anders vandaan? Maar vooral het roffelende geluid nam in kracht toe, als het geluid van tientallen kleine voetjes die in colonne op hen af trippelden.

'Kan Maxxi iets zien?' vroeg Tob.

'*Niente* niks,' fluisterde Mirte en kroop nog verder achter hem weg.

'Misschien moeten we een run naar de deur nemen. Als we hier blijven staan, worden we wel een erg gemakkelijk doelwit,' vond Pien.

Tob aarzelde. Misschien zouden ze zich dan juist in de armen storten van dat ding. Aan de andere kant, de aanval – of in dit geval de vlucht – was de beste verdediging. Hij besloot nog even af te wachten. 'Geef elkaar een stevige hand, want we mogen elkaar niet kwijtraken. Als ik straks tot drie tel, sprinten we bij drie naar de deur. Ik doe hem open, en we duiken meteen de trap af.'

'Goed.' Pien kneep even in Tobs arm. 'Doen we.'

Tob hield zijn adem in. Het geluid was niet ver weg meer. Drie meter, twee meter, een halve meter. Alle haren op zijn lijf gingen overeind staan. Een vreemde vieze geur vulde de kamer. Stokstijf en doodsbang stonden ze daar. Ineens voelde Tob een warme lucht strijken over de hand waarmee hij Mirte vasthad. Een huiveringwekkend gegrom vulde de kamer. Er stond iets monsterlijks vlak voor hen. Was het een dier, of een mens? Of iets daar tussenin? Wat kon hij doen? Hij voelde hoe iets scherps over de huid van zijn hand kraste en een slijmerig spoor achterliet. Waarom sloeg het monster niet toe? Waarom niet? Vlak voor zijn gezicht gloeiden twee rode punten op, die langzaam groter werden. Het waren ogen, twee rode ogen, die op geen enkele manier aan iets menselijks deden denken.

'Een, twee, drie,' gilde Tob ineens en trok Mirte en Pien met zich mee, dwars de kamer door. Zijn hand schuurde langs een geschubd oppervlak, een huid of een schil, en wég waren ze naar de deur. Bij het bureau klonk een knal, er viel iets om, toen klonk er een doordringend gejank dat hun oren verdoofde. 'Snel!' riep Tob en trok de kamerdeur open.

Ze sprintten de overloop op, naar de trap, en rolden half de treden af. Boven bonkte het monster met zijn poten op de vloer en stampte naar de overloop. Ze holden de gang door. Het beest raasde intussen al boven aan de trap. Een diep gegrom rommelde naar beneden.

Mirte gilde weer.

Waar was die stomme klink van de voordeur? Tob voelde en voelde, maar kon hem niet vinden. Stomkop die hij was! Hij was aan de verkeerde kant van de deur aan het zoeken. De andere kant! Eindelijk, daar was de klink. Hij ramde er met zijn vuist bovenop.

'Wat doe je nou?' krijste Mirte. De gang vulde zich met de stank van het monster. De bovenste traptreden kraakten onder het gewicht dat hen belastte. Vanaf de bovenkant van de trap liet het monster een enorme brul los, hees en diep. De vloer trilde.

'De deur klemt,' schreeuwde Tob. 'Help mee!' Zijn vingers gleden van de klink af.

Pien duwde Mirte opzij en pakte de klink samen met Tob vast. Krakend vloog de deur opeens open.

'Rennen!' Tob liet Mirte en Pien voorgaan. Hij draaide zich om. Een fractie licht van de maan die door de wolken heen prikte, viel de gang in. Onder aan de trap stond een zwarte gedaante die nauwelijks te onderscheiden was van de donkere achtergrond, maar de aanblik van de twee slijmerige, allesvernietigende kaken zou Tob nooit vergeten. Kokhalzend trok hij de voordeur dicht en holde achter Mirte en Pien aan, die al naar het einde van de steeg op weg waren. In de verte zag hij de verlichting van de ringweg. 'Wacht op mij!'

Ze wachtten niet, en bleven rennen. Net als hij wilden ze zich alleen nog maar het vege lijf redden.

'Het monster is weg,' riep Tob. 'De deur is dicht. Wacht nou!' Het duurde eindeloos voor hij de steeg uit was. 'Wacht nou!' riep hij weer.

Het haalde niets uit. Pas in het licht van de straatlantaarns van de ringweg hielden Pien en Mirte halt. Doodsbleek en hijgend stonden ze Tob op te wachten.

'Ik ben er!' riep hij blij uit en stopte uitgeput midden op de stoep van de ringweg. Hoewel ze in veiligheid leken te zijn, kon hij het niet laten achterom te kijken. In de steeg was het donker en stil. 'Wat raar! Blacks voordeur was vlakbij de straat, en toch moesten we zeker vijftig meter lopen om de weg te bereiken.'

Pien knikte. 'Je hebt gelijk! Dat kán eigenlijk ook helemaal niet!'

'Jawel.' Mirte streek, nog geheel buiten adem, haar jurk glad en veegde een lokje haar achter haar oor weg. 'In Quillen kan alles.'

Tob voelde in zijn broekzak. Hij was nog steeds misselijk van wat hij gezien had, of liever gezegd, van wat hij vermoedde gezien te hebben, want veel meer dan die tanden en kaken had hij niet kunnen waarnemen. 'We zijn kantje boord aan dat monster ontsnapt.'

'Heb je iets van dat ding gezien?' vroeg Pien.

'Nee, geen snars,' loog Tob, want sommige dingen waren zo afschuwelijk dat ze niet te beschrijven waren. 'Het wordt tijd dat we teruggaan.' In zijn zak zat het luciferdoosje nog. 'Maar we hebben ons leven niet voor niets gewaagd.'

'*Diamonds are forever*,' neuriede Pien opeens, weer even snel hersteld van de schrik als altijd.

'Sst, niet zo hard. Straks hebben we de politie ook nog achter ons aan.' Tob glimlachte.

'Liever de politie dan dat ding,' zei Pien opgelucht. Ze pakte haar fiets van de gevel. '*Mission impossible* met succes voltooid, zou ik zo zeggen.'

Tob glimlachte. 'Je hebt gelijk. Jullie zijn superhelden.'

Pien klopte met haar vuist op haar zadel. 'En jij de grootste superheld, want je mag weer fietsen en mij achterop nemen.' Een uitdagend lachje speelde om haar mond.

Tob slikte. Zijn benen trilden nog na, dus dat werd zwaar trappen. Hij wachtte tot Mirte en Maxxi ook op hun fiets zaten, stapte op en begon, toen hij Pien achterop voelde springen, te fietsen. Het viel gelukkig allemaal mee: zijn benen hadden nog energie genoeg over.

Onderweg naar huis kon hij zijn gedachten niet tot rust brengen. Hij piekerde over de nabije toekomst, want door de gebeurtenissen van vanavond was hij van één ding overtuigd geraakt: de strijd op leven en dood was nu werkelijk begonnen.

6

Weken gingen voorbij zonder dat er bijzondere dingen gebeurden. Op school hadden ze het razend druk met studeren voor de tentamens die ze voor de wintervakantie zouden krijgen. Tob wilde in de tijd die hem restte niets liever dan uitzoeken waar zijn vader was en bedenken hoe hij de dreiging in Quillen het hoofd kon bieden, maar hij boekte geen enkele vooruitgang. Enige haast was wel geboden, want tenslotte hadden ze nog maar tot de kerst de tijd. Hoewel Tob erg ongedurig was, wisten Pien, Mirte en Muzak hem er steeds weer van te overtuigen dat hij geduld moest hebben. Intussen studeerde hij thuis ook nog braaf piano, maar zelfs met een uur oefenen per dag kwam hij na al die weken niet veel verder dan het spelen van *Altijd is Kortjakje ziek*, een aardige prestatie, maar nog mijlenver verwijderd van het stuk van Mozart dat Xander Vlemitz hem in het vooruitzicht had gesteld. Toch toonde Xander zich geenszins ontevreden.

Meneer Black gaf zijn lessen Engels net als anders, alsof hij niets bijzonders kwijt was geraakt en niets in zijn schild voerde. Geen moment had hij laten blijken van slag te zijn, en evenmin konden ze iets merken van de verschrikkelijke geheimen die hij in zijn huis verborg. Noch aan Tob, noch aan Mirte of Pien had hij bijzondere aandacht geschonken. Muzak, die in een hogere klas zat en geen les van hem had, had er sowieso weinig mee van doen.

Met Heaven ging het intussen uitstekend. Hij vermaakte zich het beste in en rond het huis, en leek een zekere weerstand te hebben om van huis weg te gaan. Tob nam hem soms toch mee op een wandeling naar Louis' zaak of naar de rand van Quillen, waar hij dan over een veldje mocht rennen, wat hij dan zonder veel plezier deed. Waarschijnlijk wilde hij er vooral zijn baasje een genoegen mee doen.

Tegen het einde van november werd Tob op een zaterdagochtend wakker. Hij was nog moe en keek naar de wekker. 's Nachts had hij niet alleen weer veel last van die allesoverheersende jeuk gehad, maar hij had ook merkwaardig gedroomd. In zijn droom was hij overleden aan een onbekende ziekte en had hij voor een grote poort gestaan die, naar hij veronderstelde, toegang tot de hemel gaf. Voor de poort had een wachter gestaan in een ridderpak, het gezicht verscholen achter het vizier van de helm. Toen Tob naderde, had de wachter het vizier omhooggeschoven en hem streng aangekeken.

Het was meneer Black. 'Jij komt er niet in.'

'Waarom niet?' had Tob geschrokken geïnformeerd, want hij had het idee dat hij gedurende zijn leven zijn best had gedaan. 'Jij bidt te weinig. Ken jij het *Wees gegroet Maria* nog?'

'Nee,' had Tob toegegeven. 'Niet meer.'

'Dat bedoel ik,' had meneer Black met veel venijn toegevoegd en zijn vizier weer neergelaten. 'Opzouten jij!'

Tob had zich omgedraaid en nog een keer naar meneer Black gekeken. Deze had de poort opengedaan, waarachter grote rode en blauwe vlammen brandden. Dat was de hemel niet! Het was de hel! Onverwacht verscheen er in het hellevuur de gedaante van zijn vader, zijn gezicht in een pijnlijke grimas vertrokken. 'Red me, Tobias. Red me!'

Tob had zijn armen naar zijn vader uitgestrekt, maar die was veel te ver weg, en raakte steeds verder van hem verwijderd, opgezogen door de kolkende vlammenzee. Ineens sprong uit het vuur een monster tevoorschijn met rode ogen en een ruwe schubachtige huid. Daarna was Tob wakker geschrokken, om te merken dat het pas middernacht was.

'Tob, ben je wakker?' riep Maria.

'Ja,' riep hij met een stem terug die nog helemaal niet wakker klonk. 'Ik heb mijn ogen open.'

'Er is post voor je.'

'Post!' Hij rolde zijn dekbed weg en sprong uit bed. Dat gebeurde maar zelden, dat hij post kreeg. Op blote voeten stommelde hij de trap af, om beneden in de gang bijna tegen Maria op te botsen.

'De postbode gooide hem net in de bus. Hier.' Ze reikte hem een vaalgrijze brief aan.

Haastig nam Tob de brief aan, constateerde meteen dat er geen afzender opstond en sprintte naar de voordeur. Die trok hij zo hard open dat de sponningen kraakten. Hij keek eerst de voortuin in, en verlegde zijn blik naar de straat. Nog net zag hij postbode Henk Malsen de stoep af karren. 'Henk, wacht even!' De remmen van Henks fiets kreunden toen hij stopte. Langzaam draaide hij zijn hoofd om, alsof een stijve nek hem last bezorgde. 'Jij weer, Tob Timp,' riep hij afwerend.

Tob stapte in pyjama met zijn blote voeten op het scherpe en koude grind van het voorpleintje. Henk draaide zijn fiets een halve slag, maar meer ook niet. Onaangedaan keek hij toe hoe Tob zijn pijnlijke tocht over het pad naar het hek maakte. 'Wat is er?' Chagrijnig keek hij Tob aan toen die eindelijk bij hem was.

'Die brief,' grijnsde Tob, zich schamend voor zijn nachtelijke outfit. 'Waar kwam die vandaan?'

'Heb je hem al gelezen dan?' Een punt van Henks felgele overhemd stond omhoog, boven de kraag van zijn blauwe dienstjasje uit.

'Nee, maar weet jij waar de brief vandaan komt?'

Henk haalde zijn schouders op. 'Hoe moet ik dat weten? En trouwens, al zou ik het weten, het is postgeheim.' Een korte tik van zijn wijsvinger tegen zijn pet beduidde dat hij het wel genoeg vond. Hij draaide zijn fiets weer in de richting van de straat en stepte naar de overkant waar hij de post voor Piens huis ging bezorgen.

Bedachtzaam keek Tob hem na en keerde terug naar zijn eigen huis, waar Maria bezorgd in de deuropening stond te wachten. 'Het is geen zomer meer, Tob. Straks word je verkouden, *raggazzo*.'

'Weet ik, weet ik,' mompelde hij en slofte de gang in. Steentjes kleefden aan zijn voetzolen en drukten zich in zijn huid. Geërgerd veegde hij met een hand zijn voeten schoon. Op de grond bij de trap lag de envelop, die hij in de haast had laten vallen. Hij raapte hem op, liet Maria even passeren en maakte de envelop behoedzaam open, alsof er ontploffingsgevaar was. Een klein velletje papier dwarrelde naar de grond, dat hij in de vlucht opving. *Calamitas virtutis occasio.* Dat was alles wat er stond geschreven in een verzorgd handschrift, hetzelfde schrift als in de krant weken terug. Alweer zo'n Latijnse spreuk. Was het een cryptische boodschap, een aanwijzing, of een waarschuwing? Hij nam de brief en envelop mee naar de keuken, waar Maria op de tafel een beker thee met ontbijtkoek voor hem had klaargezet.

Intussen was hij door de komst van de brief wel klaarwakker. Hij ging zitten en nam een slok thee. 'Maria, wat betekent dit?' Hij liet haar het briefje lezen.

Haar lippen plooiden zich even in een bedenkelijke uitdrukking, toen zei ze: 'Een ramp is een gelegenheid om te tonen dat je iets waard bent.' Ze wrong haar handen en stak ze weg in de grote zak van haar schort. 'Nou, dat is een merkwaardige aanmoediging. Wie stuurt je die dingen?'

'Een aanmoediging?' vroeg Tob. 'Zo kun je het ook noemen, maar ik word er niet vrolijk van. En voor de rest zou ik zelf ook al te graag willen weten wie me die dingen stuurt. Het is niet het handschrift van mijn vader of iemand anders die ik ken.'

Maria pakte de theepot en een beker en kwam erbij zitten, waarna ze voor zichzelf ook thee inschonk. 'Het is niet pluis in Quillen.'

Tob knipperde met zijn ogen van verbazing. Afgezien van wat hele vage waarschuwingen zei Maria uit zichzelf nooit iets bijzonders over Quillen. 'Niet pluis?'

Haar ogen draaiden hulpvragend naar de hemel, toen weer naar Tob. 'Tob, ik maak me zorgen. Grote zorgen. Maar het is te gevaarlijk als ik iets zeg.' Ze trok de krant naar zich toe die midden op tafel lag. 'Kijk eens.'

Tob boog naar Maria toe en las. Drie vliegtuigen neergestort, een bootramp, en vechtpartijen in Londen en Parijs.

'Nare dingen, alleen maar nare dingen,' mompelde Maria.

Tob knikte. De laatste tijd waren er heel erg veel rampen gebeurd, en de vliegtuigen leken bij bosjes uit de lucht te vallen. 'Wat wil je daarmee zeggen?'

Met een schok, of iemand haar commandeerde om op te staan, kwam Maria overeind. 'Niets, helemaal niets. Wil je eieren vanochtend?' vluchtte ze naar een ander onderwerp.

'Eieren,' zei Tob verbaasd, en hij begreep dat Maria niet meer zou zeggen dan ze al gedaan had. *30 November* stond er in de krant. Tob had al een tijdje een beetje kaal gevoel, alsof hij iets miste. Natuurlijk! 'Maria, doen ze hier in Quillen niet aan Sinterklaas?'

'Sinterklaas?' Maria stond al bij het fornuis eieren in een kom te klutsen. 'Sinterklaas?' pagegaaide ze nog eens.

'Ja, of maken jullie surprises voor elkaar?'

Een schamper lachje klaterde door de keuken. 'Daar heb ik nog nooit van gehoord in Quillen. Dat soort feesten vieren wij hier niet. Hier word alleen gewerkt. Door de buitenwoners tenminste.'

'De buitenwoners?' Dat was een term die Tob nog niet kende.

'De mensen die buiten het doolhof wonen.'

'O.' Tob sloeg de krant om. 'En... wie wonen er dan in het doolhof?'

Achter zijn rug kletterde een bord tegen de grond dat Maria van het aanrecht had gestoten. Scherven schoten over de vloer. 'Daar... daar...' hakkelde Maria. 'Daar wonen... zij...'

Tob keek over zijn schouder. Maria was lijkbleek geworden.

'Zij?'

'Laat maar. Zorg dat je er nooit in het donker loopt.' Ze lachte zenuwachtig. 'Maar dat wist je natuurlijk al.'

'Ja.' Tob draaide zich om en schonk Maria een geruststellende glimlach. 'Dat had ik al begrepen van allerlei mensen.'

Op het gas siste smeltende boter in een koekenpan. 'Ik moet koken,' zei Maria met een plotseling sterk Italiaans accent en weidde haar aandacht aan de geklutste eieren, die ze vanuit de kom in de pan liet glijden.

Tob wreef door zijn gezicht. Maria was van streek en dat was zijn schuld. Wát voor mensen woonden er in het doolhof? Vroeger had hij hier en daar nog wel eens aangebeld, maar er had nooit iemand opengedaan. Alleen vlak na zijn aankomst in Quillen was hij overdag ooit in een huis geweest, toen hij in het doolhof achtervolgd werd door de katten van de duistere figuur uit de heuvels, en de geest van zijn grootmoeder hem gered had.

De geur van eieren verspreidde zich door de keuken en mengde zich met de pizzalucht van de dag ervoor, toen hij – het was al een echte traditie – met Muzak, Pien en Mirte weer van de fantastische pizza's van Maria gesmuld had. Hij zette zijn ellebogen op tafel en liet zijn kin rusten op de muis van een hand. Zo kon hij beter nadenken. *Calamitas virtutis occasio.* De ramp, die naderde onontkoombaar, daarvan was hij overtuigd. Maar zou hij, Tob Timp, moedig genoeg zijn als het moment daar was?

In de voortuin werd heftig geclaxonneerd. Tob zat in de keuken de krant te lezen. Geschrokken door het lawaai keek hij op zijn horloge. Kwart voor twee. Over precies vijftien minuten werd hij verwacht bij Vlemitz. Doordat hij te gehaast opstond stootte hij zijn knie tegen de tafelrand. Vloekend van de pijn hinkte hij naar de huiskamer, waar zijn pianoboeken lagen. Nog steeds had niemand zich bekendgemaakt als de gever van de piano, wat Tob jammer vond, want dan had hij deze, behalve hem te bedanken, ook eens kunnen vragen hoe die erin geslaagd was de meest valse piano van de melkweg te vinden.

'Je moet een gegeven ezel niet in de bek bekijken,' had Maria gezegd. Afgezien van dat vergissinkje, wat ze wel meer had met uitdrukkingen, had ze natuurlijk gelijk. Hoe het ook mocht zijn, Tob verdacht Vlemitz ervan de onbekende weldoener te zijn, maar die had er tijdens de lessen met geen woord over gerept, en Tob had er niet naar gevraagd.

Hij klemde de boeken onder zijn arm, riep gedag naar Maria die intussen op de bovenverdieping aan het werk was, en verliet het huis.

Muzak stond met zijn knalgele scooter op hem te wachten. 'Ben je daar eindelijk! We hadden toch afgesproken dat ik je naar Vlemitz zou brengen?'

'Sorry, sorry, sorry,' lachte Tob. 'Ik was in de krant verdiept. Ik wilde net de strip gaan lezen toen je toeterde.'

'Stap maar achterop,' zei Muzak. Hij trok de pijpen van zijn oversized broek omhoog en gebaarde dat Tob moest opschieten. Zijn hand draaide driftig aan de gashendel, waardoor de scooter jankte en het achterwiel spinde.

Tob stapte achterop, hoestend door de uitlaatdampen die de scooter produceerde. 'Hou op. Ik zit hier te vergassen.'

'Niet zeuren. We gaan.' Muzak liet de scooter rustig optrekken. Ze reden de oprijlaan af, naar de straat. 'Over de ringweg of door het doolhof?'

'De kortste weg maar, dan zijn we zeker op tijd.' Tob klampte zich vast aan de bagagedrager.

Muzak had zijn oortelefoontjes in en zette de discman aan zijn broekriem in werking.

'Waar luister je naar?' vroeg Tob, die alleen maar het ruisen van de wind in zijn oren hoorde, met luide stem.

'Bagger,' riep Muzak.

'Bagger?'

'Zo heet die muziek,' legde Muzak uit. 'Het klinkt ook een beetje als bagger, vind ik.'

Ze scheurden de eerste steeg van het doolhof in. Het knetterende scootergeluid joeg langs de bakstenen gevels naar de hemel.

'Heb jij dat huis met dat zwarte spul kortgeleden nog gezien?' vroeg Tob.

Muzak deed één oortelefoontje uit om Tob beter te kunnen horen. Het snoertje rolde als een slangetje weg over zijn schouder. 'Nee. Het is in een deel van het doolhof dat ik in mijn eentje niet kan vinden. Tussen haakjes: kun jij me binnenkort eens helpen met wiskunde? Ik snap er geen bal van.'

'Goed,' antwoordde Tob. Hij werd duizelig van de snelheid waarmee Muzak alle bochten nam. Ineens zag hij op een straathoek iets bewegen. 'Stop eens!'

Met de wielen krijsend over de stenen, kwam de scooter tot stilstand. 'Wat?' vroeg Muzak.

Tob stapte af en kneep zijn ogen toe. 'Ik dacht dat ik daar iets zag bewegen.'

'Dat zou voor het eerst zijn.' Muzak zette de motor af. De stilte was beklemmend. 'Wat zag je dan?'

'Weet niet. Iets bij die hoek daar.' Tob deed een paar stappen naar de straathoek toe, maar toen hij op vijf meter afstand was aarzelde hij.

'Zie je iets?' vroeg Muzak, die op zijn scooter was achtergebleven.

'Nee, niets.' Tob prutste bedachtzaam met zijn tong tussen zijn kiezen. Er zat nog een stukje brood. Hij moest zijn tanden beter poetsen. Opeens hoorde hij een licht getik, toen een geschuifel. Het kwam van een put in de stoeprand. Heel langzaam stak een beestje zijn besnorde snuit door het rooster. Tob bleef doodstil staan. Het was een rat, een rat zwarter dan de zwartste rat. Het beest kroop de straat op. Zijn decimeterlange staart zwalkte achter hem aan. Na enkele seconden zag het beest Tob staan. Het verstarde en hield hem nauwlettend in het oog.

'Een rat,' zei Tob, opgelucht dat het een normaal dier was.

'Leven die hier?' vroeg Muzak vanaf de scooter.

'Waarom niet? Waar mensen wonen, leven ratten,' zei Tob. Muzak sprong van zijn scooter en kwam haastig naar hem toe.

'Zullen we hem vangen?'

Tob deed een stap opzij. 'Hoe dan? En is dat wel verstandig?' Muzak haalde zijn neus op. 'Nou, het lijkt me wel spannend.' Tob blikte weer op zijn horloge. 'We moeten verder. Straks zijn we te laat.'

'Kst,' zei Muzak, en hij sprong voor de grap vlak voor de rat. Tob hield Muzak aan zijn mouw vast, waardoor de stof kraakte. In tegenstelling tot wat ze verwachtten vluchtte de rat niet, maar draaide zich naar hen om. Zijn snorharen trilden in de wind, en zijn ogen blikkerden.

'Straks bijt hij,' waarschuwde Tob.

'Welnee,' zei Muzak, maar hij waagde het er niet op het beest nog dichter te benaderen.

De rat zat intussen niet stil. Met zijn kleine pootjes bewoog hij traag hun kant op, kleine zwarte pootafdrukken op de stenen achterlatend. Tob had ineens het gevoel dat de rollen werden omgedraaid. Zij waren de prooi, niet de rat. Het dier stopte en opende zijn bek. Onmiddellijk deinsden ze terug. In de bek van het dier stonden rijen grote staalharde tanden.

'Wegwezen,' fluisterde Muzak en begon achteruit terug te lopen naar de scooter.

Tob wankelde ook terug. 'Dezelfde tanden als van de zwarte vogel,' zei hij opgewonden. 'Deze beesten komen niet van hier, maar van de andere wereld.'

'De andere wereld?' Muzak klonk weer wat stoerder nu duidelijk werd dat de rat hen niet achterna kwam en doodstil op zijn plaats bleef staan, zonder ook nog maar een snorhaar te verroeren.

Muzak stapte op en startte de scooter. 'Waar is dat, de andere wereld?'

'Weet ik niet, maar het is in de buurt van Quillen.' Tob stapte achterop en haalde diep adem. Snuffelend begaf de rat zich opeens weer naar de put waar hij vandaan was gekomen. Hij dook in een van de roostergaten, en het laatste wat ze van hem zagen was de punt van zijn donkergrijze staart die in de diepte verdween.

'We gaan,' riep Muzak, en met een schok trokken ze op. Ongerust keek Tob nog om, maar er was van de rat geen spoor meer te bekennen.

In een mum van tijd reden ze het doolhof uit en waren ze bij hun school. Het plein was leeg en bezaaid met dode bladeren. De kale bomen langs de stoep strekten hun magere takken over de zijkant van het plein uit. Hier was er tenminste weer verkeer. Een boer met een tractor hield hen op, tot ze er veilig langs konden. Ze crosten nog een paar straten door en arriveerden bij het huis van Vlemitz. Muzak remde zo hard en plotseling dat Tob met zijn gezicht tegen zijn rug knalde.

'Au,' riepen ze tegelijk uit.

Tob wreef over zijn neus. 'Een beetje rustiger kan ook wel, zeg.'

'Sorry,' zei Muzak. 'Zal ik je straks ophalen? Je gaat toch mee naar Louis?'

Tob weifelde, maar Mirte en Pien waren er waarschijnlijk ook. 'Goed. Pik me over een uur maar op.'

'Tabeeski,' riep Muzak ten afscheid en scheurde weg. Op een afstand was het net of Muzak op een kanarie zat, zo geel was de scooter.

Tob draaide zich om en keek naar het sprookjeshuisje van Vlemitz. Zijn arm, waar hij al die tijd de boeken als een kostbare schat onder geklemd had gehouden, begon te verkrampen. Hij pakte de boeken in een hand, liep langs de kale struiken in de tuin naar de voordeur en trok aan de bel.

'De deur staat open,' riep Vlemitz.

Tob duwde tegen de deur, die joviaal openzwaaide, en liep de gang in.

'Doe de deur dicht,' zei Vlemitz. 'Anders tocht het.'

Tob deed wat Vlemitz vroeg en liep verder naar de huiskamer. De honderden lijstjes aan de gangmuren leken pas gepoetst, zo glommen ze.

Binnen zat Vlemitz al aan de vleugel op hem te wachten. 'Fijn dat je er bent.' Hij stapte van de pianokruk over op een stoel om voor Tob plaats te maken. 'Ga zitten.' Zijn stem was vreemd, anders dan anders. 'Hoe gaat het met je spel?'

'Mijn spel?' Tob ging op de kruk zitten. Hij was helemaal niet met een spel bezig. Ja, een kat-en-muisspel met de duistere machten die Quillen bedreigden. 'O, mijn pianospel!' viel het kwartje ineens.

'Wat dacht je dan?' glimlachte Vlemitz. 'Laat eens horen.'

Tob zette zijn huiswerkschriftje en zijn beginnersboek van Frompson op de lessenaar boven de toetsen neer en sloeg het boek open. Een simpel walsje met twee handen, daar had hij de afgelopen week op zitten ploeteren. Hij had het een keer voorgespeeld voor Mirte en Pien, en die konden hun lach niet houden door de talloze valse klanken die hij voortbracht. Hij begon te spelen, onzeker, omdat hij voor Vlemitz geen flater wilde slaan. Daar klungelden zijn vingers over het toetsenbord. De eerste maten gingen niet slecht, de volgende eigenlijk ook niet, en uiteindelijk had hij het hele stukje foutloos gespeeld. Verbaasd over zijn eigen prestatie keek hij Vlemitz aan.

'Heel goed gedaan, Tob. Je hebt zeker hard geoefend,' merkte die op.

'Kun je wel zeggen. Tussen wiskunde, geschiedenis, en ander huiswerk door.'

'Ik ben heel tevreden.' Vlemitz kwam even omhoog zodat hij een bladzijde kon omslaan. 'We zullen eens naar dit nieuwe stukje in je boek kijken. Een slaapliedje.'

Tob keek naar de noten. Een slaapliedje? Het zag er inderdaad slaapverwekkend uit, maar vooral omdat het zo moeilijk leek. En dan te bedenken dat het nog mijlenver van Mozart
af zat. 'Ik vrees dat ik het nooit leer. Mozart is veel te veel
van het goede voor me. Ik heb geen pianotalent,' mopperde
Tob.

'Niet opgeven. Waar geloof is, is hoop, en andersom.'

Tob voelde even Vlemitz' warme adem langs zijn nek gaan.
Het bezorgde hem kippenvel, maar het was niet vervelend.
'Denkt u?'

'Ik weet het zeker,' zei Vlemitz. 'Je moet doorzetten, en erin
geloven.'

'Maar je moet het ook wel kúnnen,' zei Tob.

Vlemitz lachte geheimzinnig. 'Talent wordt je door hogere
machten gegeven, maar je moet er wel zelf iets mee doen.
Dacht je soms dat…' Hij pauzeerde, keek naar de fotolijstjes
aan de muur achter de vleugel en schudde zijn hoofd. 'Speel
de eerste maat maar eens.'

Tob legde zijn vingers zacht op de toetsen. 'Heeft u mij die
witte piano gestuurd?' waagde hij het toch eens te vragen.

'Welke piano?' ontkende Vlemitz stellig er iets van te weten.
Zijn kalende kruin glom in het licht van de kristallen lamp die
aan het plafond brandde. 'Denk je niet dat dat een beetje duur
cadeau is?'

'Dat wel,' zei Tob lijzig. 'Maar… heeft u zich dan nooit afgevraagd hoe ik aan een piano ben gekomen?'

'Nee,' zei Vlemitz resoluut. Hij stond op. 'Ik ga een pot thee
zetten. Oefen maar vast.' Met kleine pittige stappen verdween
hij naar de keuken. Tob bestudeerde de eerste noten van het
slaapliedje. Een vierkwartsmaat was het. Simpel was het niet,
ook al was het een beginnersboek. Die leerlingen van die Frompson
waren zeker genieën. Plotseling had hij het gevoel dat er iets
veranderd was in de kamer. Zo'n gevoel dat hij niet kon thuis-

brengen, en nergens aan kon koppelen, maar toch wist hij het zeker.

Ja, dat was het! De klep van de vleugel stond dicht, waardoor het geluid veel doffer en wolliger klonk dan in de vorige lessen. Gerustgesteld speelde hij de eerste noten met alleen zijn rechterhand. Mis, vals, en nog eens mis! Hij kon er maar beter mee kappen. Zijn blik dwaalde naar de muur achter de vleugel. Er was nóg iets veranderd. Hij keek en keek, maar dit was minder simpel.

'Zo, al iets wijzer geworden?' Vlemitz kwam binnen met een dienblad met een pot thee en kopjes dat hij wegzette op een bijzettafeltje in hun nabijheid.

'De klep is dicht,' zei Tob in een impuls.

Vlemitz maakte een onduidelijk gebaar met een hand, zuchtte en ging naast Tob zitten. 'Dat is beter voor de vleugel. Er kwam te veel vocht in.'

'Zo nat lijkt het me hier binnen anders niet.'

'Nee, dat is wel zo, maar toch...' Vlemitz' ogen schoten onrustig heen en weer. Tob had een onderwerp aangeroerd dat hem niet zo zinde. 'Misschien kun je maar beter een kerstliedje instuderen. Daar heb je over een paar weken tenminste iets aan. Ik vrees dat Mozart wat moeilijk is. En hoewel complexiteit niet verkeerd is, kan het ook frustreren en demotiveren.'

Eindelijk had Vlemitz door dat Tob helemaal geen bijzondere aanleg voor pianospelen had. Een last viel van Tobs schouders. 'Iets simpelers zou fijn zijn. Onze hulp Maria krijgt genoeg van dat valse getingel.'

'Mooi.' Vlemitz stond op om thee in te schenken. 'Is je vader nog op reis?'

Tob versteende. 'Eh... ja. Hij is nog op reis, ja. En ik heb geen idee wanneer hij terugkomt.'

Vlemitz pakte een trommel uit een kast en voorzag ieder schoteltje van een chocoladekoekje. Half binnensmonds mompelde hij: 'Geeft niets. Hij moet zich afzijdig houden.'

'Wat zegt u?' veerde Tob op.

'Hij moet zijn werk bijhouden,' zei Vlemitz met stemverheffing. 'Voor niets gaat de zon op.' Abrupt haalde hij het lesboekje van de vleugel af en verving het door een los muziekblad. *White Christmas*. Dat liedje kende Tob wel, van de radio en van films. En nog ergens anders van... Weer was er zo'n raar gevoel, alsof er een woord op het puntje van zijn tong lag. Een vage herinnering waarvan hij wist dat die er was, maar niet waar die precies over ging. *White Christmas...* Zong zijn moeder dat vroeger niet voor hem, toen hij pas geboren was? Nee. Zoiets kon hij zich toch nooit herinneren?

'Voor vandaag laten we het hierbij. Ik zie je volgende week wel weer. Goed oefenen, hoor.'

Tob pakte het kopje thee vast dat Vlemitz hem aanreikte. 'Dank u. Ik wilde eens vragen: waar kent u mijn vader eigenlijk van?'

'Laten we zeggen dat we elkaar ooit eens tegen het lijf zijn gelopen,' zei Vlemitz, nippend aan zijn eigen thee. 'Je vader wil je graag een goede opvoeding geven. Iets met muziek of beeldende kunst. Maar eerlijk gezegd...' Vlemitz knipoogde. Zijn strikje hing een beetje scheef, en op het revers van zijn jasje zat een witte pluis. 'Eerlijk gezegd hoop ik dat je beter kunt tekenen dan piano spelen.'

'Dat is óók een hopeloze zaak. Ik ben niet in de wieg gelegd voor artistiek gedoe, vrees ik.'

'Nee, maar wel voor andere zaken.' Vlemitz sloeg zijn thee in een teug achterover. Hij leek in het geheel geen last te hebben van de hete drank. 'Je moest maar eens gaan. Ik heb nog wat dingen te doen.'

Tob zette zijn halfvolle kopje weg op het tafeltje en pakte zijn spullen. 'Bedankt weer. En tot volgende week.'

'Zelfde tijd. De eerste zaterdag van december,' zei Vlemitz en fronste zijn wenkbrauwen. 'De tijd gaat snel. Te snel.' Hij draaide zich om en ging de kamer uit naar de gang. Tob hoorde voetstappen op de smalle trap naar de zolder gaan. Gelaten stond hij op en verliet het huis.

Vandaag was het een vreemde ontmoeting met Vlemitz geweest. Het was steeds alsof Vlemitz hem tussen de regels door iets duidelijk had willen maken. En dan dat kerstliedje, en het gevoel dat er iets in de kamer veranderd was. Die dichte klep van de vleugel, dat was ook niks voor Vlemitz. De aderen klopten in Tobs slapen. Hij was moe geworden van het bezoek.

In een hoge boom zong een merel. Voor Vlemitz' Hans-en-Grietjehuisje ging Tob op de stoeprand zitten om op Muzak te wachten. Hij was een half uur te vroeg klaar, dus het zou nog even duren voor die zou opduiken. Boven zijn hoofd joegen donkergrijze wolken door de lucht. Bah, wat een snertweer! Nog voor hij allerlei sombere gedachten kon ontwikkelen, naderde het irritante geronk van een scootertje dat even later met een rotgang de straat inscheurde en precies voor Tob stopte.

'Muzak!' riep Tob blij uit. 'Ben je er nu al?'

'Louis wil ons weer meenemen naar dat huis, weet je wel?' Muzak hijgde, van de inspanning kon het niet zijn.

'Wat is ermee? Toch geen nieuwe ellende, hoop ik?' Tob kwam moeizaam overeind.

'Dat wil Louis niet zeggen.'

Tob keek Muzak mistroostig aan. 'Rare jongens, die Quillenaren. Vlemitz was ook al niet erg in zijn normale doen.' Hij stapte op en hield zich aan Muzak vast die, zoals meestal, zonder enige waarschuwing optrok. Tob was er inmiddels op bedacht. Ze reden door de smalle straten terug naar hun school, en tuften vervolgens via de ringweg naar het kerkplein. De klok sloeg kwart voor drie toen ze daar aankwamen. Voor de kerk stond de pastoor weer. Muzak minderde uit respect vaart. De pastoor, een oude grijze man in een grijs pak met een wit boordje en kort krullend haar dat op de kruin dunner werd, zwaaide.

'Zwaait hij naar óns?' vroeg Tob verbaasd.

Muzak ging nog langzamer rijden en keek rond. Er was verder niemand in de buurt. 'Je zou het zeggen.'

Weer hief de pastoor een hand en zwaaide, loom en langzaam, als in slowmotion.

'Rijd er eens naartoe,' riep Tob.

Muzak schudde van nee. 'Andere keer. Louis wacht op ons.'

Ze reden het plein af. Tob keek achterom. Handenwringend draaide de pastoor zich om en ging de kerk weer in.

Voor de patatzaak was het een drukte van belang. Een grote groep schooljeugd had zich voor de zaak verzameld en ondanks het matige weer had Louis tafeltjes en stoeltjes buiten gezet die allemaal bezet waren. De jongeren hadden zich van patat en frisdrank voorzien. De snackbar van Louis was ook zo'n beetje het enige uitje dat de jeugd in Quillen had.

Nog voor ze helemaal stilstonden stapte Tob af en groette wat jongens en meiden uit zijn klas. Muzak zette zijn scooter weg en liep met hem de snackbar in. De vertrouwde geur van frituurvet kwam hen door de openstaande deur tegemoet.

'Louis bakt ze weer goed bruin vandaag,' merkte Muzak op.

Tob zei niets terug. Voor de vitrine met snacks stond een groot aantal mensen op een bestelling te wachten.

Hoewel Louis vandaag maar liefst drie hulpen had rondlopen, was hij zelf ook druk in de weer. 'Daar zijn jullie!' Zijn tot dan toe bedrukte gezicht klaarde op. 'Ik kom er zo aan.'

Hij rekende een bestelling af, veegde zijn handen af aan zijn schort en liep om de counter heen naar hen toe. 'Muzak heeft je snel gevonden, Tob.' Hij gaf Tob een vettige hand. 'Zoals je weet houd ik de toestand in het doolhof een beetje in de gaten.'

Om ze even kwijt te zijn, legde Tob zijn pianoboeken op een veilige plek in de buurt van de counter. 'Sinds je die zwarte troep ontdekte, toch?'

Louis haalde een buil tabak uit zijn achterzak en begon een sjekkie te rollen. Geroutineerd likte zijn tong het vloeitje. 'Het

werd tijd om je de nieuwste ontwikkeling te laten zien.'
'Waarom?'
Louis stak zijn sjekkie aan met een aansteker die hij ergens van een tafeltje griste. 'Doet er niet toe. Horen, zien en zwijgen.' Hij lachte heel kort, het was meer een hikje. 'Ben je thuis aan het doe-het-zelven geweest?'
Waar had Louis het nu weer over? Tob trok zijn wenkbrauwen zo ver op dat zijn voorhoofd er pijn van deed. 'Doe-het-zelven?'
'Zeker flink op je vingers geslagen met een hamer,' meesmuilde Louis. 'Niet zo handig.'
Tob stak zijn beide handen met gestrekte vingers voor zich uit. De nagel van de rechter ringvinger was blauwzwart. 'Vreemd. Ik kan me niet herinneren hoe dat gebeurd is.'
'Ja ja,' zei Louis zonder veel verdere aandacht voor Tobs perikelen en knikte naar de uitgang. 'Laten we gaan.'
Ze verlieten de zaak en staken de straat over, om langs het kerkhof naar het plein te lopen. Vandaar ging de route meteen door naar het doolhof. Ze volgden dezelfde weg als de eerste keer, toen Louis tegen de avond met hen het doolhof was ingegaan. Nu was het nog volop dag, maar eenmaal in de smalle stegen leek het wel weer avond. Louis liep met grote passen voor hen uit zonder ook maar een moment om te kijken.
Muzak grijnsde naar Tob en zei zacht: 'Louis is van streek, de laatste tijd.'
'Hij zal zijn redenen hebben,' veronderstelde Tob.
'Mogelijk.' Muzak schikte zijn discman aan zijn broekriem. 'Hoe is het met het hart?'
'Sst,' zei Tob. 'Louis hoeft niet alles te weten.' Hij keek een moment naar een huisje met opvallend rode plastic bloemen in de bakken. 'Soms ga ik even bij de la staan luisteren.'
'Luisteren?' Net als Tob hapte Muzak naar adem, want Louis ging steeds sneller lopen, driftig aan zijn sjekkie trekkend.
'Luisteren ja. Ik vind het te griezelig om steeds te kijken, hoor.'

'Kan ik inkomen,' zei Muzak. 'Ik…' Hij staakte het gesprek, want intussen waren ze toch nog snel op het kleine pleintje met de oude herberg aangekomen. De terrasstoeltjes bij de herberg waren nu verwijderd.

'Kom hier staan en kijk.' Louis dirigeerde hen naar het midden van het plein, waar ze sprakeloos bleven staan.

Het bakstenen huis, waar de glimmend zwarte smurrie de vorige keer aan de onderkant omhoog begon te kruipen, was nu geheel met de zwarte substantie bedekt, tot aan de laatste dakpan toe.

Louis tikte tegen zijn neus. 'Ruik je het?'

Tob snoof de lucht diep op. 'Rotte eieren?'

'Zwavel!' siste Louis. 'En kijk eens naar de ramen.'

Tob deed een stap achteruit om een beter overzicht te krijgen. De ramen, inclusief het glas, waren bedekt met de pekachtige stof, en stonden op een kier, alsof iemand een poging had gedaan uit het huis te ontsnappen.

'Woonden er nog mensen?' wilde Muzak weten.

Louis kuchte en schraapte zijn keel om iets te zeggen, maar barstte in een hoestbui uit. Tob klopte hem goedmoedig op de rug en wachtte tot het over was. Muzak stond intussen het zwarte huis te bestuderen. Zijn handen had hij diep in de zakken van zijn wijde broek weggestoken.

'Laten we maar gaan,' zei Louis. 'Ik zou minder moeten roken.'

'Soep met stierenballen!' riep Muzak plotseling uit.

Tob draaide zich om naar Muzak. 'Wat heb jij?'

Muzaks ogen staarden ontzet naar het midden van het huis. 'Zien jullie dat ook?'

Louis richtte zijn blik op het huis en vloekte zo hard dat het een paar seconden door de stegen echode.

Geschrokken volgde Tob Muzaks verwilderde blik. Hij kreeg het steenkoud. Bij een van de openstaande de ramen op de eerste verdieping was in de gitzwarte pek een merkwaardige rimpeling verschenen die bij een eerste aanblik niet meer was dan een speling van de natuur – als je daar al van kon spreken –, maar als je er langer naar keek, ontdekte je het: het reliëf vormde de contouren van een gezicht, een gezicht van een jongen van Tobs leeftijd, verwrongen van angst en wanhoop. 'Hoe is die afdruk daar gekomen?' fluisterde Tob. Hij kon Muzak horen slikken. Zelf werd hij misselijk. Wat voor vreselijke taferelen hadden zich hier in het doolhof afgespeeld? Muzak wankelde ineens en greep naar zijn hoofd. '*Shit*! Ik weet het! De mensen hier zijn verdoemd, vervloekt, ze worden gevangen gehouden. Ik voel hun wanhoop.' Met grote ogen keek hij Louis aan. 'Wat weet jij daarvan?'

'Niets,' antwoordde Louis fel, 'niets wat jullie hoeven te weten. Ik help jullie, maar ik moet oppassen wat ik zeg, anders eindig ik net zoals…' De rest van de woorden slikte hij in. 'We moeten teruggaan.'

Tob en Muzak deden niets liever. Ze wilden weg van dit lugubere plein dat steeds verder in de ban van de helse macht raakte.

Muzak stootte Tob aan. 'Kijk, het huis ernaast begint ook al.' Inderdaad had zich op de onderste stenen van het volgende huis de eerste smurrie al vastgezet.

'Wat heeft dat toch te betekenen?' fluisterde Tob.

'Opschieten,' siste Louis. 'Dat heeft te betekenen dat de mensen die het treft niet meer te redden zijn. En straks de hele wereld niet meer.' Hij gooide zijn brandende peuk op straat en trapte hem met zijn schoenhak uit. Abrupt kwam hij in beweging en begon het pleintje af te lopen.

Tob en Muzak volgden Louis onmiddellijk, om te voorkomen dat ze zouden achterblijven en verdwalen.

'De hele wereld?' vroeg Tob. Ze hadden het pleintje verlaten, en ondanks het feit dat ze weer in de nauwe stegen liepen, was het of de lucht opklaarde. Er had bij de herberg een nare sfeer gehangen die hij bij Ovil en in het huis van Black ook gevoeld had.

'Lees je de kranten niet?' baste Louis. 'Je ziet het toch?'

Muzak ging een licht op. 'Je hebt gelijk! Het is net alsof er de laatste tijd tien keer zoveel rampen gebeuren als anders. En ruzies, oorlogen, noem maar op.'

'Het is de schuld van… hem… uit de heuvels,' fluisterde Louis. 'Uit de zwarte dimensie. Je mag niet falen, Tob.'

Tob kreeg het er warm van. Wat verwachtte Louis wel niet? 'Ik ben bang dat ik niet veel kan doen.'

Louis rechtte zijn rug en glimlachte. 'Je moet geloven in jezelf, Tob. En de aanwijzingen volgen om de kracht te vinden.'

'De kracht?' Tobs stem ging omhoog. 'Welke kracht?'

Al lopend draaide Louis met zijn heupen en strekte zijn armen om zijn strakke spieren los te maken. Het witte mutsje op zijn hoofd, dat hij bijna nooit afdeed, wiebelde mee. 'Xin! Dat weet je toch van Patricia, jongen!'

'Ja, maar…' sputterde Tob. 'Hoe weet jij dat?'

Louis legde een vinger op zijn lippen. 'Wacht tot we buiten het doolhof zijn. Hier hebben de muren ogen en oren.'

Zonder nog iets te zeggen liepen ze in een marstempo door tot ze weer op het kerkplein waren. De klok sloeg half vier.

'Nu, wat wilde je zeggen, Louis?' Tob wilde het meteen weten.

Louis gebaarde dat ze nog even moesten wachten en begon pas te praten toen ze midden op het plein stonden, ver genoeg van het doolhof af. 'Zien en zwijgen, dat moet iedereen in Quillen, Tob. Iedereen heeft wel oude familie in het doolhof wonen, jongens. Alleen ik niet, en Patricia niet. Zelfs Pakdal heeft er een verre neef zitten, dus ook hij moet oppassen.'

'Wat is er dan mee?' vroeg Tob voor de zoveelste keer. 'Niemand vertelt me iets, alleen dat het de hel op aarde is.'

'Dan weet je genoeg.' Louis rolde een nieuw sjekkie. 'Ik zeg niets meer, eenvoudig omdat ik echt niets meer weet.' Hij knikte en keek Muzak schalks aan. 'Wat denk jij ervan, kerel?'

'Weet niet. Klinkt nogal spokig allemaal.' Muzak trok zijn schouders op en rommelde wat aan zijn discman.

'Zeker spokig, ja.' Louis stak zijn nieuwe sjekkie achter zijn oor. 'Ik ga terug naar de zaak. Lusten jullie een patatje?'

'Straks misschien,' zei Tob. Het bezoek aan het pleintje had veel indruk op hem gemaakt, en hij voelde zich bezorgd en verdrietig. De aanblik van het gezicht van de jongen had hem erg geraakt.

Lusteloos sjokten ze achter Louis aan, en terwijl die de zaak in verdween om de klanten weer te gaan bedienen, bleven zij bij Muzaks scooter staan.

'Je hebt ravijndiepe denkrimpels in je voorhoofd staan,' merkte Muzak op. 'Straks gaan ze niet meer weg.'

Tob peuterde weer met zijn tong in een kies. 'Ik denk na. Ik heb iets over het hoofd gezien bij Vlemitz, maar ik weet niet wat.'

'*Yep*,' zei Muzak. 'Misschien moeten we samen nadenken. Wat heb je vanmiddag nou precies gedaan bij Vlemitz? En wat viel je op? Vertel het gewoon eens.'

'De vleugelklep was dicht, voor het eerst, en er was iets aan de muur veranderd. Hij heeft honderden fotolijstjes hangen, en ik vermoed dat daar iets mee was.'

'Fotolijstjes?' riep Muzak verbaasd uit. 'Waarvan dan?'

'Nou, van…' Tob sloeg zich voor het hoofd, zo hard dat hij zichzelf pijn deed. 'We moeten terug. Nu snap ik het! Dat ik het al die tijd gemist heb! Starten dat ding! We gaan terug.'

'Oké.' Zonder nog iets te vragen sprong Muzak op zijn scooter en startte de motor. 'Let's go.'

Tob sprong achterop, en daar gingen ze weer, terug naar Vlemitz. Uit de snackbar kwamen flarden muziek van Elvis, ongetwijfeld door Louis opgezet.

'Ik wil Vlemitz nog eens spreken,' zei Tob. '*Conanti dabitur.*'

'Oké.'

Ze reden langs het kerkhof en namen vanaf de ringweg een afslag naar Vlemitz' huis.

'Die waagt, die wint. Je moet handelen als er een aanleiding is om te handelen, dat wordt ermee bedoeld. Nee heb je, en ja kun je krijgen.' Tob zette een flinke stem op om zich verstaanbaar te maken.

'O.' Muzak boog zich over het stuur om snelheid te winnen. Met een onbetamelijke gang scheurden ze door de straten. Enkele Quillenaren die ze bijna omverreden balden hun vuisten. 'Sorry, noodgeval,' riep Tob steeds.

In een vloek en een zucht waren ze terug bij het huisje van Vlemitz. Ze zetten de scooter weg en liepen de tuin in, naar de voordeur. Zonder tijd te verliezen trok Tob aan de bel. De bel rinkelde, maar daarna bleef het verdacht stil binnen. Hij telde tot tien en belde opnieuw, maar ook dat leidde niet tot een reactie. Het enige wat er veranderde was dat er een druilerige miezelregen begon te vallen. Tob had nog steeds een wee gevoel van de aanblik van het jongensgezicht. Ongeduldig klopte hij met zijn knokkels op de deur. Binnen galmde het door het hele huisje, maar er kwam niemand open doen.

'Laat mij eens!' Muzak duwde Tob opzij en drumde met twee vuisten tegelijk tegen de deur. 'Dat moet hij toch horen.'

'Hou maar op. Hij is gewoon niet thuis, dat is duidelijk.'

Muzak bonkte nog een keer, hij leek er wel lol in te hebben, maar ook hij gaf het op. 'We gaan.' Met een blik van ergernis draaide hij zich om, tot er een kort knappend geluid klonk. Hij stopte. 'Hoorde jij dat ook?'

Tob knikte. 'De deur kraakte.'

Muzak spitste zijn oren, wachtte, draaide zich weer om naar de deur en duwde er licht tegen. De deur sprong open en bleef op een kier staan. Doodstil bleven ze afwachten op wat er komen ging. Uit de gang kwam een vochtige warme tocht zetten.

'We gaan naar binnen,' zei Muzak na een tijdje en deed de deur zo ver open dat hij er net door kon. Eenmaal binnen, zette hij grote ogen op. 'Wat een foto's zeg!'

Tob, die Muzak naar binnen gevolgd was, sloot de deur en keek naar de volgehangen wanden in de gang. Het waren afbeeldingen van mensen in alle soorten en maten, en stuk voor stuk keken ze met een zekere onbevangenheid in de lens. De meeste foto's waren erg oud en vergeeld. Tob had er na zijn eerste bezoek nooit veel acht meer op geslagen, maar vandaag realiseerde hij zich voor het eerst dat op alle foto's altijd mensen centraal stonden, nooit eens een gebouw, een boom of een rivier. En bovendien kwamen, aan de achtergronden te zien, zo'n beetje alle foto's uit het dorp. 'Inwoners van Quillen,' murmelde Tob, net hard genoeg voor Muzak om het te horen. 'Nou en?'

Tob wenkte dat Muzak de foto's van dichterbij moest bekijken. 'Heb jij ooit een van deze mensen gezien? En kijk naar hun kleren. Sommige foto's lijken wel een eeuw oud.'

Muzak bromde iets onverstaanbaars, maar hij leek Tob gelijk te geven.

'Ik denk,' vervolgde Tob, 'dat al deze mensen op de een of andere manier in het doolhof verdwenen zijn. Misschien hebben ze er gewoonweg gewoond, of zijn ze er gaan wonen, ik weet het niet, maar... er is iets met ze gebeurd.' Hij keek op. 'Waar is Vlemitz eigenlijk?'

Muzak sprong recht en riep: 'Hallo!' Hij wachtte even, ingespannen luisterend. 'Hallo!' Weer niets. 'Nou, we kunnen wel aannemen dat die niet thuis is.'

'Hij leek tijdens de les vanmiddag op hete kolen te zitten,' zei Tob. 'Kom, we gaan eens in de kamer kijken.' Op hun hoede liepen ze de huiskamer in. Het was er koud, de verwarming was niet aan. Buiten sloegen intussen dikke druppels tegen de ramen.

Muzak klakte bewonderend met zijn tong toen hij de vleugel in het oog kreeg. 'Wat een joekel van een tingeldoos, zeg!'

Tob knikte. Op de lessenaar stond de bladmuziek van *White Christmas* nog. 'Die heb ik glad vergeten.'

'Warhoofd,' grijnsde Muzak. 'Wat zag je nou aan de muur?'
'Daar, achter de vleugel, is iets veranderd.' Tob liep naar de
wand achter de vleugel die ook volgehangen was met foto's
in zilver- en goudkleurige lijstjes.

Muzak kwam broederlijk naast hem staan. 'Alweer mensen.'
'Ja,' peinsde Tob. 'Alweer mensen…' Zijn blik werd gevangen door een foto van een jonge vrouw, gezeten in een strand-
stoel. Ze verbleef echter niet op het strand, maar in een tuin
met struiken. Haar gezicht was zacht, vriendelijk, en haar ogen
keken Tob aan met een blik van herkenning.

'Wie zou dat zijn?' vroeg Muzak.
Tob hield zijn adem in. 'Deze foto hing er voorheen nog niet.'
'Hoe weet je dat nou? Waarschijnlijk heb je die gewoon tus-
sen al die andere foto's nooit bewust gezien.'
'Nee,' hield Tob voet bij stuk. 'Deze foto is nieuw.'
'Goed, maar waarom dan?' vroeg Muzak.
'Omdat Vlemitz me er iets mee wilde zeggen.' Tob ging nog
dichterbij staan. 'Hij wilde me iets duidelijk maken.'
'Nou,' zei Muzak op een toon of hij een mop ging vertellen.
'Ze lijkt wel een beetje op je.'
Kleine sterretjes dansten voor Tobs ogen. Met dat geintje had
Muzak het bij het rechte eind! 'Het is… mijn moeder!'
'Je moeder?' Muzaks stem werd zachter. 'Denk je werkelijk…?'
'Ik weet het zeker. Ik lijk écht op haar. Vlemitz heeft een foto
van mijn moeder opgehangen! Maar waarom? En hoe komt
hij daaraan?'
'Vragen, vragen en nog eens vragen.' Muzak vernauwde zijn
ogen om de foto minutieus te bekijken. 'Hij is nog niet zo
heel oud, geloof ik, als je haar kleren ziet. Wie zou die foto
gemaakt hebben?' Hij haalde zijn neus op. 'Het is bijna of je
door haar heen kunt kijken. Het is net een prinses uit een sprook-
je.'
Tob zuchtte. 'Of een engel…' Hij haalde het lijstje van zijn
spijker. De achterkant was dichtgelijmd, en hij zou het stuk

moeten maken om de foto eruit te halen, wat zonde was, en op zijn minst brutaal, want het lijstje behoorde Vlemitz toe.

Muzak draaide zich om en liep naar de zijkant van de vleugel. Hij tikte met zijn nagels op de klep. 'Wat een *cool* ding, zeg! Jammer dat ik niet kan spelen.'

Tob hing de foto terug. Omdat hij er verder weinig mee kon, liet hij het voor wat het was en schaarde zich bij Muzak. 'Ik vroeg me af hoe Vlemitz aan zo'n peperdure vleugel gekomen is. Het is een concertvleugel, een echte.'

Muzak spiegelde zich in de zwarte lak. 'Hoe ziet zo'n ding eruit aan de binnenkant?'

'Veel snaren, in de lengte. En een mechaniek met hamertjes, waarmee je tegen de snaren tikt.'

'Zullen we hem eens opendoen?' stelde Muzak voor.

Tob aarzelde. 'Weet niet. Dat vindt Vlemitz vast niet prettig. Misschien komt er dan te veel vocht in of zo, dan wordt hij vals.'

'Ja, en dan gaat hij bijten,' spotte Muzak.

Tob kon er niet om lachen. 'Maria maakte ook al zo'n grapje over de piano thuis. Laten we gaan. Er is hier niemand.'

'Moet je de foto niet meenemen?'

'Nee. Ik vraag het Vlemitz wel in de volgende les.'

'Zoals je wilt,' zei Muzak. 'Dan gaan we maar. Ik…'

Allebei hielden ze zich stil. Uit de vleugel steeg een lage bromtoon op, alsof iemand een van de bastoetsen had ingedrukt. Het geluid zonk langzaam weg in de klankbodem van de vleugel. Het werd weer stil in de kamer.

'Wat was dat?' vroeg Muzak.

'De vleugel. Er zit werking in het hout,' zei Tob. Zijn stem trilde een beetje. 'Laten we maar gaan.'

Muzak krabde zich achter zijn oren. 'Oké. We gaan.'

Nog voor ze een stap hadden gedaan, bromde de vleugel opnieuw. Ze keken elkaar aan, bang, maar ook nieuwsgierig.

'Zit er een muis in de piano?' vroeg Muzak half serieus, in

een poging om de sfeer te verluchtigen.

'Onwaarschijnlijk.' Tob hurkte en bekeek de onderkant van de piano, waar niets bijzonders te zien was, behalve de dikke houten bodem. 'Hoe zou die muis erin gekomen moeten zijn?'

'Weet ik veel. Ik speel niet!' Muzak legde twee platte handen op de klep en voelde aan het hout. 'Hij trilt van binnen.'

Tob legde een hand naast die van Muzak. 'Je hebt gelijk.'

'Zullen we de klep toch maar eens opendoen?'

Dat was nog steeds iets waar Tob de nodige bedenkingen bij had. Het was vast tegen de regels. 'Ik weet niet of dat nou wel slim is.'

'Het is helemáál niet slim,' zei Muzak. 'Maar tóch wil ik het.'

Hoewel Tob het veel liever had laten zitten, gaf hij tegensputterend toe. Muzak maakte ook zo'n vastbesloten indruk. 'Goed, maar dan wil ik het doen. Haal je handen maar weg.'

Muzak verstopte zijn handen achter zijn rug, spelend of hij een beteuterde kleuter was.

'En doe een stapje achteruit,' voegde Tob eraan toe. Hijzelf had nog steeds zijn hand op de vleugel liggen.

Muzak stapte terug. 'Nog meer wensen?'

'Doe maar niet zo leuk. Ik vertrouw het niks.'

De piano bromde weer, om onmiddellijk een hoge toon te laten horen.

'Hij roept je,' lachte Muzak, maar aan zijn ogen was te zien dat hij het ook een spannende affaire vond.

Tob plaatste zijn vingertoppen onder de rand van de klep. Geleidelijk oefende hij steeds meer kracht uit, tot de klep met een schokje een centimeter meegaf en ineens openging. Hij deed het natuurlijk zelf, maar toch schrok hij en stopte.

'Wat doe je?' vroeg Muzak. 'Ga door!'

'Ik wacht even af wat er gebeurt.'

'O.' Muzak bestudeerde zijn nagels. 'En nu?'

'Ik ga weer verder,' zei Tob. Hij trok verder, duwde vervolgens met de andere hand de klep aan de binnenkant omhoog en pakte met de eerste hand de stokvormige standaard waarmee de klep kon worden opengehouden. Muzak hielp mee en een tel later stond het instrument in vol ornaat, met zijn klep open, te glanzen. Tob aarzelde om in het binnenwerk te kijken. Eerst liet hij zijn blik over de lange dikke bassnaren glijden. Er was niets bijzonders te zien. Dan verder, naar de korte hogetonensnaren, en de rest van het mechaniek, maar er was geen rat of wat dan ook te bekennen. De poten kraakten opeens. 'Hij stort toch niet in?' vroeg Muzak.

Tob lachte. 'Waarom zou hij?' Hij boog zich over de vleugel en gaf het binnenste een laatste grondige inspectie. 'Het ding is loeizwaar. Als je erop speelt lijkt het soms een levend wezen. Vlemitz zegt dat ook wel eens. Een vleugel moet je behandelen alsof het een vrouw is. Sterk spelen als het nodig is, maar met raffinement op andere momenten.'

'Zeker een vrouwenkenner, die Vlemitz,' grijnsde Muzak. 'Geef mij mijn discman maar.'

'Eerlijk gezegd had ik ook niet zo veel op met die piano.' Tob liep naar de voorkant en drukte enkele toetsen in. Een vals akkoord galmde door de kamer. 'Maar ik ben hem ergens wel gaan bewonderen.'

'Allemaal heel mooi, maar laten we eens in de tuin kijken.' Muzak struinde de kamer door naar een gammele achterdeur. Een halve duw op de klink, en het ding schoot open.

'Wacht even op mij!' Tob voelde zich er steeds ongemakkelijker onder, want hij vond het niet prettig om ongevraagd in andermans huis rond te neuzen. Hij sjokte achter Muzak aan, die al midden in de tuin stond. Het was een kleine tuin, omheind door een hoge betonnen schutting die het uitzicht op de omgeving ontnam. Niet ver achter het huis moest de rivier, komend vanuit de heuvels, door de weilanden lopen en met een boog om Quillen heen stromen. Ze konden het water horen ruisen. Midden in de tuin stond een klein beeldje op een sokkel, een engel die met een vrome blik naar boven keek, de vleugels ontspannen ingevouwen, alsof hij voorlopig niet van plan was weg te gaan. Onder zijn armen hield hij een kleine harp tegen zijn borst geklemd.

'Alweer een engel,' attendeerde Tob Muzak op het beeldje.

'Quiz! Welke engel is dat? Het antwoord is goed voor de hoofdprijs: een pakje boter op je hoofd!' Muzak grijnsde. Hij maakte soms van alles een spelletje.

Tob grinnikte om Muzaks lol niet te bederven. 'Ik heb geen idee. Het is niet een engel die me iets zegt.'

'De beschermengel van de muzikanten zeker,' gokte Muzak en knikte naar een dorre struik aan de kant. 'Schamele boel hier.'

De meeste planten in de tuin waren afgestorven, en voorzover ze nog rechtop boven de grond stonden, waren ze kaal. Alleen een takje hulst, dat onder tegen de sokkel groeide, zorgde voor een groen accent. Tegen de achtermuur onder het raam lag brandhout opgestapeld. Een kleine hakbijl lag ernaast.

Binnen klonk weer een grommende bastoon uit de vleugel. Ze stonden aan de grond genageld. Tob beet op zijn lip.

'Hoe kan dat nou?' Muzaks stem was onvast. Zijn blik werd ernstig. 'Dit wordt wel echt spookachtig.'

'Ik weet ook niet wat het is,' merkte Tob kortaf op. 'Laten we maar weggaan.'

'Goed,' stemde Muzak in. 'Er hangt hier een vreemde atmosfeer. Iets boosaardigs. Het is alsof iemand ons bespioneert.' Hij haastte zich meteen het huis weer in.

'Jazeker,' mompelde Tob. Dat voelde Muzak goed aan, want hij kreeg zelf ook een naar gevoel in zijn buik. Vlak voor de buitendrempel schrok hij. Iemand blies koude lucht tegen zijn wang. 'Hé, wie doet dat?' Muzak was het niet, die was al lang en breed binnen.

'Wees voorzichtig. De Satan komt,' fluisterde een stem achter zijn rug.

Hij draaide zich onmiddellijk om. Het kwam uit de richting

van het beeldje. Verbeeldde hij het zich, of hing er vlakbij de sokkel een doorzichtige witte wolk? Ja, er was daar iets. Hij voelde opnieuw een koude tocht langs zijn wangen gaan.

'Waar blijf je nou?' riep Muzak, die binnen bij de vleugel stond te wachten.

'Ik kom.' Tob sprong over de drempel en trok de buitendeur achter zich dicht.

Muzak wipte op zijn voeten. 'Ik wil hier weg. Het deugt hier niet.' Schichtig was hij al op weg naar de kamerdeur.

'Je voelt oude gedachten, oude trillingen die hier hangen, denk ik,' zei Tob.

'Kan zijn, maar tóch wil ik weg.' Muzak had rode wangen van de spanning. Zijn normale branie was helemaal verdwenen.

Tob gebaarde dat Muzak vast kon gaan. Muzak knikte en verdween naar de gang.

Langs de vleugel lopend zag Tob de muziek van *White Christmas* nog staan. Met een snelle beweging plukte hij het blaadje van de lessenaar. Het instrument gromde, diep, dreigend, zonder dat hij de toetsen had aangeraakt. Met knikkende knieën liep hij naar de zijkant en wierp een laatste blik in de klankkast. Enkele snaren trilden nog na. 'Jezus!' riep hij uit. Zijn longen persten alle lucht uit zijn lijf. Bedrogen zijn ogen hem?

'Watte?' riep Muzak vanuit de gang.

Tob gaf geen antwoord. Verbouwereerd liet hij de bladmuziek op de grond dwarrelen. Hij haalde diep adem. Verborgen op een houten richel, zodanig dat hij het de eerste keer gemist had, glinsterde er iets. Hij boog voorover. Het was een kleine facetgeslepen steen, die niets anders dan een flonkerende diamant kon zijn. Wie had die daar achtergelaten? Probeerde Vlemitz hem te helpen? Hij schraapte zijn keel. 'Muzak, de vierde diamant ligt in de vleugel.' Hij strekte zijn arm om de diamant te kunnen pakken. De vleugel gromde, hij zag de snaren weer trillen, alsof ze hem ergens voor waarschuwden. Hij moest verder voorover leunen om erbij te kunnen. Daar had hij de diamant te pakken. Hij liet hem in zijn handpalm rollen en sloot zijn vuist.

'Tob, pas op!' schreeuwde Muzak die terug naar binnen was gekomen.

'Waarvoor?' Per ongeluk stootte Tob tegen de stok die de klep openhield. Met donderend geraas viel de klep dicht, waardoor zijn arm klem kwam te zitten tussen de kast en de klep. 'Au!' Een vlammende pijn schoot door zijn schouder. Om te zorgen dat zijn arm niet uit de kom schoot, moest hij door de knieën gaan. 'Mijn arm zit vast. Doe die klep open!'

Muzak schoot als een kat naar hem toe en trok uit alle macht aan zijn andere arm. 'Die rotpiano zit potdicht!'

De vleugel gromde nu nog harder, en de bassen dreunden door in de vloer en de muren. De lijstjes rammelden en trilden. In het glas voor Tobs moeder verscheen met een vinnige tik een barst. Stukken kalk kwamen van het plafond naar beneden. 'Hij leeft!' schreeuwde Tob. 'De vleugel leeft!'

'Klets niet. Piano's leven niet!' Zweetdruppels rolden over Muzaks voorhoofd. 'De klep geeft niets mee!'

Tob zette zich met zijn vrije hand af tegen de zijkant van de vleugel. De houten poten vibreerden en leken zich op de vloer schrap te zetten. Opnieuw gromde de vleugel. Plotseling hoorden ze binnenin een vreemd knappend geluid, nog eens, en nog een paar keer.

'Hoor eens!' riep Tob uit. Het waren de snaren die een voor een sprongen. Niet meer dan een paar seconden later voelde Tob hoe twee stalen snaren zich om zijn pols wikkelden en aan zijn arm rukten. 'Dat ding pakt me vast,' gilde hij naar Muzak. Hij ging achterover hangen, maar zijn arm werd onmiddellijk enkele centimeters naar binnen getrokken. De moordzuchtige snaren sneden de bloedtoevoer naar zijn hand af, waardoor zijn vingers begonnen te prikken. 'Hij wil me opvreten! Doe iets!'

Radeloos liet Muzak Tob los en gooide zijn armen boos de lucht in. 'Wat dan?'

'Hij trekt me helemaal naar binnen! Doe nou iets!' schreeuwde Tob, intussen volledig in paniek. Muzak greep naar zijn hoofd, mompelde iets onverstaanbaars en rende opeens door de achterdeur de tuin in.

'Laat me niet achter,' gilde Tob. 'Je mag me niet achterlaten!' Het gevoel in zijn hand was inmiddels verdwenen, en het was alsof de snaren zich dwars door zijn pols vraten. Zijn arm was tot boven zijn elleboog in de vleugel verdwenen, terwijl het donderende lawaai, alsof alle toetsen tegelijk werden aangeslagen, opzwol. Waar bleef Muzak nou, verdomme!

'Hier ben ik weer!' Muzak stond ineens weer in de kamer, met in zijn rechterhand de bijl die buiten bij het hout had gelegen. Zonder nog iets te zeggen was hij met een paar stappen bij de vleugel en gaf een klap met de bijl op het klavier. Scherpe stukken geelwit ivoor vlogen door de kamer, rakelings langs Tobs gezicht. De bastonen uit de vleugel protesteerden luidkeels, het was bijna of de vleugel pijn leed. Doordat de uit het plafond neerstortende kalk in een sneeuwbui veranderde, werd alles in de kamer binnen enkele seconden met een laagje wit poeder overdekt.

'Doorgaan. Hij geeft het nog niet op!' Tob voelde hoe steeds meer snaren zich om zijn arm wikkelden. Bijna tot aan zijn schouder was zijn arm nu onder klep verdwenen, ondanks zijn hevige gespartel. 'Probeer de poten, voor hij me uit elkaar trekt!'

Muzak liep om de vleugel heen, naar de andere kant, waardoor Tob hem niet meer kon zien, maar aan het geluid te horen was hij stevig aan het hakken. Het geluid van zich versplinterend hout bereikte Tob boven het andere tumult uit. De piano brulde opeens monsterlijk, en rukte als een bezetene aan Tobs arm. 'Auwauw!' gilde Tob het uit. Het leek of iemand met een dolk zijn schouder aan het doorzagen was. De vleugel steunde en kreunde. Aan de andere kant zakte hij plotseling door een van zijn poten.

Muzak slaakte een strijdkreet en liet zijn gezicht weer zien. 'Stopt hij al?'

'Nee. Au!' Ergens boven zijn elleboog probeerden de vleugelsnaren zijn aders af te klemmen. Tob kon absoluut niet voelen hoe zijn hand eraan toe was, alleen had hij een vaag vermoeden dat hij zijn vuist nog steeds gesloten hield. In de muren naast de vleugel ontstonden grote scheuren, en de eerste lijstjes kletterden op de grond, om daar in stukken uiteen te slaan. Muzak had het schuim op zijn lippen staan. Hij rende om de vleugel heen en begon naast Tob op de klep in te hakken. Splinters hout vlogen omhoog. Vlak naast Tobs voeten plofte een stuk steen uit het plafond neer. De ravage werd steeds groter en groter.

Muzak kapte en hakte als een gek. 'Volhouden, Tob!' Eindelijk had hij een gat in de klep geslagen. Woest ging hij verder, geen moment pauzerend. Tob kon nu weer een blik in de vleugel werpen, waar de snaren zich als spaghettislierten om zijn arm gewikkeld hadden. Zijn schouder was intussen al half in de vleugel getrokken. Zijn wang raakte de gladde en koude zijkant van de vleugel. Een hoge toon gierde door de kamer. Met een snelle haal slingerde zich een snaar naar buiten en wikkelde zich rond Tobs hals, om daar direct aan te trekken. 'Ahhh,' krijste Tob kort. Hij kreeg geen lucht meer, zijn strottenhoofd werd dichtgedrukt. 'Helf, helf,' bracht hij enkel nog uit.

Muzak zag wat er gebeurde. Met dubbele ijver hakte hij verder. Het gat was nu groot genoeg om met de bijl op de metalen snaren in te kunnen hakken. Gele vonken spetterden uit de vleugel naar het plafond.

Het enige wat Tob zag, waren sterren voor zijn gesloten ogen. Zijn blikveld werd een donkere koker, met daaromheen een zwarte en nietszeggende wereld. Hij hapte naar lucht, als een goudvis in zijn laatste stuiptrekkingen op het droge. Alleen de klappen van Muzaks bijl hoorde hij nog. Tik, tak, tik, tak. Het waren zijn laatste seconden die wegtikten. De spieren in zijn nek verlamden door de aanhoudende druk van de snaar. 'Volhouden,' gilde Muzak weer.

Tob was niet in staat meer iets terug te zeggen. Hij zag een engel voor zich, een witte engel. Een prachtige vrouw met vleugels, mooi en schitterend. Het was zijn moeder, precies zoals hij zich haar had voorgesteld. Ze stond aan het einde van een heldere tunnel, omgeven door een wit licht. Dáár wilde hij naartoe, dáár was het rustig en stil.

Zijn moeder riep iets. Het duurde even voor hij haar verstond, de woorden kabbelden zijn kant op. Haar stem was zacht, liefdevol en sereen. 'Nog niet, Tobias. Nog niet!'

Nog niet? Was zijn tijd nog niet gekomen? Het beeld van zijn moeder werd vager en verdween, evenals het licht waar ze in stond. De wanden van de tunnel werden nauwer, en hij werd teruggezogen naar waar hij vandaan was gekomen, door de koker naar buiten, als een baby die de baarmoeder tegen zijn zin verlaat. 'Mama,' riep hij nog, maar ze was weg.

'Hé ijslummel, trek eens even mee,' hoorde hij Muzak ineens roepen. 'Ik hoef toch niet alles alleen te doen?'

Verdwaasd keek hij rond, taxerend waar hij was. O ja, in de kamer van Xander Vlemitz. Met de fotootjes, en de vleugel en... Met een schok kwam hij uit zijn trance. De vleugel! Naast hem stond Muzak nog met de bijl op de vleugel in te beuken. De klep lag in gruzelementen op de grond. Een regen van gruis en steen viel nog steeds met bakken uit het plafond, maar de vleugel daarentegen was door twee van de drie poten gezakt en maakte nog slechts een reutelend geluid. Om Tobs hals hing een losse snaar, die hij met een ruk weghaalde en op de grond smeet. Alles werd langzaam weer helder. Zijn arm hing nog met gebalde vuist in de vleugel, en zodra hij dat merkte, haalde hij zijn arm terug. Hij was vrij! Rode striemen in zijn huid verraadden de plaatsen waar de snaren hem in een ijzeren greep hadden gehouden, en om zijn pols was de huid zelfs tot bloedens toe beschadigd. Maar hij kon zijn trillende hand weer voelen en bewegen. '*Cool* Muzak. Je hebt hem eronder gekregen.'

Muzak grijnsde. Zo kende hij Tob weer. 'Ik was even bang dat je erin zou blijven.'

Tob trok zijn vuist naar zich toe en wreef hem met zijn andere hand warm.

Muzak deelde een laatste klap op de snaren uit. Alsof de vleugel voelde dat de strijd gestreden was, zakte hij krakend door de laatste poot die nog overeind stond, galmde eenmaal zwak en deed er eindelijk het zwijgen toe.

'Laten we naar buiten gaan,' hijgde Muzak. Hij was, net als Tob, totaal met wit gruis bedekt. 'Die rotzooi blijft maar naar beneden komen.' Hij pakte Tob beet, trok hem de kamer uit, de gang door, en struikelde met hem de voortuin in. 'Ik ben grof helemaal gezonken, man!'

Tob opende zijn mond om iets terug te zeggen, maar er kwam geen geluid meer uit zijn keel.

Buiten regende het nog steeds. Het water spoelde hen een beetje schoon en trok kleine kanaaltjes over hun met kalk bestoven gezichten.

'Doe je hand eens open.' Muzak voelde intussen naar zijn discman en knikte tevreden. Die zat er nog. 'Misschien heb je de buit nog beet.'

Tob knipperde het vuil uit zijn ogen en hoestte. 'Laten we kijken.' Langzaam opende hij zijn verkrampte hand, en daar, midden in de palm, glinsterde onbeschadigd de vierde diamant. Van blijdschap maakte hij een sprong in de lucht. 'Eindelijk. We hebben ze compleet!' Meteen sloot hij zijn vuist weer. Daar was de diamant veilig.

In de grond onder hun voeten trilde iets, heel even. 'Wat was dat?' Muzak hield zich vast aan een dikke tak van een struik.

'Geen idee. Protesten misschien van de duistere macht?' Tob haalde zijn schouders op. 'We hébben alle diamanten gevonden, tenslotte.'

'Maar,' opperde Muzak,' wat we nog niet gevonden hebben, is het kruis. En zonder dat ding beginnen we niets. Kon die kluizenaar Xin, die de kracht zocht, ons maar helpen. Of kon je vader ons helpen. Maar ja, die is er met de ketting en het kruis vandoor gegaan, toch?'

'Ik weet het allemaal niet meer,' sprak Tob vermoeid.

Ze sjokten de voortuin uit naar de straat. Hun haren werden steeds natter, en het regenwater maakte witte vlekken in hun vuile kleren. Muzaks scooter stond er nog, glimmend van de regen.

'Heb je trouwens nog iets van je vader gehoord?' vroeg Muzak opeens.

Tobs gezicht betrok. 'Nee, geen sikkepit. Sinds die ene brief heeft hij zich stilgehouden. Daardoor hebben we geen enkele aanwijzing waar het kruis gebleven kan zijn.' Kortstondig bewonderde hij de diamant in zijn hand nog eens en borg hem veilig op.

'Oké, laten we even helder nadenken.' Muzak probeerde wat van het kleverige vuil van zijn kleren te vegen, maar het bleek al snel een zinloze onderneming. 'Zou je vader het kruis meegenomen hebben naar de stad?'

'Lijkt me wel,' redeneerde Tob. 'Anders had hij het wel thuis kunnen laten.'

'Maar stel dat het niet zo is. Wat dan?'

'Dan zal hij het ergens in Quillen verstopt hebben.' Tob spuugde enkele stukjes kalk uit die onder zijn tong waren blijven kleven. 'Bah! En dan,' vervolgde hij, 'is het de vraag waar in Quillen het kruis verstopt is. Patricia wil of kan me niet helpen, Pakdal heb ik al tijden in geen velden of wegen gezien, en mijn vader, de enige die het weet, is ondergedoken.'

'Waarvoor is hij ondergedoken, denk je?'

Tob fronste zijn wenkbrauwen en wreef over zijn gezicht. Hij had even bedenktijd nodig. 'Weet niet.'

Muzak knikte en zweeg. Onder de aanhoudende regen stapten ze op en reden stapvoets weg.

'Ik denk,' zei Tob opeens, 'dat hij iets ontdekte over Ovil, iets wat niet voor de rest van de wereld bestemd was. Hij heeft me nooit verteld wat hij precies bij Ovil deed. Financiën voor de burgemeester, zei hij alleen maar.'

Muzak snoot zijn neus op straat. 'Dikke vlaaien zeg! Dat stof zit overal in.'

Tob lachte, het taaltje van Muzak bleef hem verbazen.

Ze tuften door de natte straten, om uiteindelijk weer op het kerkplein uit te komen. Pal voor de kerk bleven ze staan. Vijf uur, het werd al een beetje donker. Het leek hen verstandig om niet meer bij de patatzaak van Louis binnen te gaan, om te voorkomen dat hun verschijning daar opschudding zou veroorzaken.

'Het lijkt me beter als we de randweg pakken,' zei Muzak. 'Ik durf niet meer door het doolhof.'

Tob wendde zijn ogen een ogenblik af. Hij zag weer dat zwarte angstige gezicht van de jongen in het raam voor zich. Zouden ze in staat zijn de mensen van Quillen te helpen? Was wat ze op het pleintje in het doolhof gezien hadden nog maar een voorproefje? 'Je hebt gelijk. Laten we over de ringweg gaan.' Hij veegde zijn snotterige neus af aan zijn mouw. 'Die pianoboeken haal ik later nog wel bij Louis op.'

Muzak gaf gas, en met hoge snelheid scheurden ze langs de zaak van Louis. Niemand leek acht op hen te slaan, daarvoor waren ze er te snel voorbij, hoewel Tob een moment het gevoel had dat ze door tientallen ogen werden nagestaard, ogen die hen niet allemaal even gunstig gezind waren.

'Ik heb nog eens nagedacht,' riep Muzak toen ze Tobs voortuin in reden. 'Die Latijnse spreuken zijn de enige aanwijzingen die we hebben. Wie ze ook mag bezorgen, het is iemand die ons wil helpen.'

Ze stopten op het pleintje voor de deur. Tob sprong van de scooter af. 'Of iemand die ons erin wil luizen.'

Muzak zette de scooter uit, bleef zitten en legde zijn onderarmen op het natte stuur. 'We moeten geen achtervolgingswaan krijgen. Laten we er morgen verder over praten. Ik verlang naar een warme douche en schone kleren. Mijn ouders zullen wel woest zijn.'

Tob grijnslachte. 'Dat kun jij tenminste nog zeggen.' Hij veegde zijn natte lokken naar achteren. 'Weet je wat? Komen jullie morgenochtend ontbijten?'

'Top de bop!' zei Muzak. 'Ik sein Mirte en Pien wel in. Tien uur?'

'Prima. En vergeet Maxxi niet,' knipoogde Tob.

'Tuurlijk.' Muzak deed zijn oordopjes in, zette de discman aan en startte de motor. 'Rolling Stones. Heb ik van Louis te leen gekregen.'

'Leuk?'

'Mwah,' oordeelde Muzak. 'Geef mij maar wat stevigers.' Hij gaf gas, en onder opspattende kiezels scheurde hij de oprijlaan af.

Tob draaide zich om. Hij was tot op het bot verkleumd. Nog voor hij kon aanbellen, ging de voordeur al open. Maria stond in de gang, helemaal geschokt door zijn verschijning. 'Maar Tob! Wat is er gebeurd? Je ziet eruit als een spook. Kom gauw binnen, *ragazzo*. O, wat een toestand. Trek je schoenen uit, en snel onder de douche. *Vite, vite.*' Ze sloeg haar handen voor haar mond.

Tob grijnsde schaapachtig en stapte de gang in, waar zich om hem heen al snel een plas melkachtig water vormde. 'De muziekles is een beetje uit de hand gelopen.' Hij voelde aan zijn pijnlijke nek. De striemen rond zijn pols waren gelukkig gestopt met bloeden, anders was Maria helemaal door het lint gegaan.

Vanuit de keuken kwam Heaven blij aangetrippeld. Hij sprong tegen Tob op en liet zich knorrend van genot over zijn kop aaien. 'Heb je goed op het huis en Maria gepast, Heaven?' Heaven gromde instemmend.

'Heb je gevochten?' vroeg Maria intussen ongerust. 'Met wie?'

'Met Mozart,' ontweek Tob spottend de vraag. 'En hij had een slecht humeur.'

Maria schudde haar hoofd en sloot de voordeur. '*Mamma mia, het is ongelooflijk.*'

Tob keek in de spiegel die in de gang hing. Allemachtig! Hij zag er werkelijk uit als een spook. De blauwe plekken stonden in zijn hals, het waren er meer dan hij verwacht had. De vleugel had hem op een haar na gewurgd. Muzak had hem zonder twijfel het leven gered. Hopelijk kon hij hem ooit terugbetalen, want hij stond bij hem in het krijt.

Hij richtte zijn aandacht weer op Maria, die hem met haar bezorgde ogen observeerde, en dacht weer aan de verschijning van zijn moeder aan het einde van de tunnel. Jammer, zo jammer, dat het een droombeeld was geweest.

De volgende ochtend was het buiten droog en tamelijk helder, maar guur. Tob zat in de grote keuken te smikkelen van een heerlijk ontbijt, samen met Pien, Mirte en Muzak. Maria had heel erg haar best gedaan. Er stonden pannenkoekjes, verse Italiaanse broodjes, krentenbolletjes, croissants, en allerlei soorten beleg, van worst tot zelfgemaakte marmelade.

Maria haalde de laatste broodjes uit de oven. 'En? Smaakt alles, *ragazzi*?'

'Heerlijk Maria,' gaven ze allemaal te kennen, en Maria glom van genoegen en trots. '*Grazie!* Jullie moeten nog goed groeien.'

Tob at een stukje van zijn croissant met gemberjam. Hij was blij dat ze weer met zijn allen bij elkaar waren. Lekkerbek Heaven stond uiteraard bij Maria te wachten op de restjes die zij zogenaamd per ongeluk steeds van het aanrecht liet vallen. Nu en dan blafte hij blij als hij de buit weer te pakken had.

Muzak en Tob hadden Pien en Mirte op de hoogte gebracht van wat er bij Vlemitz was gebeurd.

'Alles goed en wel,' zei Mirte. Ze had een kop thee voor zich staan met een boterhammetje Parmezaanse kaas. 'Maar wat moeten we nu verder?'

'Dat is juist het probleem,' zei Muzak. 'Dat weten we niet. We hoopten dat jullie een goed idee hadden.'

'Nee,' smakte Pien. 'Ook niet.'

'Kijk wat ik heb.' Tob haalde een briefje tevoorschijn. Hij had die nacht heerlijk geslapen, want hij was helemaal uitgeput geweest. Die ochtend had hij vreemd opgekeken zo snel alweer een nieuwe envelop op de deurmat te vinden. 'Dit lag vanmorgen in de gang. Dit is de boodschap van vanochtend: *Di omen avertant.*'

'En dat betekent?' vroeg Muzak.

'Mogen de goden het voorteken afwenden,' verklaarde Tob. 'Volgens Maria.'

'Is dat een waarschuwing?' Mirte rilde.

'Nee, ik denk eerder dat het een aanwijzing is, net zoals de andere spreuken. Iemand wil ons een bepaalde richting op hebben, maar alleen weet ik niet welke.'

'Kan hij dat niet gewoon komen zeggen dan?' merkte Pien nuchter op. 'Als ik Latijn wil leren, doe ik dat wel ergens anders, hoor!'

'Ik denk dat we er niet zomaar achter mogen komen. Het is een uitdaging, een opdracht voor ons.' Tob keek Pien even aan en stak zijn tong uit. 'Zo zijn de regels van het spel in Quillen.'

'*Si si,*' zei Maria ineens, iedereen verbazend omdat ze zich weer met hun discussie bemoeide. 'Jij moet het niet opgeven, Tob. Ik...' Ze bloosde. 'Niet opgeven. Meer mag ik niet zeggen.'

Er viel een ongemakkelijke stilte die alleen doorbroken werd door het zachte zoemen van de gasoven. Blozend begon Maria het aanrecht met een vaatdoek te poetsen. Tob keek naar zijn bord voor zich.

'Je hebt familie in het doolhof?' vroeg Muzak plotseling aan Maria.

Maria stopte met poetsen en draaide zich langzaam om. De vochtige doek die ze op het aanrecht had gelegd gleed van de rand en kletste op de grond. Tob verwachtte dat ze boos of bang zou zijn, maar in haar gezicht tekende zich een glimlach af. 'Jullie worden steeds sterker, merk ik. Je las mijn gedachten, hè?'

Muzak knikte. 'Het gaat vanzelf. Het is alsof ik op een leeg diascherm woorden zie verschijnen. Of ik voel aan in wat voor een stemming iemand verkeert.'

'Bijzonder. Heel bijzonder,' mompelde Maria. Met haar mouw veegde ze het zweet van haar voorhoofd en hervatte haar werk. Tob wierp verwonderde blikken naar Muzak, maar deze haalde slechts glimlachend zijn schouders op.

'Waarom vroeg je dat?' vroeg Mirte op gedempte toon aan Muzak. 'Dat was niet erg aardig.' Haar wipneusje stak in de lucht en ze gooide haar blonde krullen naar achteren. Boven haar wenkbrauwen verschenen die typische rimpeltjes die zo bij haar pasten als ze iets ingewikkeld vond.

'Het ontschoot me,' zei Muzak. 'Dat gebeurt wel meer.'

De voordeurbel galmde door het huis. Iedereen bleef zitten. Wie kon dat zijn op dit tijdstip? Weer ging de bel, drie keer, kort en ongeduldig.

'Maxxi is bang,' zei Mirte, maar Heaven was niet onder de indruk. Relaxt ging hij onder de keukentafel liggen met zijn kop rustend op zijn voorpoten.

'Ik ga opendoen,' zei Maria en droogde haar handen aan haar schort. 'Het is zeker Henk de postbode.'

'Werkt die op zondag?' vroeg Pien.

'Henk werkt altijd,' zei Tob. 'Volgens mij wóónt hij op het postkantoor.'

In de hal hoorden ze de stem van Maria. 'Ik weet niet of u zomaar mag binnenkomen. Heeft Tob u uitgenodigd?'

Een onduidelijke mannenstem zei iets terug. De voordeur klapte dicht. Voetstappen kwamen hun kant op.

Mirte ging verzitten. 'Heb jij iemand uitgenodigd, Tob?'

'Afgezien van jullie, niemand,' zei Tob verbaasd.

De stem was bij de keukendeur en sprak: 'Ik denk niet dat hij het een bezwaar vindt, Maria.'

De deur zwaaide open en een merkwaardige man verscheen op de drempel. Hij was gehuld in lompen, had lange haren en een lange baard. Zijn schoenen waren vuil en waren in jaren niet gepoetst. Op zijn hoofd prijkte een oude vilten hoed. 'Goedemorgen, jongelui.'

Tob dacht dat hij gek werd. Zijn lijf trilde. Hoorde hij het goed? Die stem... 'Theo? Papa?'

De man knikte. 'Wie dacht je dan?'

'Heilige Maria,' riep Maria uit en deinsde terug. 'Het is waar. Het is je vader!'

Tob sprong zo heftig op dat zijn knieën tegen de tafelrand knalden. De pijn voelde hij niet eens. Hij rende naar zijn vader, die nog maar nauwelijks veel groter was dan hij, en omhelsde hem. 'Wat ben ik blij je te zien!'

Zijn vader rook naar aftershave. 'Anders ik wel,' zei hij en klemde Tob op zijn beurt vast alsof hij hem nooit meer wilde loslaten. 'Het werd tijd dat ik langskwam.' Het duurde even voor ze elkaar loslieten, en de anderen keken sprakeloos toe.

'Ga zitten,' zei Tob en wees naar zijn stoel. Toen zijn vader ook aan tafel zat, pakte hij er een stoel bij en ging naast hem zitten. 'Ben je incognito? Waarom?'

'Ze mogen niet weten waar ik zit. Ik ben een gevaar.'

'Voor wie?' vroeg Tob.

'Alles goed met jullie, meiden en jongeman?' informeerde Theo.

Pas toen de anderen knikten, schraapte hij zijn keel en sprak verder. 'Je weet dat ik in Quillen ben gaan werken omdat ze mij nodig hadden, Tob?'

'Ik kan me de dag dat we hierheen verhuisden nog heel goed herinneren, ja,' zei Tob weinig enthousiast.

'De burgemeester heeft in het verleden veel geld geleend aan Ovil, en hij was bang dat hij daardoor in moeilijkheden zou komen of het niet terug zou krijgen. Om dat uit te zoeken heb ik in de zomer wekenlang bij Ovil de boekhouding uitgespit, en daarvoor moest ik laatst nog een keer terug. Ovil vond het wel best, want ik haalde meteen allerlei fouten voor hen uit de administratie. Ik werkte op de benedenverdieping van het kantoor, en ik mocht beslist niet naar boven. Toch zag ik de laatste keer, op zaterdag toen ik er net was, kans naar boven te glippen. Ik ontdekte dat daar niemand werkte. Het kantoor is een soort lege huls. Toen ben ik verder gaan zoeken. Ovil is geen echt bedrijf. Het is een verlengstuk van de kwade machten die hier in Quillen huizen. In de meeste grote steden, wereldwijd, hebben ze een afdeling. Ze zijn gespecialiseerd in infiltreren, bedriegen, het veroorzaken van rampen en andere ellende. Wat ze willen is de mensen ontevreden en bang maken, en uiteindelijk willen ze dat de wereld wordt vernietigd, en overgenomen door de duistere wereld, een wereld die jij en ik niet kennen, en liever niet willen leren kennen. Het is nog slechts een kwestie van dagen. Met de kerst zal Quillen als eerste verdoemd worden. De duivels komen onder ons en zullen van de aarde een vagevuur maken.' Hij pakte een glas en schonk zichzelf sinaasappelsap in. 'Ik werd betrapt bij Ovil en...'

'Kun je nu eindelijk thuisblijven?' onderbrak Tob zijn vader.

'In geen geval.' Theo nam een grote slok en keek naar Tobs nek en arm. 'Zo te zien heb jij al de nodige confrontaties gehad. Wees voorzichtig, want ze schrikken nergens voor terug.'

'Weet ik,' zei Tob moedig. 'Muzak heeft gisteren mijn leven gered. Maar ik heb álle hulp van mijn vrienden.'

Zijn vader krabde zich achter de oren. 'Ik heb het kruis meegenomen omdat ik bang was dat iemand het zou stelen. Op
het gemeentehuis kwam ik een paar keer de hoofdagent tegen.
Die beweerde dat er inbrekers in onze wijk waren gezien.'
Tob opende zijn mond om iets te zeggen. In Quillen werd nooit
ingebroken, dat wist bijna iedereen. Die agent had dat vast
met opzet gezegd. Dat de Quillense politie niet te vertrouwen
was, vermoedde hij al langer. Ze hoopten vast dat zijn vader
het kruis mee naar Ovil zou nemen.
Tobs vader was nog niet uitgesproken. 'Ik besefte toen ik vertrok niet dat het dom was om het mee te nemen...' Onder tafel
begon Heaven te janken. Tobs vader stopte abrupt met praten. Heaven ging op zijn achterpoten staan en sprong tegen
de benen van Tobs vader op.
Die kwam onmiddellijk uit zijn stoel overeind. Zijn mond-
hoeken trilden. 'Ik moet gaan. Ze mogen me niet vinden.' Hij
gaf Tob een snelle kus op zijn voorhoofd, groette Maria en
rende door de achterdeur het terras op, waar hij meteen om
de hoek van de deuropening verdween. De deur zwaaide met
een klap dicht.
'*Shit*!' Boos sloeg Tob met zijn vuist op tafel. De lepeltjes
rammelden in de kopjes. Hij hield een heel naar gevoel aan
het bezoek over. Natuurlijk was hij blij dat zijn vader gezond
was, maar waarom was hij ervandoor gestoven op het moment
dat hij eindelijk antwoord op Tobs vragen begon te geven?
Hij schoof zijn stoel weer terug en ging op zijn oude plek zitten, waar de warmte van zijn vader nog in de stoelzitting zat.
'Maxxi vindt het heel vervelend voor je,' troostte Mirte.
'Aardig dat ze zo meeleeft.' Tob had geen honger meer. 'Heeft
Maxxi toevallig ook nog een goed voorstel voor wat we moeten doen?'
Mirte keek naar een plek bij het fornuis, waar Maxxi kennelijk stond. 'Ze heeft een optie, maar dat wil ze nog niet zeggen.'

'Nog niet zeggen?' veerde Tob op. 'Wil je haar vriendelijk maar dringend verzoeken dat toch te doen?'

Mirtes ogen werden groter dan de spiegeleieren van Maria. 'Je gelooft toch niet dat Maxxi zich de waarheid laat voorschrijven?'

'Goed dan,' gaf Tob het zuchtend op. 'Hoe moeten we het aanpakken? Bij de duivel in de heuvels aanbellen en vragen of hij een heitje voor een karweitje heeft?'

'Even overleggen. Momentje,' zei Mirte en ging weer met Maxxi in gesprek. 'Wat? Ja, dat snap ik. Meen je dat nou? Ja, ik hoor je wel, je hoeft niet boos te worden, hoor!' Daarna wendde ze zich weer tot Tob. 'Ja!'

'Wat ja?'

'Maxxi zegt dat we inderdaad moeten aanbellen en vragen of hij iets voor ons te doen heeft.'

'Meen je dat nou?' piepte Pien. 'Moeten we naar de heuvels? Volgens mij is dat bizar!'

'Geintje van Maxxi,' giechelde Mirte verlegen. 'Maxxi zegt dat we geduld moeten hebben. We krijgen onverwachte hulp. En we moeten de spreuken niet vergeten.'

'Laten we gewoon proberen te doen wat Maxxi zegt en even afwachten,' stelde Muzak voor. 'En eerst rustig verder ontbijten, want ik lust best nog wel wat van al dat lekkers dat Maria heeft gemaakt.'

'Oké,' zeiden Mirte en Pien braaf.

Lusteloos stemde ook Tob met het voorstel in. Veel honger had hij niet, maar omdat het spreekwoord *zien eten, doet eten* bleek te kloppen, liet hij zich zelfs verleiden tot een verse boterham met kaas. Intussen had hij zijn gedachten bij de woorden van zijn vader. Ovil was dus een soort onheilsfabriek, en hoe meer ruzie de mensheid maakte, hoe gemakkelijker kwade krachten zich over de aarde konden verspreiden. En met kerst, wanneer het feest van de vrede gevierd werd, zou Quillen door het kwaad worden overspoeld.

Er werd aan de keukendeur gekrabbeld. Heaven was in de tuin! Tob veerde op. Hij had niet eens gemerkt dat Heaven met zijn vader mee naar buiten was geschoten. Heaven blafte hard en indringend, het klonk anders dan anders.

'Wat heeft hij nou?' vroeg Tob ongerust en rende naar de keukendeur om open te doen.

Heaven stond meteen bij zijn voeten met de tong uit zijn bek, keek Tob een ogenblik aan en sprintte weer de tuin in. Er was daar iets aan de hand. Zonder zich te bedenken rende Tob achter Heaven aan. De hond was de trap van het terras al afgestormd en stond midden op het gazon, niet ver van het houten tuinstel, naar de lucht te blaffen.

Tob begreep er niets van. 'Wat is er aan de hand, Heaven?' riep hij vanaf het terras.

Heaven ging tekeer of zijn leven ervan afhing. Boven zijn hoofd hoorde Tob plotseling een suizend geluid. Meteen daarna kreeg hij een venijnige klap tegen zijn achterhoofd, die onmiddellijk gevolgd werd door een tweede, die nog veel pijnlijker was. Het voelde alsof iemand met een houten hamer op zijn hoofd sloeg. Duizelig deed hij een stap naar voren en wankelde op de rand van het terras. Hij zwaaide met zijn armen, balancerend op de terrasrand. Iemand viel hem aan, maar wie? Hij keek over zijn schouder, en zag niets, behalve Muzak die verbaasd zijn hoofd om de hoek van de keukendeur stak.

'Kijk uit!' gilde Muzak opeens.

Tob voelde een nieuwe dreun, dit keer tegen zijn rug. Hij probeerde een stap terug te zetten, maar het was te laat. Zijn evenwicht verliezend stortte hij voorover naar het gazon. De wereld tolde en rolde.

Plat op zijn buik liggend, met zijn mond vol gras, kwam hij bij zijn positieven. Spugend draaide hij zich op zijn rug. Niet ver boven hem, in de donkere lucht, cirkelden twee zwarte vogels. 'Het zijn er twee!' schreeuwde hij. 'De vogels uit de heuvels!'

'Kom weer snel naar boven,' riep Muzak. 'Ze zijn waarschijnlijk op zoek naar je vader.'

Tob duwde zijn bovenlijf half overeind. Wazig schudde hij zijn hoofd. Zijn nek deed pijn. Nee, die rotbeesten hadden het op hém voorzien. Het was vast een waarschuwing om niet naar het kruis op zoek te gaan.

Een van de twee vogels bleef stil in de lucht hangen, de vleugels onbeweeglijk, alsof het dier lichter was dan de lucht zelf. Toen sloeg de vogel een keer met zijn vleugels en zette een duikvlucht in met een rechtstreekse koers naar Tob.

'Rennen Tob!' schreeuwde Muzak.

Langzaam krabbelde Tob overeind. Zijn hoofd bonkte. Waar moest hij heen? Daarheen! Zijn benen zetten het automatisch op een lopen, weg van het terras. Op de helft van de tuin bevond zich het gereedschapsschuurtje. Daar kon hij schuilen. Hij haalde vlug een hand over zijn achterhoofd. Er kleefde bloed aan zijn vingers.

'Niet daarheen, Tob! Dat is te ver,' schreeuwde Muzak nog achter hem, maar het was te laat om naar het huis om te keren. Het schuurtje was nog twintig meter verwijderd. Rennen nu, harder en harder! Heaven draafde blaffend met hem mee. Ineens voelde hij een klap op zijn hoofd. Hij gilde het uit van de pijn en de schrik. Klapwiekende vleugels sloegen langs zijn oren. Voor hij het wist knalde hij weer tegen het gras, half verdoofd, en rolde op zijn rug. Alles was vaag, onwerkelijk. Hij keek door een mist naar de voortjagende wolken boven hem. Zijn kleren waren nat en koud. Onder zijn vingers voelde hij het kriebelige gras. Kropen er wormen onder zijn handen? Hij knipperde met zijn ogen. De mist verdween, langzaam, heel langzaam. 'Watter vogels jerje?' brabbelde hij voor zich uit. Heaven likte aan zijn wang, ja, dat moest Heaven zijn. 'Shtill, mjaar, jongjen.' Het leek of hij dronken was, zijn tong was dik en traag. Hij knipperde opnieuw met zijn ogen. Eindelijk kreeg hij weer helder zicht. Met een bonzend hart keek hij naar boven. De lucht was grijsblauw, en tegen die achtergrond zag hij twee vogels hangen, slechts enkele tientallen meters precies boven hem, met de geopende klauwen in de aanslag. Ze hingen daar alsof iemand ze met een onzichtbaar touwtje aan de hemel bevestigd had. Alles gebeurde nu traag, als in een film. Exact tegelijk klapten de vogels hun vleugels in en lieten zich naar beneden storten, hun moordende klauwen uitgestoken naar Tob.

Hij probeerde zich te bewegen, maar zijn lijf weigerde. Geen spiertje reageerde op zijn pogingen om op te staan. Op het terras hoorde hij Pien iets naar hem gillen. Hij verstond het niet. Hij hapte naar adem. Dit was het dan. Hier stopte zijn leven. Zijn taak was niet volbracht, de strijd slechts half gestreden, maar hij had zijn best gedaan. 'Dag allemaal,' lispelde hij.

Precies naast elkaar daalden de vogels met toenemende snelheid op hem af. Hij kon hun stalen tanden in hun bek zien. Hij wilde zijn hoofd afwenden, maar ook weer niet. Gedurende zijn laatste seconden wilde hij zijn moordenaars in de ogen zien, dapper en moedig, niet bang voor zijn lot. Daar denderden ze op hem af, recht naar beneden. Ze zouden zijn hart uitrukken met hun klauwen, en zijn strot doorbijten met hun stalen snavels. Nog slechts enkele meters… Hij zette zich met zijn nagels schrap in het gras. Hij kon de vogels nu werkelijk recht in de ogen zien, die koude ogen, die geen enkele emotie verraadden, behalve meedogenloosheid. Daar kwam de onafwendbare inslag… Hij ademde in, zijn lijf verkrampte… Heilige goedheid!

Als een schicht joeg een grote tak vlak over zijn hoofd die met een vernietigende kracht tegen de neerstortende vogellijven zwiepte. Als stuurloze projectielen tolden de vogels zijwaarts. Hij hoorde hun kreunende karkassen tegen het gras slaan, en het geluid van brekende botten. Bijna tegelijk klonk het krijsen van beesten in doodsnood. Zwarte veren dwarrelden door de lucht.

'Hou vol!' riep Muzak, niet ver bij hem vandaan.

Ineens klonk er vogelgekras, en het ruisen van klapwiekende vleugels. Hij keek opzij. Vanaf het gras stegen twee verfomfaaide vogels op, zwart en verslagen – één met een geknakte vleugel – en kozen het luchtruim, fladderend als dronken kanaries. De monsters leefden dus nog. Ze vluchtten weg in de richting van de Zeven Heuvels.

Heaven gromde. Tob keek waar het geluid vandaan kwam. Bij zijn voeten stond Heaven met een dikke tak in zijn bek, die onmogelijk te dragen leek door zo'n kleine hond.

'Heaven, jij hebt me gered!' hakkelde Tob.

'Niet te veel ouwemutsen, rustig aan nu,' zei Muzak, die naar Tob toe was gerend en hem hielp hem om te gaan zitten.

Heaven liet de tak uit zijn bek glijden en Tob zou zweren dat hij grijnsde. De hond maakte een harkende beweging met een voorpoot, als een stier in de arena, draaide zich om en liep parmantig naar het terras.

'Alles nog heel?' informeerde Muzak bezorgd.

'Ik geloof van wel.' Tob stak een duim op naar de anderen, die vanaf het terras toekeken. 'Vandaag heeft mijn engelbewaarder me weer niet in de steek gelaten.' Hij knikte naar het wiebelende korte staartje van Heaven. 'En Heaven zeker niet.'

Muzak hielp hem op te staan. 'Als je zo doorgaat, blijft er niet veel van je over.'

Tob keek naar zijn grasgroen geworden kleren. 'Ach, je moet er wat voor over hebben.' Hij kon zelfs een glimlach opbrengen. 'We zijn duidelijk op het goede spoor, anders zou onze tegenstander niet zo veel moeite doen om mij uit de weg te ruimen.'

Een half uur later had Tob gedoucht en schone kleren aan gedaan. Redelijk ongeschonden zat hij weer aan de keukentafel. De meeste schade had zijn zelfvertrouwen opgelopen, want hij was veel kwetsbaarder gebleken dan hij verwacht had. Tegenover de anderen hield hij zich echter groot.

Mirte zat onrustig op haar stoel te schuifelen. 'Maxxi zegt dat we het hart niet moeten vergeten,' zei ze opeens.

Tob zuchtte. Dat ontbrak er nog maar aan. 'Daarstraks vond ze dat we moesten afwachten,' zei hij geërgerd. 'Waarom denkt ze er nu ineens anders over?'

Pien haalde haar schouders op. 'Er gaat iets gebeuren met dat hart.' Ze wipte van haar stoel en liep de keuken uit.

'*Mamma mia*,' riep Maria, die een taart aan het maken was. Van iedereen was zij nog het meest geschrokken van het gevecht met de vogels. 'Het is ook altijd wat hier.'

'Wacht,' riep Tob, maar Pien was al weg. Hij holde haar achterna de gang in. Bij de trap wachtte ze hem op. 'Ik heb het gezien, in een droom. Het hart heeft een bijzondere betekenis.'

Tob verbleekte. 'Wat dan?'

'Dat heb ik niet gezien,' antwoordde Pien. 'Zullen we naar boven gaan?' Mirte en Muzak stapten net over de keukendrempel.

Tob begreep wel dat Pien niet te stoppen was. Hij wenkte dat de anderen mee moesten komen.

'Hier, een dropje voor de schrik,' zei Pien tegen Tob toen hij als eerste de trap bereikte, en hield hem een dropje voor zijn bleke neus.

'Dank je.' Hij stak het in zijn mond. De zoete smaak kalmeerde hem. Met grote sprongen werkte hij zich omhoog naar de overloop. Daar was de trap naar de zolder al. De treden kraakten onder zijn voetstappen. Hij hield even in tot de anderen zich bij hem voegden.

Wat aarzelend stapte hij op de zolderoverloop en opende het deurtje naar de zolder op een kier.

'Sst. Luister,' zei Pien die meteen achter hem stond.

Iedereen stond stil en zweeg. Ze spitsten hun oren.

Tob hoorde Pien ademen en Muzaks buik knorren. Maar boven alles uit klonk het regelmatige bonzen van een hart, een hart in afwachting.

'Het hart klopt,' fluisterde Tob met een brok in zijn keel. 'Het hoort ons komen.' Heel voorzichtig, alsof hij de kamer van een slapende baby betrad, liep hij de zolder op. Het was er vrij donker. Stofwolken waaiden omhoog. Hij struikelde bijna over een voetenbankje. Achter hem kwamen Muzak en de meiden langzaam binnenschuifelen. Er hing een vreemde zinderende energie, en hij rook een wierookachtige geur. Gespannen als een veer naderde hij de kast. Het bonzen werd luider en het versnelde ook, alsof het hart hem voelde naderen. Voor de kast hield hij halt. Zijn eigen hart klopte intussen zo snel als een trein.

'Ik ben er,' siste hij.

Hij keek om, recht in de ogen van Pien, die Muzak en Mirte een hand had gegeven. Ze waren direct in zijn kielzog gebleven. 'Durf je te kijken?' vroeg Pien.

Hij knikte bedremmeld. Het was bij de kast nog donkerder dan op de rest van de zolder. Veel zouden ze niet zien van het hart. Hij wilde daar net iets over zeggen, toen er een wit licht langs de bovenkant van de la naar buiten scheen, dat snel in felheid won, en als een breed zwaard door de duisternis sneed. Hij deinsde terug en trapte Muzak op de tenen. 'Er komt licht uit de la!'

'Dat zien wij ook wel,' zei Muzak. 'Zal ik hem dan maar opentrekken?'

Tob schudde van nee. 'Dit is iets dat ik zelf moet doen.' Hij ging weer voor de kast staan en hurkte, om met twee handen de grepen van de la vast te kunnen pakken. De lichtbundel smeerde zich uit over zijn bovenarmen.

'Kijken dan maar?' Hij wisselde een blik met Pien. Ze knikte, haar ogen glansden en zeiden dat het goed was. Langzaam trok hij de la open. Het kloppen van het hart klonk luider. Een helder licht steeg op uit de la en zette de zolder in een goudgele gloed. Tob werd verblind, maar door zijn ogen toe te knijpen en tussen zijn wimperharen door in de la te kijken, kon hij zien dat het pulserende hart in de glazen doos de oorsprong van het licht was. Mirte en Pien hielden hun handen voor hun ogen, maar Muzak had zijn zonnebril ergens uit zijn zakken vandaan gehaald en op zijn neus gezet.

Aarzelend stak Tob zijn handen in de la om de glazen doos vast te pakken en het hart uit de la te tillen. Over de oppervlakte van het oplichtende hart liepen aderen als blauwgroene riviertjes in een landschap. Hoewel het in niets meer aan een normaal levend hart deed denken, straalde het een overweldigende levenslustigheid uit, alsof het ieder moment bij een mens naar binnen kon springen om zijn werk te doen. Tobs vingertoppen raakten het warme glas aan. Het licht scheen dwars door zijn handen heen. Hij kon de botten en bloedvaten zien zitten. Een vreemde trilling tintelde over zijn huid, en hij probeerde de doos van de bodem op te lichten.

'Wat doe je?' vroeg Muzak ongerust omdat het even duurde.

'Hij zit vast. Ik krijg hem niet los. Het is alsof hij zit vastgelijmd.'

'Nee,' stootte Pien een kreet uit.

Muzak en Tob keken om. Pien had een soort flauwte gekregen, en half bewusteloos had ze zich in Mirtes arm laten vallen. Mirte bezweek er bijna onder. Meteen sprong Muzak Mirte bij door een arm van Pien beet te pakken en haar te ondersteunen.

'Het is nog geen tijd,' mompelde Pien. Haar stem klonk vreemd laag, het was haar gewone stem niet. Tob pakte de doos nog steviger vast. Pien hield haar ogen gesloten, en in het licht was goed te zien hoe kleine spiertjes rond haar ogen en mond zenuwachtig bewogen. Haar lippen waren blauwpaars van kleur. 'Nog niet. Wachten...' kreunde ze. '*Semper, ubique et ab omnibus.*' Plotseling sloeg ze haar ogen open. Het was alsof ze in een andere wereld keek.

'Wat zie je?' vroeg Muzak.

Uit de la klonk heel kort een dof geroffel, als van een mitrailleur, en het licht doofde. Net op tijd trok Tob zijn handen terug, vlak voordat de la met een klap werd dichtgezogen. Beduusd keek hij naar zijn handen, waar wonderwel nog alle vingers aan zaten. Boven zijn hoofd bewoog iets. Het trok onontkoombaar zijn aandacht. Hoog in de nok van de zoldering zweefde een vage witte figuur, die naar hem wuifde en door het dak verdween. Toen was alles stil op zolder. Gebiologeerd staarde hij naar de plek waar de witte gedaante de zolder verlaten had.

'Waar… ben ik?' kreunde Pien. Het klonk weer gewoon als Pien. Ze had haar ogen dicht. 'Waar ben ik?'

Buiten verdween de zon achter een pak dikke regenwolken. De volle schemering van de zolder viel nu over hen heen.

'Je bent hier bij ons,' stelde Tob haar gerust.

Ze deed haar ogen open en glimlachte. 'Ik was in een prachtige wereld.'

'Waar dan?' Mirte durfde Pien weer los te laten.

'Er was geen beeld. Alleen maar gevoel en ervaring, maar geen pijn en verdriet.' Pien ging op haar eigen benen staan en gebaarde dat ook Muzak haar kon loslaten. 'Het was fantastisch.'

'De hemel? Was het de hemel?' vroeg Mirte.

'Nee, nou ja… het was iets goddelijks.' Pien knipperde met haar ogen en bevochtigde met het puntje van haar tong haar droge lippen.

'Laten we naar beneden gaan,' zei Tob, verward door wat er gebeurd was. Zijn knieën deden pijn van het hurken en zijn rug voelde aan als een plank. Peinzend stond hij op en bleef bij de kast staan, terwijl Muzak en de meiden de zolder al af gingen.

'Kom je mee?' vroeg Muzak bij de deur.

'Ik kom,' zei hij en keek met enige spijt naar de la. Het hart klopte niet meer, het licht was weg. Zou het hart iets met de goddelijke kracht te maken hebben die Pien ervaren had?

Hij wreef zijn knieën en liep vervolgens tussen de meubelstukken door naar een van de dakkapellen, waar hij naar bui-

ten kon kijken. De koude lucht hield de belofte van naderende sneeuw in. De Zeven Heuvels in de verte waren verdwenen in een dikke mist.

Hij strekte zijn lijf, bewoog zijn schouders om de stijfheid in
zijn rug kwijt te raken en verliet de zolder, om zelf ook naar
beneden te gaan.

In de keuken zaten de anderen aan de keukentafel. Maria was
erbij komen zitten.

'Ach, daar is Tob ook. Kom zitten, jongen. Kom zitten,' riep
ze.

'Waar bleef je nou?' vroeg Pien.

'Ik heb even nagedacht,' verontschuldigde hij zich. 'Ik wilde
even alleen zijn.'

'Kom erbij. Als half weeskind ben je vaak genoeg alleen,' zei
Muzak olijk. 'En intussen hebben wij ook nagedacht. Weet je
wat die Latijnse spreuk van Pien betekende?'

'*Semper, ubique et ab omnibus*?' Tob wist het nog, zoals hij
ook de andere spreuken nog precies kende.

'Altijd, overal en door allen,' zei Muzak.

'*Si si*,' bevestigde Maria. 'Dat zongen ze vroeger in de kerk,
toen Maria nog een kleine meisje was.'

'Werkelijk?' Tob pakte ook een stoel. 'Dat je dat nog weet.'

'Zoiets vergeet je nooit,' zei Maria. 'Je geloof vergeet je nooit,
zelfs als je niet meer gelooft.'

'O,' zei Tob alleen maar, want helemaal snappen deed hij het
niet.

'Pien heeft nóg iets gezien in haar visoen. Een aanwijzing,'
zei Muzak met rode konen. 'Ja toch? Dat zei je toch?' Hij
stootte Pien aan.

'Ik zag een spreuk.' Pien had Heaven op schoot liggen, die
zich spinnend als een kater liet aaien. '*Serius aut citius sedem
properamus ad unam.*'

'Vroeger of later, allemaal haasten wij ons naar dezelfde plaats,' vertaalde Maria zonder blikken of blozen.

'Is het niet geweldig?' vroeg Mirte.

'Wat?' vroeg Tob sullig. 'Wat bedoel je?'

'De aanwijzing, rookworst!' zei Muzak. 'Naar welke plaats haasten Quillenaren zich iedere week een keer? Denk aan de aanwijzingen. In welke taal zijn ze?'

'Latijn,' hakkelde Tob. 'Dat weet ik ook wel.' Hij keek op. Buiten beierden de klokken van de kerk, om de mensen uit Quillen voor de zondagse mis aan te roepen. Eindelijk kreeg hij het door. 'De kerk?'

'Precies,' riep Muzak uit. 'Ben jij wel eens in de kerk geweest?'

'Begin jij nou ook al?' protesteerde Tob. 'Waarom zou ik? Ik geloof niet in…'

'Nee, dat bedoel ik niet. Ben je al eens in het kerkgebouw geweest?' legde Muzak uit.

'Wij geen van allen,' zei Mirte. 'Daar moeten we dus heen. Vandaag nog.'

'Vandaag nog?' Tob fronste zijn voorhoofd. 'Die spreuk is een aanwijzing om naar de kerk te gaan, denken jullie?'

Pien knikte uitbundig. 'We wachten tot de mis is afgelopen, en dan gaan we er een kijkje nemen. Er moet daar een volgende aanwijzing zijn.'

Tob zoog lucht langs zijn voortanden naar binnen. Al sinds hij in Quillen was komen wonen had de pastoor regelmatig zijn gezicht laten zien als hij op het kerkplein was. Dat kon toeval zijn, maar voor hetzelfde geld… had de pastoor er een bedoeling mee. 'Komt de pastoor uit Quillen? Maria, weet jij dat?'

Maria bloosde en zwaaide met haar handen door de lucht. 'Ik ga strijken, Tob, ik moet werken. Ik zeg niets meer.' Ze stond op. Haar ogen stonden hol en bang. 'Tot de volgende keer, *ragazzi*.' Ze deed haar schort af, hing het aan een haakje aan de muur en ging de keuken uit.

'Zei ik iets verkeerds?' Tob krabde zich achter zijn oren. Hé, er was daar een bultje bijgekomen. De laatste nacht had hij weer veel last van die rare jeuk gehad. Hij stond op om de benen te strekken en rekte zich ongegeneerd uit.

'Wat is dat?'

Pien zei het met zoveel bezorgdheid dat hij als een wassen beeld bleef staan. Ze wees naar zijn buik, die tot aan de navel te zien was. Hij hield zijn adem in en trok zijn shirt verder omhoog. Vlak onder zijn navel zat een rare donkere plek die hem niet eerder was opgevallen, en ineens realiseerde hij zich dat zijn zwarte nagel er ook nog steeds was. 'Een plek,' constateerde hij dommig en duwde er met zijn wijsvinger op. Het deed geen pijn, maar de huid voelde ruw aan.

'Mag ik?' Pien wilde het ook eens voelen. 'Heb je je gestoten? Ik heb wel eens een slang vastgehad. Dat voelde precies hetzelfde.'

Plotseling werd Tob vreselijk ongerust. 'Het is een soort eczeem, denk ik. Al dat gedoe bezorgt me een hoop stress.'

Mirte stootte een gilletje uit en deinsde terug. 'Getver. Het ziet er wel eng uit, zeg. Moet je daarmee niet naar de dokter?'

'Laatst keek ik in de spiegel, en het was alsof ik mezelf met vreemde ogen aankeek.' Moedeloos liet Tob zich op zijn stoel zakken. 'Als ik niet langer tegen de spanning kan, ziet het er niet best uit.' Hij kreeg een brok in zijn keel.

'Dan ziet het er voor ons allemaal niet best uit.' Muzak vouwde de krant open die op tafel lag. 'Moet je zien wat een puinhoop het in de wereld is.'

'De dag des oordeels komt,' mompelde Tob. 'De dag dat de duivel op aarde komt, en wij allemaal verantwoording aan God moeten afleggen. Maar dan is het te laat.'

Ze waren er allemaal stil van. Ondanks het feit dat ze geen van allen erg gelovig waren, beseften ze dat Tob niet ver bij de waarheid vandaan zat.

Het was enkele minuten na tweeën. De regenwolken hadden plaatsgemaakt voor een waterige zon. De laatste gelovige verliet de kerk.

'Dat was een behoorlijk lange mis,' zei Muzak en keek nog eens naar de klok. Ze stonden al een half uur op het kerkplein te wachten tot de mis afgelopen was. 'Heftig lang.'

'Volgens mij bidden ze niet voor niets zo veel,' zei Mirte veelbetekenend. 'Maxxi zegt dat ze het doen om het kwaad te bezweren.'

'Zonder veel succes dan.' Tob draaide zich op de bal van zijn voet rond, zodat hij het hele plein in ogenschouw kon nemen. Terwijl het er enkele minuten geleden nog zwart van de uitzwermende mensen had gezien, was het er nu uitgestorven. Alle Quillenaren waren als bange konijnen weer zo snel mogelijk van de kerk naar hun huizen teruggegaan. Alleen een paar jongelui waren lachend om de hoek verdwenen om een patatje bij Louis te gaan halen. Tob rook de frituurlucht.

De haan op de kerkspits draaide dan weer naar links, dan weer naar rechts. Het weer was onbestendig.

'Wie hebben we daar, op deze aangename zondagmiddag? Mirte, Pien, Muzak en Tob.'

Geschrokken keerden ze zich om. Daar stond meneer Black. Hij sprak hun namen heel precies uit, zonder ook maar één letter te missen. 'Hoe gaat het met jullie?' Hij droeg een donker trainingspak, waarvan het jasje een stuk open was geritst, zodat ze het bezwete zwarte T-shirt eronder konden zien. Zijn kale hoofd glom en de zwarte ogen onder de borstelige wenkbrauwen keken hen dreigend aan.

'Goed, dank u wel,' zei Mirte op pittige toon, terwijl de rest er maar zo'n beetje bij stond. 'We zijn de kerk aan het bewonderen.'

Black streek over zijn ongeschoren kin. '*The four of you… Admiring our little church?*' zei hij sarcastisch. 'Wat een culturele interesse voor een stel eenvoudige tieners.'

Tob vond dat hij Mirte te hulp moest komen. 'We willen een presentatie over de geschiedenis van Quillen houden. Voor de geschiedenisles op school,' zoog hij uit zijn duim.

Black haalde zijn schouders op en trok een geringschattend gezicht. 'Geschiedenis is wat voorbij is. Wie heeft daar nu iets aan?' Hij liet zijn tong langzaam over zijn boventanden glijden. 'De toekomst is wat telt, nietwaar?'

Tob probeerde Blacks bedoelingen in te schatten. Het leek verre van toevallig dat hij nu ten tonele verscheen. Black op zijn beurt was bezig hen te taxeren.

'We willen een kijkje in de kerk nemen. Om het interieur te bewonderen,' zei Tob.

'Niks bijzonders, die kerk, Tob,' zei Black. 'Ik ben jaren geleden één keer geweest, en dat was genoeg voor de rest van mijn leven. Maar goed. Er leven veel godvruchtige mensen in Quillen.' Hij zuchtte met een vals glimlachje. 'Het zal wel nodig zijn.'

Tob had weinig zin om nog langer met Black te praten, maar tegelijk werd hij steeds nieuwsgieriger naar de reden van Blacks aanwezigheid. 'U was hier aan het joggen?'

Black wreef met zijn middelvinger langs zijn neus. 'Min of meer, ja. Ik ben een tijd geleden iets kwijtgeraakt, dus daar zoek ik soms nog met hart… en ziel naar. Een zinloze onderneming, vrees ik. Jullie hebben het toevallig niet gevonden?' Het woord *hart* sprak hij met bijzondere nadruk uit.

'Wát gevonden?' Tob liet zich niet uit zijn tent lokken. Vermoedde Black tóch dat zij hem in de wielen gereden hadden?

'Niets bijzonders. Laat maar,' zei Black. Hij tikte met de punt van zijn schoen een paar keer tegen de straatstenen en jogde weg. 'Fijne dag, jongelui!' Daar verdween hij al om de hoek.

'Kom op, we gaan in de kerk kijken,' zei Muzak. 'Gruizige kerel, die Black.' Hij liep naar de ingang, en de anderen volgden. Ze moesten een klein trapje bestijgen om op een stoepje te komen dat aansloot op de grote houten toegangsdeuren.

Aan de muur hing het mededelingenbord van de parochie. *'Komende week geen herdenkingsmissen,'* las Muzak.

'Wat herdenken ze dan?' vroeg Pien zich af, die weer dropjes stond uit te delen.

'Meestal worden doden herdacht,' smakte Muzak. 'Toch?'

Tob had geen geduld voor gefilosofeer. Hij duwde tegen een van de zware deuren. De scharnieren kraakten, en hij moest flink aanzetten om er beweging in te krijgen. 'Het lijkt me een beter idee om eens wat te gaan doen.'

Gezamenlijk wrongen ze zich langs de deur die hen plat leek te willen persen tegen zijn sponningen, en arriveerden in een voorportaal. Beduusd staarden ze naar drie kleine houten deuren met gietijzeren ringen als klink. Het was er zo donker dat ze elkaar nauwelijks konden zien.

'Welke van de drie?' vroeg Pien.

'Maxxi zegt dat het niet uitmaakt,' zei Mirte.

'Is ze hier al eens geweest?' Tob keek naar de plek waar Maxxi zich zou moeten bevinden, omdat Mirte een gebaar in die richting maakte.

'Ja, toevallig wel,' zei Mirte hooghartig. 'Maxxi heeft meer gezien van Quillen dan wie ook.'

'Interessant.' Tob zette zijn handen tegen de deur en duwde. Met een ijselijk gepiep ging de deur open.

'O hemel!' gooide Pien er in verwondering uit.

Voor hen ontvouwde zich een kerkinterieur dat ze zich nooit hadden kunnen voorstellen, zo mooi en overdadig was het. Meneer Black was gek geweest om te zeggen dat het niets bijzonders was. De kerk werd links en rechts van het midden gestut door rijen granieten pilaren die zich uitstrekten naar het gewelfde stenen plafond, waarop bijbelse voorstellingen tot in detail waren geschilderd. Kunstig bewerkte notenhouten banken strekten zich in rijen uit naar het altaar in de verte, vooraan in de kerk, een altaar waarvan de pracht en praal hen tegemoet blonk. Aan de kerkmuren en pilaren hingen beelden van heiligen. Een diffuus onaards licht verspreidde zich door de vensters. Nu ze binnen waren konden ze de schitterende glas-in-loodramen in hun volle glorie bewonderen.

Ze liepen tot halverwege het middenschip en draaiden zich om. Achter hen rees boven het balkon een groots kerkorgel op, dat zijn pijpen trots de hemel in stak. In de marmeren balustrade waren tientallen cherubijntjes uitgehouwen.

Als vanzelf begonnen ze te fluisteren. 'Wat is het mooi hier,' zei Mirte. De zachte echo van haar stem kaatste van de gewelven terug.

Tob staarde naar de muren aan de zijkant. Aan de ene kant was de kruistocht van Jezus in een serie schilderijen uitgebeeld, en aan de andere kant prijkten voorstellingen van heiligen. Hij stootte Muzak aan en liep met hem tussen de banken door naar de zijmuur. Mirte en Pien bleven met open mond staan kijken naar het orgel dat met goud was versierd.

'Engelen,' wees Muzak naar het eerste schilderij.

'*Michaël*,' zei Tob, het onderschrift oplezend. 'Een aartsengel.'

'*Gabriël*,' fluisterde Muzak bij de volgende.

'Ook een aartsengel,' sprak opeens iemand naast hen. 'De engel van aankondiging, opstanding, genade en dood.'

Verbaasd keken ze opzij. Met zijn handen voor zich gevouwen stond daar de pastoor. Zijn witte boord oogde streng en verantwoordelijk, maar zijn gezicht was daarentegen vriendelijk en toegevend. 'Kan ik jullie helpen?'

Met een snelle blik zag Tob dat Mirte en Pien vanuit hun positie de pastoor ook gezien hadden. Zouden ze zich net zoals hij betrapt voelen? Hij schraapte zijn keel. 'Wij willen een scriptie maken over de kerk.'

Muzak stond met zijn mond vol tanden. Onbeholpen prutste hij aan een knopje van zijn discman.

De pastoor maakte een nauwelijks merkbare buiging en glimlachte. 'Over de kerk? Wat een eer.' Ze konden hem horen inademen. 'Deze kerk,' vervolgde hij, 'is een bijzondere kerk. Een kerk met een bijzondere geschiedenis.' Zijn lippen bewogen langzaam, alsof ze geen gelijke tred met zijn stem hielden. 'Het is een kerk die bescherming en hoop biedt. Net als Gabriël, de engel die zielen van overledenen naar hun bestemming leidt. Alleen soms, heel soms...'

Tob luisterde ademloos toe, en de aarzeling van de pastoor maakte hem nieuwsgierig, vooral omdat het er niet naar uitzag dat de pastoor zijn zin wilde afmaken. 'Wat wilde u zeggen?'

De pastoor ontvouwde zijn handen, liet ze een moment doelloos voor zijn schoot hangen en sloeg ze weer ineen. 'In Quillen hebben andere machten het voor het zeggen. Hier heeft Gabriël zijn terrein verloren. Ik vrees voor wat komen gaat, Tob.'

Tob schrok. 'Hoe weet u hoe ik heet?'

'Ik weet het. Dat is genoeg. Ik weet wat je lot is, nog beter dan jijzelf.'

Tob deed een stap terug om de pastoor beter te kunnen opnemen. 'Wat bedoelt u daarmee? Ben ik iemand die zelf niet weet wie hij is?'

'Patricia heeft je toch wel iets verteld?'

'Patricia? Waar kent u die nou weer...'

'Sst.' De pastoor boog voorover en greep plotseling een van Tobs handen. 'Kijken jullie rustig rond. Ik moet weg, naar een van mijn parochianen. Moge Gabriël met je zijn, Tob, en met je vrienden.' Hij liet Tobs handen weer los, knikte minzaam en liep langs Pien en Mirte in de richting van de uitgang. Een tel later piepten de deuren, en de pastoor was verdwenen.

Opgewonden kwamen Mirte en Pien naar hen toe. 'Wat zei hij?' vroeg Pien. 'Wat zei hij?'

'Iets over de engel Gabriël, en over dat die hier zijn strijd tegen de duivel niet kan voeren of zoiets,' vatte Muzak samen. 'Dat zal de grote DJ boven niet leuk vinden.'

'Wie bedoel je?' Tob snapte er geen snars van.

'God bedoel ik, natuurlijk,' verklaarde Muzak grijnzend. 'Grapje!' Hij klakte luid met zijn tong, luisterde geamuseerd naar de echo en zei: 'Ik wil eens vooraan bij het altaar kijken.'

Op hun tenen liepen ze terug naar het middenschip, om van daaruit naar het altaar te gaan. Onderweg passeerden ze grafstenen in de vloer. Ze slalomden eromheen, omdat ze uit een soort eerbied er niet overheen wilden lopen. Een van de stenen had een blauwachtige kleur. 'Wat een typische kleur,' merkte Pien meteen op.

'Blauw als de avondlucht,' zei Tob. Terwijl de andere grafstenen rijkelijk van versieringen en tekst waren voorzien, zag deze steen er juist sober uit. Er stond enkel een afbeelding van een engel op, met slechts een regel tekst eronder: *Mater semper certa.*

'Wat wil dat zeggen?' vroeg Mirte.

'Was Maria er nu maar,' verzuchtte Pien. 'Die zou er wel raad mee weten.'

'*Mater* is moeder,' raadde Tob. Daar waren de anderen ook vrij zeker van, maar de rest was hen een raadsel.

Tob staarde een tijdje naar de spreuk, liet de steen toen voor wat hij was en liep achter de rest aan naar het altaar toe.

Op een stenen verhoging stond het goudomrande marmeren altaar, omringd door hoge kandelaars met brandende kaarsen erin. Achter het altaar verrees een puur gouden wand van ornamenten en iconen met een klein kastje in het midden, en daarboven een opvallend zilveren beeld van Christus aan het kruis. Onder de indruk bleven ze vlak voor het altaar staan, alsof er een onzichtbare grens lag waar ze niet overheen mochten. Opnieuw rook Tob een sterke wierookgeur.

'Moet je zien,' wees Pien naar de wand. 'Wat een glitter!' Rijen waxinelichtjes in kleine kristallen houdertjes twinkelden achter het altaar op de vloer en weerspiegelden in het goud. 'Een tabernakel, noemen ze zo'n kastje. Daar bewaren ze hosties in en zo.'

'Ja,' verzuchtte Muzak. Zijn stem klonk hees. 'Gabriëls naam betekent de macht van God, zijn kleuren zijn zilver en glanzend licht, zilver brengt geluk…' Wat hij verder mompelde was onverstaanbaar. Onverwacht verslikte hij zich in zijn eigen speeksel. Hij hikte een paar keer, en wist met een steeds roder wordend hoofd een hoestbui binnen te houden.

'Hoe kom je daar nou bij, dat gezwam over Gabriël?' Tob klopte Muzak op de rug. 'Dácht de pastoor dat toen we met hem spraken?'

'Ja,' zei Muzak, eindelijk weer bij stem, maar nog naar adem happend. 'Ik kon zijn gedachten lezen. Hij wilde het ons nog zeggen, maar liep weg. Hij was bang, misschien.'

'Merkwaardig,' vond Tob. 'Hij had het steeds maar over die Gabriël.'

'Jullie kunnen mij nog meer vertellen, maar ik loop langs het altaar, hoor,' zei Pien met een ongeduldige ondertoon. 'Gabriël of geen Gabriël.' Ze bracht haar voornemen meteen ten uitvoer, en een paar tellen later stond ze voor de gouden wand met het kastje en keek hen parmantig aan. 'Staat mijn haar mooi bij al dat goud?' vroeg ze grinnikend.

'Ja,' zei Tob kortaf. Hij was niet zo in de stemming voor grapjes en vond het een beetje oneerbiedig wat Pien daar uitvoerde. Ze leunde tegen een hoogpotige gouden kandelaar met scherpe punten die het zonder kaarsen moest stellen. Het leek wel op de grote vork van een reus.

Hij piekerde intussen over wat de pastoor hen had willen zeggen. Zat er een boodschap in verborgen? Gabriël, de engel van zilver en glanzend licht…? Geleid door een hogere macht werd zijn blik naar het zilveren kruis van Christus getrokken. Nadenken, Tob, nadenken! Oké: de kerk was een plaats waar het kwaad niet kon komen. Hier heersten de wetten en macht van God. Als zijn vader het jaden kruis ergens veilig had willen opbergen, zou het hier zijn. En stel dat zijn vader de pastoor kende, dan… Hij balde zijn vuisten, duwde Muzak die naast hem stond opzij en liep om het altaar heen naar Pien. De ontelbare kaarsvlammetjes rond het altaar wapperden door de tocht die hij veroorzaakte. Eenmaal bij Pien keek hij omhoog naar het kruisbeeld boven haar hoofd. Vanaf de grond zou hij er nooit bij kunnen.

'Wat ben je van plan?' keek Pien hem verbaasd aan.

'Maak eens een opstapje met je handen,' commandeerde Tob. Pien gehoorzaamde verbouwereerd. 'Zo goed?'

'Dank je,' zei hij een beetje aardiger en zette een schoen in de samengestoken handen van Pien. Een, twee, hij zette zich af, leunde op Piens schouders en stond een meter boven de grond in haar handen. Verdikkeme, nu kon hij er nóg niet bij.

'Ben je voorzichtig?' vroeg Mirte vanaf de andere kant van het altaar.

'Denk liever aan mij,' kreunde Pien. 'Ik ben degene die het meest lijdt.'

'Sorry, maar mag ik op je schouders staan?' vroeg Tob.

'Welja, veeg je schoenen helemaal aan mijn kleren af,' mokte Pien.

Tob toverde een glimlachje tevoorschijn, dat kon er net af, want hij voelde zich misselijk van de spanning. Wankelend zette hij een voet op de ene schouder van Pien, balanceerde een moment, en trok zijn andere voet bij. Nu kon hij bij het beeld komen. Met betraande ogen keek Jezus hem aan. De doornen kroon drukte diep in zijn hoofdhuid, en zijn met spijkers doorboorde handen en voeten vertoonden diepe wonden. Tob sloeg zijn ogen een moment neer, maar toen vermande hij zich en voelde aan het beeld, dat minstens een meter hoog was. Het edelmetaal was glad en koud. De hoeken van het kruis waren afgerond. Wacht eens! Helemaal onderaan voelde hij een uitstulping.

'Wat doe je daar nou?' zeurde Muzak. 'Kom nou maar weer terug.'

'Wacht even,' zei Tob, voelde aan de uitstulping en duwde

ertegen. Raak! Met een duidelijke hoorbare klik schoot er achter in het kruisbeeld, ter hoogte van de Christusvoeten, een
luikje open. Tobs bevende vingers vonden een kier en trokken het luikje verder open, om op de tast in de holle achterkant van het beeld te zoeken. Eerst voelde Tob niks, toen kralen, een hoekige structuur, en een... kruis! Met een onstui-
mige beweging trok hij het voorwerp tevoorschijn en verloor
bijna zijn evenwicht.

'Au!' riep Pien uit. 'Je doet me pijn.'

Tob hoorde het niet eens. Aan zijn hand slingerde – hoe ongelooflijk – het jaden kruis aan de jaden ketting. Midden in het
kruis prijkte de diamant die er al ingezeten had. Tob duizelde van blijdschap. 'Ik heb het gevonden. Ik heb het gevonden!' riep hij uit. 'Hoera!'

'Hoera, hoera, oera...' juichte de echo in de kerk mee.

Pien keek moeizaam naar boven. 'Fantastisch!'

Tob zou het liefst gaan dansen. Opgewonden liet hij een voet
zachtjes in het kommetje van Piens handen zakken en klom
van haar schouders af. Een sprong, en hij stond weer op de
grond.

Pien kreunde onder zijn gewicht. 'Rustig aan, zeg!'

'Ik heb het. Ik heb het!' Blij hield hij het kruis voor Piens
ogen. 'Is het niet geweldig!'

Mirte en Muzak stonden net zo te glunderen als Tob. 'Yes!'
riep Muzak. 'We hebben de kracht van Xin.'

'Precies,' zei Tob. 'We hebben eindelijk de kracht van Xin
veroverd.' Hijgend bleef hij staan en liet het kruis zachtjes in
de lucht aan de ketting heen en weer slingeren, zodat Muzak
en Mirte het goed konden zien. Zelfs tegen de spiegeling van
de vele kaarsen in leek het een groenig licht uit te stralen. 'We
gaan naar huis,' zei Tob op een goed moment.

'Flex idee,' zei Muzak. 'Ik denk dat we dat ding zo snel mogelijk moeten opbergen. Eerst natuurlijk de diamanten ermee
samenbrengen.' Hij grijnsde. 'Moeten we daarvoor soms een

recept voor een drankje bij Patricia gaan halen?'

'Lijkt me niet,' lachte Tob en trok zijn arm in, voorzichtig en langzaam, omdat hij het kruis niet uit zijn handen wilde laten schieten. Plotseling dreunde er iets in zijn rug. Het voelde alsof iemand hem met een knuppel mepte, en hij merkte hoe de ketting uit zijn hand getrokken werd. Hij krijste het uit. Mirte en Pien gilden, en hun stemmen vermengden zich met de andere echo's tot een angstaanjagend kerkkoor. Terwijl de pijn wegtrok en Tob begon te beseffen dat hij door de kracht van de slag op de grond terechtgekomen was, stierf het geluid weg. Het eerste wat hij weer bewust zag was het verbijsterde gezicht van Muzak achter het altaar. Muzak hief zijn hand op. 'Pas op!'

Tob keek naast zich en zag een paar zwarte schoenen staan. Hij krabbelde een meter weg en keek omhoog. Glorieus, met een smalende lach en stralend in zijn glanzende zwarte pak, stond daar meneer Black. In zijn hand hield hij het kruis met de ketting. 'Bedankt Tob,' zei hij met zijn doordringende nasale stem die bij het noemen van Tobs naam oversloeg. 'Ik wist wel dat je me vroeg of laat naar het kruis zou brengen. Als iemand het kon, was jij het.'

'Geef terug. Het is niet van u,' schreeuwde Tob. Zijn hersens stoomden van woede en schrik. 'Het is van mij!'

Black liet het kruis en de ketting in zijn andere hand zakken en verborg ze in zijn vuist. 'Hiermee kan ik de wereld veroveren. Ik zal het goed met je maken. Ik zal je een geheimpje verklappen als je de andere diamanten aan mij geeft.'

Tob werkte zich op zijn hurken, en bleef daar stil zitten, als een kikker die tegen een dreigende ooievaar opkijkt. 'Wat voor geheim?'

'Over je afkomst. Je hebt toch nóg wat van me? Een hart, bijvoorbeeld, eigenwijze bemoeial.' Blacks wenkbrauwen fronsten zich zo ver dat zijn neus ervan rimpelde.

'Hoe wist je dat wij het waren, in de schoolkelder?' Tob veerde overeind. Als hij Black lang genoeg aan de praat hield en zou kunnen afleiden, zou hij hem het kruis misschien bij verrassing kunnen ontfutselen.

'Wie zou het anders moeten zijn geweest? Een week na mijn eerste bezoek aan de kelder kwam ik terug, en vond een lege nis in de muur. Hier en daar zag ik voetstappen staan, zo te zien van jongensschoenen. Er zijn genoeg mensen in het dorp die weten waarvoor je hier bent, meneer Timp.' Blacks stem was doorspekt met verachting en sarcasme.

'En wat voer jij dan in je schild?' vroeg Tob en schuifelde enkele centimeters Blacks kant op. Black hield zijn vuist met het kruis voor zijn borst, en zijn vingers openden zich een stukje, waardoor Tob de diamant kon zien schitteren. 'Nou, geef eens antwoord,' drong Tob geërgerd aan.

'Daar heb je niks mee te maken,' snerpte Black. 'Helemaal niets.' Hij lachte, ineens minder zelfverzekerd. 'Patricia Woeswel is niet de enige die de legende kent. Ik wil die diamanten hebben, dan heb ik de macht. Wil je mijn geheimpje nog weten of niet? In ruil voor de diamanten.'

'Vertel maar,' zei Tob en knikte nauwelijks merkbaar naar Pien, die achter Black stond. Ze leek te begrijpen wat hij bedoelde.

Mirte, die nog niet van haar plaats was geweest, gilde opeens: 'Pak hem!'

Als een panter sprong Tob naar voren en greep Blacks arm vast. De vuist met het kruis sloot zich in een oogwenk weer hermetisch. Pien sprong naar Blacks nek, en terwijl Tob de arm in bedwang probeerde te houden, deed zij een poging Black achterover te trekken, maar ze onderschatten zijn kracht.

'Opdonderen,' gilde Black en schudde Pien als een lastige vlo van zich af. Tob voelde hoe Blacks vrije arm hem bij zijn broekband beetpakte en hij met een reuzenkracht werd weggeduwd. Nu was Muzak aan de beurt om iets te doen. Woest knalde hij zijn schouder tegen Blacks heup aan, en kaatste terug op de grond. Black zuchtte even, maar het deerde hem verder nauwelijks. 'Jullie denken toch niet dat jullie me kunnen stoppen, Tob? Dan ga ik wel zónder de diamanten weg, dat zal je wel leren. Je komt nog op je knieën bij me terug, idioot!'

'Nooit,' knarsetandde Tob. 'Nooit! Dat kruis is van mij.' Hij pakte Blacks hand met de ketting vast. Het was een ijzeren knuist, keihard, sterk, en meedogenloos.

Black draaide zich om, waarbij hij Tob als een pop meesleurde. Grijnzend greep hij Tob bij zijn kraag vast. Tobs benen maaiden een stel kaarsjes omver die sissend in hun eigen kaarsvet doofden.

'Maxxi komt je zo helpen,' riep Mirte.

'Fijn,' zei Tob benauwd terwijl hij weerstand aan Black probeerde te bieden. 'Laat ze maar eens opschieten.' Kreunend trachtte hij zich van Blacks greep te ontdoen. 'Waar blijft Maxxi nou?'

'Ze durft niet,' piepte Mirte. 'Ze vindt Black een engerd.'

Black richtte zich in zijn volle lengte op. Hij was twee koppen groter dan Tob. Zijn ogen schoten vuur. 'Ik heb hier genoeg van.' Briesend haalde hij met zijn voet uit naar de nog op de grond liggende Muzak, die een dreunende trap tegen zijn been kreeg, achteroverklapte en met zijn hoofd tegen de onderrand van het altaar knalde.

In zijn ooghoeken zag Tob hoe Muzak groggy bleef liggen. 'Muzak!' riep hij ongerust, maar nu had Black alle aandacht voor hem alleen. Tobs benen kwamen los van de grond. Black tilde hem moeiteloos op en hield hem voor zijn gezicht. 'Laat me los!' krijste Tob.

'Waar zijn de diamanten?' lispelde Black met het schuim op zijn lippen. 'Waar zijn ze!'

'Zeg ik niet!' Tob klampte zich met één hand aan Blacks arm vast. Terwijl hij hulpeloos in de lucht hing, stompte hij met zijn andere hand in Blacks buik, maar dat bleek één laag ondoordringbare spieren te zijn.

Met een machtige worp gooide Black Tob in de richting van de muur, recht tussen de waxinelichtjes door. Glaasjes versplinterden op de vloer. Tob voelde de klap door zijn hele lijf toen hij neerkwam. Duizelig gleed hij op zijn achterwerk door, zijn benen gestrekt voor zich uit, draaide om zijn as en smakte met zijn rug tegen de muur. Zijn maag maakte een omwenteling, hij kokhalsde. Kleine paarse en rode sterretjes dansten voor zijn ogen. Zijn longen piepten. Happend als een vis op het droge keek hij omhoog naar de kerkgewelven. Helemaal bovenin, tegen de nok, zweefde een witte gedaante. Deze keer zag hij duidelijk dat het spookachtige figuur twee witte vleugels had. Hij voelde er een groot medelijden van uitgaan, maar ook een warme liefde die hem zou beschermen. Was het Gabriël, waar de pastoor over sprak, of was het zijn beschermengel, zijn moeder? Ja, het was vast en zeker zijn moeder!

'Leef, Tobias, leef, geef niet op!' fluisterde een stem in zijn hoofd. 'Leef!'

Plotseling werd zijn hoofd helderder. De waas voor zijn ogen trok weg. Hij zag nog net hoe Black op hem afstormde, voor zijn neus bukte en een arm naar hem uitstrekte. Alsof het een bankschroef was, schoof Black een van zijn klauwen rond Tobs nek en gromde: 'Laatste kans: waar zijn de diamanten?' Hij zette zich met gestrekte benen schrap op de grond.

'Ik weet het niet,' hijgde Tob. Zijn strottenhoofd kraakte, hij kreeg totaal geen lucht meer.

'Ik moet ze hebben,' gromde Black. 'Je hebt ze vast thuis verborgen. Waar? Als je in leven wilt blijven, moet je meewerken.'

De druk op Tobs keel nam toe. Het was of hij begon te zweven, of hij iemand anders was, of hij boven zichzelf uitsteeg. Was hij dood? Of was hij bezig te sterven? Verliet zijn ziel zijn lichaam al voor hij goed en wel overleden was? Ging hij naar de hemel?

'Geloof jij in God?' galmde een stem in zijn hoofd. Opnieuw

belandde hij aan het begin van een donkere tunnel. Deze keer was er geen licht aan het einde, alleen een kleine flonkerende ster. Hij wilde er naartoe, alles in zijn lijf wilde er naartoe. Voor de tweede keer was het alsof iemand zijn ziel beetpakte en terug in zijn lijf duwde. Met een schok voelde hij zijn hart weer kloppen en zijn spieren bewegen. Op zijn strottenhoofd drukte met toenemende kracht de hand van Black. De kaarsjes om hen heen flakkerden onstuimig. Voor zich, precies tussen Blacks benen door, zag hij hoe Pien de grote lege kandelaar oppakte en hem als een lans voor zich uit stak. De vlijmscherpe punten blikkerden in het kaarslicht. Pien zette een stap, nog een, en nog een om snelheid te winnen. Daar kwam ze aangestormd. Veel verder dan tien meter had ze niet van hen af gestaan, maar met een vliegende vaart bereikte de kandelaar nu Blacks rug. Tob hoorde het geluid van scheurend textiel, het knappen van huid, vezels, spieren en botten, en een doffe dreun op het moment dat de kandelaar met zijn spiesen niet verder meer in Blacks lijf kon doordringen.

Vreemd genoeg gilde Black niet. Zijn ogen puilden uit hun kassen, zijn mond pruilde en zijn wangen bolden of hij een hete bitterbal at, maar er kwam niet het geringste geluid over zijn lippen. Zijn greep verslapte. Plotseling stroomden er druppels bloed uit zijn mond. Langzaam rolden ze over zijn onderlip, bleven daar een seconde hangen en vielen voor Tob de grond.

'Kom!' schreeuwde Pien, de kandelaar loslatend. De voet van de kandelaar klapte op de grond. Ze deinsde achteruit. 'Ga daar weg!'

Dat bracht Tob bij zinnen. Hij sloeg Blacks krachteloze arm weg. Het kruis en de ketting gleden uit Blacks hand. In een reflex ving hij ze op voor ze op de stenen vloer vielen. Behoedzaam schoof hij zijn lijf een stukje bij Black vandaan en kroop op handen en voeten een paar meter weg, waarna hij uitgeblust op de grond bleef zitten. Het wilde nauwelijks tot hem doordringen dat hij nog leefde. Ineens dacht hij weer aan Black. Hoe was het daarmee? Hij keek opzij. Black bleef heel vreemd, als een wassen beeld, in dezelfde positie staan, nog steeds voorovergebogen alsof hij Tob vast had.

'Kom op, Tob!' riep Pien weer.

Hij schudde met zijn hoofd, krabbelde overeind en wankelde naar Pien, die zich intussen over de geblesseerde Muzak bekommerde. Haar gezicht was bleek. Omdat hij de zaak niet vertrouwde, wierp Tob nog een blik naar Black. Midden op de achterkant van Blacks trainingsjack groeide een donkere bloedvlek, en terwijl de voet van de kandelaar nog op de vloer rustte, staken de punten nog diep in zijn lijf. Black verloor ineens zijn balans. Langzaam viel hij achterover tegen de kandelaar en kreunde.

'Hoe is het met Muzak?' Mirte rende vanachter het altaar vandaan en boog zich over Muzak heen.

Tob liet Black voor wat hij was, stak het jaden kruis diep weg in zijn zak en ging bij Pien en Mirte staan. 'Gaat het? Muzak, hallo!' riep hij, maar Muzak bleef met zijn ogen dicht liggen. Gedrieën sjorden ze Muzak half overeind en zetten hem met zijn rug tegen het altaar. Langzaam opende hij eindelijk zijn ogen en keek in de richting van het Christusbeeld. 'Ruige tent, die kerk!' mompelde hij.

'Kun je wel zeggen,' zei Mirte. 'Maar Maxxi is er minder enthousiast over.'

'Niet kletsen, maar wegwezen,' beval Tob. 'Help even mee!' Muzak ondersteunend bij de oksels hielpen ze hem op zijn wankele benen, waarna hij moeizaam bleef staan en net niet door zijn knieën zakte.

'Muzak, nu stap voor stap lopen, niet te snel,' instrueerde Tob. 'Je bent te zwaar om te dragen.'

Muzak reageerde nauwelijks. Verdwaasd grijnsde hij hen toe. Achter hen klonk een klap. Black was met de kandelaar erbij zijdelings tegen de vloer geknald en bleef daar stuiptrekkend liggen. Tob kon het niet langer aanzien. 'We moeten opschieten!'

Ze sjouwden Muzak om het altaar heen het middenpad op. Tob hijgde, zijn hals deed nog pijn van Blacks wurggreep. Frisse lucht, dat had Muzak nodig. En hij trouwens ook. Allemachtig, wat was Muzak zwaar. Als een zoutzak hing hij tussen hen in, af en toe een lusteloze stap nemend. Halverwege de weg naar de uitgang begon hij eindelijk behoorlijk mee te werken. Dat scheelde een hoop. Hoewel onhandig, zette hij het ene been voor het andere. Het leek zowaar op lopen.

'Volhouden, maat.' Tob zag een enorm ei op Muzaks voorhoofd opkomen. Daar moesten ze thuis ijs op doen. Of nog beter, bij Louis, aan de overkant van de kerk. Die zou geen vragen stellen. Ze struikelden langs de banken, zo goed en zo kwaad als het ging. Tob durfde niet meer naar Black om te kijken.

Eindelijk bereikten ze de uitgang. Eerst de binnendeuren door. Dan het portaal in. En eindelijk stonden ze buiten. Ze waggelden het opstapje af.

'Even wachten nu,' stelde Pien voor en liet Muzak los.

Doodmoe stopten ze een moment voor de kerk om uit te puffen.

'Waar zijn we?' vroeg Muzak plotseling heel levenslustig. 'Niet meer in de kerk?' Hij gebaarde dat hij het wel weer alleen kon en probeerde zelfstandig op zijn benen te gaan staan. Krampachtig knipperde hij met zijn ogen tegen het licht.

'We zijn buiten bij de kerk op het kerkplein.' Tob veegde het zweet van zijn voorhoofd. Zijn kleren plakten aan zijn lijf. 'Je hebt het er goed vanaf gebracht.'

'Anders jij wel,' lachte Muzak. Zijn gezicht kreeg weer wat kleur. Bezorgd voelde hij aan zijn discman. 'Die zit er gelukkig nog. Enge vent, die Black. Waar is hij nu?'

Tob voelde zijn benen opeens trillen. De spanning kwam eruit, maar toch zei hij op stoere toon: 'Die doet een satéstokje na.'

'Een satéstokje?' fronste Muzak. 'In de kerk?'

'Daar ja.' Tob kreeg een kleur, want hij zag iemand op het plein naderen die hij helemaal niet gebruiken kon.

Om de hoek kwam de pastoor aanzetten. Hij zwaaide enthousiast en stevende op hen af. Zwijgend wachtten ze af.

Een halve minuut later stond hij voor hun neus. 'En? Zijn jullie wat opgeschoten met jullie scriptie?'

Tob aarzelde. Hoe moesten ze zich hier uit redden? In de kerk was het een bende, en niet te vergeten lag de gewonde Black daar nog steeds. Ze moesten hulp voor hem halen. Wat een puinhoop! Ze zouden er onnoemelijk last mee krijgen. Hoe dan ook, het was nu toch te laat. Meneer pastoor zou de schade ontdekken. 'We zijn prima opgeschoten,' zei Tob en zette zijn ogen op een betrouwbare stand. 'Het was heel interessant.'

'Zie je wel. Dat zei ik toch al!' Opgetogen deed de pastoor de kerkdeur open en ging de kerk in. Met een zucht sloot de deur zich weer.

'Daar staan we dan,' zei Pien bedremmeld. 'Wat nu? Weglopen?'

'Weglopen? Waarom?' Muzak kon er zo te merken geen touw aan vastknopen. Hij leek zich niets van het gebeuren in de kerk te herinneren. 'Hoezo dan?'

'Ik ga kijken,' hakte Tob een knoop door. 'We kunnen de pastoor niet met de brokken laten zitten.' Zonder op reacties van de anderen te wachten ging hij de kerk weer in. Eenmaal in het portaal duwde hij een klapdeur eerst op een kier. Het was verdacht stil in de kerk. Toch maar verder gaan, of niet? Hij trok de stoute schoenen aan en schuifelde de kerk in. Het rook er nog steeds doordringend naar wierook.

Helemaal vooraan bij het altaar drentelde de pastoor heen en weer. 'Wat een toestand,' riep hij wanhopig.

Tob beet zijn kiezen opelkaar. Doorlopen maar en kijken of hij er een verhaal aan kon breien. Pas toen hij bij het altaar was, zag de pastoor hem. 'Wat een rommel, Tob. Dat is al de derde keer. Rotkat!'

'Rotkat?'

Verwonderd liep Tob naar het altaar. De ruimte erachter was een rommel, maar van meneer Black geen spoor. Kaarsjes lagen omver, en er zat overal kaarsvet op de grond, verder was er niets, behalve dat er een grote kandelaar ontbrak. Was Black ontsnapt? Misschien via de zijuitgang door de sacristie, de privé-vertrekken van de pastoor. Het zou kunnen... 'Wat is er met een kat?' vroeg hij langs zijn neus weg.

'Onze kerkkat wordt oud en blind. Af en toe lukt het hem in de kerk te komen. Steevast gooit hij de kaarsjes om. Ik zal de huishoudster eens zeggen dat ze de binnendeuren beter moet dichtdoen.'

'Mijn idee,' lachte Tob opgelucht. 'Die rommel hebben wij niet gemaakt hoor.'

De pastoor keek op en lachte ontwapenend. 'Nee, natuurlijk niet!'

'Moet ik helpen opruimen?'

'Ben je gek. Ga maar naar huis. Je hebt nog wel meer te doen, of niet soms?' zei de pastoor, en het klonk of hij exact wist waar hij over sprak.

Tob vroeg verder niets. De mond van de pastoor veranderde in een zwijgende smalle streep. Hij had zijn zegje gedaan.

Tob kuchte. 'Prettige zondag verder.' Verbaasd draaide hij zich om en liep met zijn handen in zijn broekzakken de kerk uit. Een van die zakken voelde heel prettig aan, de zak met het jaden kruis. Eindelijk was het weer terug bij hem. In het donkere portaal bleef hij even staan. 'Bedankt beschermengel!' Daarna slikte hij een brok in zijn keel weg en ging de kerk uit.

Ze zaten op Tobs kamer, Mirte, Pien, Muzak en Tob, en schaarden zich rond het bureau waarop het jaden kruis lag te glanzen in het binnenvallende daglicht. Dankzij een zak met ijs en een frisse cola van Louis was Muzak opmerkelijk snel opgeknapt, en hadden ze de wandeling naar huis zonder veel gedoe aanvaard.

Het was nu bijna half vijf, en hoewel Maria beneden stond te trappelen om hen met thee en lekkers te verwennen, wilden ze per se eerst het kruis van de ontbrekende diamanten voorzien. Tob was een beetje zenuwachtig. Het leek of hij examen moest doen.

'Hoe is het met je?' vroeg Pien.

Tob lachte zuur. 'Goed. Beetje hippig.'

'Pak die diamanten nou maar,' zei Muzak, luisterend naar muziek uit zijn oortelefoontjes. 'Toffe rockband dit, trouwens.'

Tobs hoofd stond niet naar muzikale bespiegelingen. Hij blikte even naar de buil op Muzaks hoofd, liep naar zijn bed en bukte om het tandenstokerdoosje uit de bergplaats onder de losse plank vandaan te halen. Luchtig rammelend met het doosje liep hij terug. 'Daar zijn ze dan! Wat nu?'

'Nu moet je je toverspreukenboek uit de kast pakken,' daagde Pien hem lachend uit. Haar ogen twinkelden. 'Ook al denken we dat tovenarij niet werkt, je weet maar nooit.'

'*Abracadabra*,' antwoordde Tob. 'Ik vrees dat ik zo'n boek niet heb.' Hij haalde zijn schouders op, maar ineens zag hij iets merkwaardigs. Hij boog zich over zijn bureau. Zijn ogen bedrogen hem niet. 'Het kruis gloeit!'

'Dat dacht ik in de kerk ook al te zien,' zei Mirte. 'Maxxi wees me erop.'

Muzak boog ook voorover. 'Je hebt gelijk! Het straalt weer licht uit, een groen licht.' Hij hield zijn hand erboven. 'Het is warm.'

De anderen namen ook de proef op de som. Het kruis wás warm, een warmte die zich tintelend over de huid verspreidde.

'Ik heb een voorstel,' zei Tob. 'Ik leg de diamanten een voor een bij het kruis, bij elk uiteinde een. En dan hoop ik dat er een wonder zal gebeuren, dat het kruis en de diamanten zich zullen herenigen, net zoals dat voor de herfstvakantie met de eerste diamant is gebeurd bij Patricia.'

'*Makes sense,*' zei Muzak met zachte stem, en zijn hoofd deinde mee op de muziek die uit zijn oordoppen schetterde. 'Probeer maar!'

'Prima idee,' vond Pien, en Mirte knikte bedachtzaam, maar beslist. 'Ja,' fluisterde ze. 'Dat zou moeten werken.'

Ineens sloeg de sfeer om, en iedereen werd ernstig. Muzak zette zijn discman uit. Het was een bijna heilig moment. Buiten werd het donkerder, en binnen werd het licht van het kruis intensiever. Er stond iets bijzonders te gebeuren. Eindelijk zou de kracht van Xin zich aan hen openbaren.

Pien fronste, Muzak kuchte, Mirte fluisterde iets tegen Maxxi die blijkbaar achter haar zat, en Tob opende met bevende vingers het tandenstokerdoosje. Hij liet de diamanten in de palm van zijn hand rollen en legde ze daarna op enkele centimeters afstand bij de uiteinden van het kruis neer.

'Ik heb het klaargelegd,' fluisterde Tob en ging rechtop staan. Allemaal hielden ze nu hun adem in. Het kruis trilde, het gloeide nog harder, het leek uit elkaar te spatten. Ze deinsden terug. De diamanten bewogen, ze rolden naar het kruis toe. Tobs mond viel open. Hier stond echt een wonder te gebeuren, eindelijk hadden ze de kracht van Xin gevonden!

Beneden blafte Heaven, een keer, twee keer, drie keer. Toen jankte hij klaaglijk.

Tob durfde nauwelijks te kijken. Nu was het moment gekomen. Nu ging het gebeuren, nu ging het… Hè? Wat was dat? Muzak vloekte zacht, en Pien sloeg haar handen voor haar mond.

Het kruis doofde, langzaam, als een stervende zwaan, en alles viel stil.

Tobs onderkaak zakte nog verder naar beneden. Waarom gebeurde er niets meer?

Ze wachtten, een minuut, twee minuten, en nóg een hele tijd, bang om te bewegen of de stilte te verstoren.

'Ik denk niet dat er nog iets komt,' waagde Pien het als eerste iets te zeggen. Nuchter haalde ze een plastic zakje uit een van de talloze bergplaatsen van haar broek. 'Droppie?'

Tob hikte. Hij was verbijsterd. 'Er is niets veranderd!'

'Tja,' zei Muzak. 'Wonderen gebeuren niet elke dag. Ik vrees dat we zelf aan de slag moeten.' Hij deed alsof hij een onzichtbare hamer hanteerde.

'Zelf aan de slag?' riep Tob verontwaardigd uit. 'Je bedoelt toch niet…?'

'Jawel,' zei Muzak. 'Dat bedoel ik wél. Ik ben zo terug.' Hij verliet triomfantelijk de kamer.

'Nou, ik had er meer van verwacht,' zei Mirte onomwonden.

'Ja, anders ik wel,' mopperde Tob. 'Als die diamanten niet op het kruis komen te zitten, hebben we al het werk voor niks gedaan.'

'Misschien hebben we iets onbenulligs vergeten of nagelaten,' hield Pien er de moed in. 'Dat moet op te lossen zijn.'

Tob haalde mismoedig een hand door zijn haar. Hij zou niet weten wat ze over het hoofd hadden gezien. Ze hadden alle vier de diamanten gevonden, en het kruis teruggehaald. Kortom: er ontbrak niets. 'Ik begin te geloven dat het een hopeloze onderneming is.'

'Nee hoor!' Muzak was alweer terug. Hij had iets in zijn handen dat hij beneden had opgeduikeld. 'Hier, vangen!'

Tob ving het langwerpige voorwerp dat hem werd toegeworpen. 'Dat spul!' Hij werd er bijna kwaad om.

'Aan de slag, *handyman*,' spoorde hem Muzak hem aan, en Pien en Mirte lachten.

Even later zat Tob aan zijn bureau foeterend de diamanten aan het kruis te bevestigen met de superlijm uit het tubetje dat Muzak hem had toegegooid.

'Goed dat Maria van alles bewaart,' zei Muzak nog pesterig.

Tob lachte als een boer met hevige kiespijn. 'Ja, heel goed.'
Hij zuchtte. Want als dit karweitje klaar was, wat was dan de
volgende stap? Wanneer moest hij in actie komen? Op welk
teken moest hij nou weer wachten? 'Gadverdamme, wat duurt
het allemaal lang,' mompelde hij ontevreden in zichzelf.

Op 17 december werd Tob weer vroeger wakker dan gewoonlijk. Hoe dat kwam, dat wist hij niet, en hoewel hij zich steeds
van de ene zij op de andere wentelde en aan iets prettigs probeerde te denken, kon hij de slaap niet meer vatten. Omdat
het buiten nog donker was, deed hij zijn leeslampje aan.

Hij dacht na. Op zich was het logisch dat hij niet meer slapen
kon, want hij had alle reden om zich veel zorgen te maken.
De afgelopen weken had de dreiging zich alleen maar opge-
bouwd. Op de eerste plaats was het intussen op slechts enkele dagen na 25 december, en er had zich geen enkel aankno-
pingspunt aangediend waarmee ze iets konden beginnen. Tijdens
ieder pizzaoverleg op vrijdagavond hadden ze zitten puzzelen en brainstormen, zonder dat het iets zinnigs had opgele-
verd.

Verder had Louis hen nog diverse keren meegenomen, het doolhof in, waar steeds meer huizen met de vreemde zwarte substantie besmet raakten. Bij hun laatste bezoek was de omgeving echt luguber geweest, er had iets heel onheilspellends in
de lucht gehangen, alsof de donkere krachten stonden te trappelen om toe te slaan. Tob had in zijn hoofd het gekerm van
de verloren zielen weer gehoord, klaaglijker en dringender
dan ooit tevoren, en in een venster van een nieuw met pek
overdekt huis was het gezicht van een vrouw verschenen.

Op school was meneer Black na het gevecht in de kerk zonder opgaaf van reden weggebleven. Ziek of dood? Ontslagen
soms? Niemand wist het. Hoe dan ook: hij werd vervangen
door een andere leerkracht van school die de lessen Engels
keurig maar zonder veel inspiratie bracht.

Dan was Xander Vlemitz er nog natuurlijk – of eigenlijk juist
niet. Sinds de gebeurtenissen met de vleugel had Tob geen
pianoles meer gehad, en van Vlemitz was geen spoor meer te

bekennen geweest. Een keer of vier waren Muzak en Tob bij Xanders huis langsgegaan. Er werd niet opengedaan en het huis leek onbewoond. Als ze hun neuzen tegen de ramen van de huiskamer drukten, zagen ze daar nog dezelfde chaos als toen ze de diamant in de vleugel gevonden hadden. Niemand had er ook maar een stofje opgeruimd. Als een dode mammoet lag de vleugel nog in de kamer.

Tob zuchtte. Zijn hoofd jeukte weer vreselijk. De laatste weken was hij er een beetje aan gewend geraakt, maar vanochtend was het weer niet te harden. Hij krabde zich met zijn nagels, voorzichtig, om zijn hoofdhuid niet te beschadigen en ging rechtop zitten. Onder zijn kussen lag het kruis met de diamanten, koud en doods. In niets leek het de voorbode van een goddelijke kracht te zijn. Op het voeteneind verkeerde Heaven nog in dromenland. De hond wierp zich als een trouwe wachter van het huis op. Bij het minste of geringste sloeg hij aan, en Maria vertelde dat ze zich een stuk prettiger voelde sinds Heaven er was. Tob reikte naar voren en krabbelde achter Heavens oren. De hond maakte een kort snurkgeluidje en sliep verder. 'Wat nu, meneertje Timp?' zei Tob hardop in zichzelf.
Naast zijn bed lag de krant van de vorige dag nog. In de grote stad waren er talloze verkeersongelukken gebeurd. Een pyromaan maakte de boel onveilig, en er was een sterke toename van het aantal roofovervallen. Landelijk, en zelfs wereldwijd, was het hetzelfde beeld van om zich heen grijpende ellende. Zijn vader leek gelijk te hebben, dat Ovil druk bezig was de wereld in zijn greep te krijgen. En was dat allemaal nog maar kinderspel vergeleken bij wat hen te wachten stond? Hij huiverde bij de gedachte alleen al.
Maar hij moest de handdoek niet zomaar in de ring werpen. Hij had zijn vrienden niet voor niets. *Cor unum et anima una.* Eén hart, een ziel. Het schoot hem ineens te binnen. Samen waren ze sterk, sterker dan ieder apart. Dat was misschien wat

de spreuk bedoelde te zeggen! 'Niet bij de pakken neerzitten, Tob,' zei hij hardop.

Bij zijn voeten bewoog iets. Heaven had Tob zeker horen praten. De hond jankte zacht, opende daarna zijn ogen en ging meteen grommend op zijn poten staan, de tanden ontbloot en de nekharen overeind. Geschrokken schoof Tob naar zijn hoofdeind toe. Stond Heaven op het punt hem aan te vallen? Zijn adem stokte. Wat was er aan de hand? 'Rustig maar Heaven, rustig maar.'

Heaven trok zijn bovenlip verder op en gromde nog gemener. Opeens voelde Tob een prik in zijn buik, ergens onder zijn pyjamajasje. Het begon daar te jeuken, net als op zijn hoofd. De aderen klopten in zijn hals. Langzaam duwde hij zijn dekbed terug en trok zijn jasje op. Daar kwam zijn buik tevoorschijn, daar was zijn navel en daarna…

Tob gilde, heel even maar. Precies boven zijn navel, niet ver uit de buurt van de oude eczeemplek, zat een nieuwe donkerbruine plek die er de avond tevoren nog niet geweest was. Een centimeter daarnaast ontstond een nieuw vlekje, zwart, eerst niet veel groter dan een moedervlekje. Vol afgrijzen zag Tob hoe het plekje begon te groeien, groter en groter. Hij durfde er niet met zijn vinger aan te komen, ondanks de schroeiende jeuk die het veroorzaakte.

Heaven blafte nog een keer. Hij sprong van het bed en bleef er grommend naast staan met de oren in de nek. Iets maakte hem vreselijk van streek. Het vlekje werd intussen nog groter, maar ineens stopte het met groeien. Tob blies zijn adem hard uit. Uiteindelijk was de plek een centimeter of drie in doorsnee geworden. Hij moest er toch echt mee naar een dokter. Stiekem observeerde hij Heaven, die nog steeds niet gekalmeerd was. Het arme beest stond woest te trillen op zijn poten. Tob richtte zijn aandacht weer op de twee nieuwe plekken op zijn buik. De huid eromheen was ook een beetje rimpeliger geworden en… Van ontzetting slikte hij bijna zijn tong in. In de laatste vlek bewoog iets! Een klein bobbeltje sloop als een onderhuids torretje langs de rand, toen naar het midden, en verdween. Tobs hart beukte tegen zijn middenrif. Was hij nou aan het hallucineren? Hij gooide zijn dekbed weg, sprong uit bed en rende naar de badkamer, waar hij meteen het licht aandeed en zichzelf in de spiegel bekeek. Zijn ogen stonden raar, verwilderd. Het had vast iets te maken met waarvoor Patricia hem had gewaarschuwd, de duisternis in hemzelf. Hij boog naar de spiegel. Zijn ogen veranderden, ze kregen een andere kleur, en de lippen van zijn mond werden ouder, droger, veranderden van vorm. Tob stikte bijna van angst. Zijn tenen kromden zich en boorden hun nagels in de katoenen krullen van de badmat.

De mond in de spiegel bewoog. 'Tobias Timp, nog even, en het is gedaan met je.'

Tob keek in zijn eigen ogen, die zijn ogen niet waren. 'Wie ben je?' vroeg hij, happend naar frisse lucht.

'Alles wat je wilt, je duistere kant, de duistere kant van iedereen. Maar jij, Tobias, zult me niet langer dwarsbomen. Nog even, en je zult geheel door mij bezeten zijn.'

'Ik wil het niet!' schreeuwde Tob. 'Ik wil het niet!'

'Het is te laat,' grijnslachte de mond, en de vreemde ogen versmalden zich. 'De dag des oordeels komt. De dag dat... het kwaad eindelijk zal overwinnen, en alle zielen van Quillen verdoemd zullen zijn, inclusief die van...' De stem verstomde.

'Van wie?' Tob gilde het uit. 'Van wie?' Speekseldruppeltjes sloegen tegen de spiegel.

'Wacht maar tot kerst aanbreekt, als de mensen overal in de nachtmissen tevergeefs zullen bidden, wachtend op de verlossing die niet komen zal. Ik...'

Plotseling trok iemand de badkamerdeur open. Met een sissend geluid verdwenen de vreemde mond en ogen. Tob staarde weer naar zijn eigen spiegelbeeld. In de deuropening stond

Maria met een slaperig gezicht. 'Wat ben jij vroeg op! Is er wat?'

Tob knipperde met zijn ogen. Hij moest zich sterk houden, Maria mocht niets merken. 'Ik had een nachtmerrie.' Dat had hij zéker, alleen eentje die echt was. Patricia had het al maanden geleden in zijn ogen gezien. De duistere macht was bezig bezit van hem te nemen, en terwijl Patricia blijkbaar verwacht had dat de kracht van Xin hem zou verlossen, bleek deze niet tegen de duivel te zijn opgewassen. Nog even, en Tob zou zijn eigen baas niet meer zijn, hij zou bezeten zijn door de duistere en duivelse macht.

Heaven trippelde naar binnen en ging piepend aan zijn voeten zitten.

Tob schraapte zijn keel. 'Sorry dat ik je wakker maakte, Maria.' Ze knikte bezorgd. 'Malle jongen, waar ben je allemaal niet mee bezig? Het wordt tijd dat je vader terugkomt.' In haar met vogels en wolken bedrukte flanellen nachthemd zag Maria eruit als een verdwaalde engel. 'Probeer nog wat te slapen, *ragazzo. Buona notte.*' Ze draaide zich om, en hij hoorde haar terugsloffen naar de logeerkamer.

Heaven jankte klaaglijk en drukte zijn natte neus tegen Tobs enkels.

'Wat is er? Ben je geschrokken? Ik ben het weer zelf, hoor.' Tob keek snel onder zijn jasje en haalde opgelucht adem. De nieuwe plekken waren zo goed als weg, terwijl de oude onveranderd was blijven zitten. Wat een vreselijke ervaring was dat! Heaven duwde rusteloos zijn neus weer tegen zijn voeten. 'Moet ik meekomen?'

Heavens kop knikte, en hij drentelde voor Tob uit de gang op. Tob keek nog een keer in de spiegel, grijnsde mallotig naar zijn spiegelbeeld, stak zijn tong uit, en sjokte achter Heaven aan. De hond stond bij de trap naar de zolder te wachten. 'Naar de zolder?' Dat vond Tob niet zo'n heel goed idee. Daar lag dat vreemde en toch bekende hart, waar hij in zijn eentje liever niet bij was. Heaven wipte al op de eerste tree en rende de trap op. Hij blafte kort en ongeduldig.

'Oké, ik kom al.'

Met loden benen ging Tob naar boven en sjokte via de overloop de zolder op. Heaven stond hem bij een oude schemerlamp op te wachten. Tob keek door een van de ramen in de dakkapellen naar buiten. Er gloorde wat licht aan de horizon. Achter de wolken kwam de zon op. Welke dag was het eigenlijk vandaag? Zaterdag. Weekend. Mijmerend staarde hij naar een omgevallen boom ergens in een weiland.

Om aandacht te trekken schraapte Heaven met een poot over de vloer.

'Ik kom. Waar moet ik naartoe?'

Ja hoor! Natuurlijk trippelde Heaven, tussen alle troep door, meteen naar de kast met het hart. Daar zat Tob op te wachten. Hij deed het licht eerst maar eens aan. Alles zag er nu minder dreigend uit, maar wel des te viezer. Stofnesten en spinrag hingen aan de zoldering alsof het vitrage was, en de lakens die over de meubels lagen waren grijzig van het huisstof. Hij worstelde zich langs stoelen en tafels. 'Wat moet ik nou doen?' Daar was hij bij de oude kabinetkast. Doodstil zat Heaven bij de onderste la.

Tob keek Heaven vragend aan. 'Daar ligt het hart dat nooit sterft. Weet jij van wie het is? Weet jij wat we ermee moeten?'

Heaven drukte zijn snuit tegen de la, waardoor er een glanzend nat spoortje op het hout ontstond.

'Ik moet hem openmaken?' zei Tob benauwd. 'Weet je het zeker?' Hij was de schok van daarstraks nog niet te boven, maar iets van binnen zei hem te doen wat Heaven hem opdroeg. Hij pakte de handgrepen vast en trok de la langzaam open. Daar lag het hart in zijn doorzichtige glazen doos, nog steeds vers en fris. De tijd had er geen vat op gehad.

Heaven liet iets uit zijn bek vallen. Het tikte op de grond.

'Het steentje van Patricia Woeswel?' Het had al die tijd op zijn nachtkastje gelegen.

Heaven schudde zijn kop en het was alsof hij grijnsde.

Tob nam het steentje tussen duim en wijsvinger, liet het in zijn handpalm heen en weer rollen en keek er kritisch naar. 'Mooi blauw, maar verder niets.' Meer dan die ene keer had het steentje hem niet geholpen.

Vanuit de la zwol een zacht, maar dringend geluid aan. Het hart! Het klopte weer! Tob durfde niet meer in de la te kijken. Met een smak duwde hij de la dicht, pakte het steentje op en struikelde tussen de troep door naar de trap. Daar bleef hij staan.

Vreemd! Heel vreemd. Ineens was hij minder bang.

'Tobias, wees gerust,' fluisterde een stem. Een warme adem streek langs zijn wang.

'Maqualte? Mama?'

'Ik ben bij je, ik ben bij je, ik…'

Het was alsof hij droomde en waakte tegelijk. Zijn voeten leken een centimeter boven de grond te zweven.

'Doe wat je moet doen, ik zal je…' De stem stierf weg in een onbekende verte.

Tobias keek naar Heaven, die met spinrag aan zijn snuit aan kwam kuieren. Een vreemd gevoel van geluk verspreidde zich door zijn lichaam. Hij, Tob Timp, zou zich niet zomaar laten verslaan. En de macht die zijn lichaam dacht te kunnen bezitten, zou nog aardig op zijn neus kijken. Want niemand, niemand, kon de baas worden over Tob. Met grote sprongen bonkte hij de trap af, terug naar zijn kamer, en schoof de gordijnen open. Buiten was het koud, de rijp stond op de vensterbank. In de voortuin zag alles er kaal en doods uit. Het takkenskelet van de notenboom stak somber af tegen de opkomende dageraad, die zich vanachter pakken donkere wolken naar de aarde worstelde. Alleen de klimop aan de muur was groen en liet enkele vriendelijke blaadjes rond de hoek van het kozijn groeien.

Aan de overkant van de straat fietste de postbode al. Henks bewegingen waren plechtig en vervuld van plichtsgetrouwheid. Tob had in weken geen post meer gekregen. Hij liep naar zijn bed. Langzaam tilde hij zijn kussen op waar hij het kruis onder verstopt had. Hij raakte de diamanten een voor een even aan, legde het kruis netjes recht en vlijde het kussen er weer op. Vanaf zijn bed keek hij weer naar buiten en dacht na. Ergens in Quillen moest iemand hem een aanwijzing kunnen geven. Maar wie? Wie kon hem vertellen wat hij moest doen? Hij drentelde door de kamer, aaide Heaven die op het bed was gaan liggen, speelde met het blauwe steentje en posteerde zich opnieuw voor het raam. In de tuin losten de laatste nachtschaduwen geleidelijk op in het ochtendlicht. De stand van de haan op de kerktoren wees op oostenwind. In het dorp was aan niets te merken dat het kersttijd was. Quillen deed niet uitgebreid aan kerst, zoals ze in Quillen eigenlijk nérgens uitgebreid aan deden. Het was een van de vele onuitgesproken verboden. Feest en uiterlijk vertoon hoorde niet.

Zomaar, onaangekondigd, voor het eerst deze winter, viel er een sneeuwvlok naar beneden, en nog een, en nog een, steeds meer, tot er van een echte sneeuwbui sprake was. Tob scherpte zijn blik. Ergens in Quillen, het moest haast wel in het doolhof zijn, ontstak er iemand een lampje, een hulstgroen lampje. Een zucht, en weg was het weer. Tob maakte een sprongetje van blijdschap. Dat was misschien een teken, een teken dat niet iedereen in het doolhof verderfelijk en verdoemd was. Het was een teken van hoop voor alle dolende zielen in Quillen. Hij ademde tegen het raam en veegde de aanslag met zijn mouw snel weg. Op straat kwam er iemand aangelopen met een lange winterjas aan, de kraag hoog opgezet, en een grote hoed op het hoofd. Verbaasd keek Tob naar de eenzame figuur. Zo vroeg wandelden er, behalve postbode Henk Malsen, nooit mensen in hun straat. De hoed was wit van de sneeuw. De man stak met grote strakke passen over en liep naar hun tuin. Bij het hek stopte hij en haalde iets uit zijn zak. Doordat er al een dunne laag sneeuw op straat was ontstaan, waren de voetstappen van de man op de straat en de stoep achtergebleven. De man draaide zich om. Tob hield zijn adem in. Langzaam, een voor een, verdwenen de afdrukken, tot aan de laatste stap bij de man. Pas daarna kwam de man weer in beweging en liep doelgericht de voortuin in. Het was een man met een opdracht, een belangrijke opdracht, dat straalde hij uit. Ademloos volgde Tob de man, het was onmogelijk er zijn ogen vanaf te houden. Hij kende die man ergens van.

Een moment kreeg hij een schim van het gezicht van de man te zien. Xander Vlemitz! Het was Vlemitz! Wat kwam die hier doen? De brievenbus in de gang beneden klepperde. Post! Xander had iets in de bus gegooid! Tob aarzelde. Moest hij meteen gaan kijken? Nee, eerst wilde hij Vlemitz spreken. Hij opende het raam. De ijzige kou sloeg in zijn gezicht. 'Meneer Vlemitz!' Vlemitz was alweer tot halverwege de tuin teruggelopen. Hij hield in. Zijn rug bleef naar Tob toegekeerd.

'Meneer Vlemitz!' riep Tob opnieuw. Zijn stem sloeg over. Sneeuwvlokken dwarrelden de kamer in.

Vlemitz trok zijn hoed dieper over zijn hoofd en draaide zich eindelijk om, rustig, zonder enige haast. Onder de schaduw van de hoedrand meende Tob een brede lach te zien. Vlemitz hief een arm op, maakte een korte buiging, en zwaaide. Hij droeg geen handschoenen. Bijna onmiddellijk draaide hij zich weer om, marcheerde de tuin uit, de straat op, en verdween uit het zicht.

Tob staarde naar de voortuin. Het wonder van zo-even herhaalde zich. Stuk voor stuk verdwenen de voetstappen en werden binnen een tel vervangen door verse sneeuw, waardoor er na een minuut geen enkel bewijs meer van Vlemitz' bezoek was overgebleven.

Naar de gang nu! Tob rende zijn kamer uit, viel halverwege de trap bijna naar beneden, herstelde zich, en sprintte door de gang, langs de tussendeuren, naar de voordeur. Er lag een witte envelop op de deurmat. Razend nieuwsgierig raapte hij de envelop op en scheurde hem open. Het was het handschrift van Vlemitz dat hij kende uit zijn pianoschrift, secuur, netjes, geen lusje te veel of te weinig.

Beste Tob. Bereid je voor. Op de dag voor kerst moeten jullie gaan over de Styx van Quillen, die je naar de poort van Hades zal brengen. De weg naar de heuvels is te gevaarlijk. God zij met jou en je vrienden. Xander Isamanuel Noah Vlemitz.
NB: zorg goed voor Heaven. Vanaf nu is hij van jou.

Dus Xander had hem Heaven geschonken? Verbaasd keek Tob op de achterkant van de brief. Leeg! Wat bedoelde Xander met de Styx van Quillen? De Styx was toch een rivier uit de Griekse mythologie? Die leidde naar Hades, het schimmenrijk. Zou Xander bedoelen dat ze de rivier moesten volgen die langs Quillen liep, achter Xanders huis? Tob beet peinzend op zijn wang. Die rivier had zijn oorsprong in de Zeven Heuvels, de bergen waar volgens Patricia de kwade kracht huisde. Ze moesten zich dus in het hol van de leeuw wagen. Maar was Xander te vertrouwen? Hij was in staat wonderen te verrichten, zoals engelen dat konden, dat had Tob net met eigen ogen gezien, maar dan nog…
Hij rekte zich uit en keek met een schuin oog nog eens naar de brief. *Xander Isamanuel Noah*. Wat een merkwaardige combinatie van voornamen! Het leken wel namen uit de Bijbel. Wel deftig als je zo'n naam had: X.I.N. Vlemitz.
Tobs mond viel open. XIN! Was Xander de kluizenaar uit de legende van Patricia? De ontdekker van de kracht van Xin? Zou Xander hem ook al die andere berichten hebben gestuurd? Vast wel, alleen met een verdraaid handschrift, zodat hij het niet zou herkennen. Plotseling vielen de stukjes van de puzzel inelkaar. Xander had hem de laatste ontbrekende diamant bezorgd. Hij had Tob willen helpen, maar de aanval van de

vleugel was de invloed van de duistere kracht geweest. En met die pianolessen had Xander alleen maar gekeken of Tob uit het goede hout was gesneden.

Tob pakte het kruis onder zijn kussen vandaan en hing het met een plechtig gebaar om zijn nek. De kralen van de jaden ketting waren warm. Tob glimlachte. Een ding wist hij vanaf nu zeker. Als het moment daar was, zou het kruis hem beschermen.

Op de ochtend van de dag van kerstavond lag er een flink pak sneeuw. Minstens een halve meter was er gevallen gedurende die week. Quillen was een sprookjesdorp geworden. Tob gooide de voordeur open en keek de tuin in. Het sneeuwde opnieuw, en aan de wolken te zien viel er nog veel meer sneeuw te verwachten. Het was nog vroeg, deze zaterdag.

De laatste week hadden ze op school de proefwerkweek afgerond, en gistermiddag was de vakantie begonnen. En wat voor een vakantie. Tob rilde, pakte zijn winterjas van de kapstok en deed hem aan, de rits tot aan zijn kin dichttrekkend. Hij droeg een warme skibroek en met bont gevoerde moonboots van zijn vader. Aan een touw door zijn mouwen bungelden twee dikke wanten. Zijn outfit zou voor een reis naar de Noordpool niet misstaan. Onder zijn jas, trui, bloes en T-shirt, hing het jaden kruis aan de jaden ketting om zijn nek. Vandaag was het een bijzondere dag. '*Una giornate particolare*,' had Maria nog lachend gezegd.

De tussendeuren in de gang zwenkten open. 'Zo, ben je daar? Hier is je rugzak.' Vanuit de keuken was Maria verschenen met Heaven aan haar zijde. Ze sjouwde een grote rugzak voor zich uit die ze voorzichtig bij zijn voeten neerzette. '*Attenzione*! Let op je rug. Hij is zwaar.'

'Dank je, Maria, maar het zal wel lukken. We verdelen de lunchpakketten over ons vieren,' grijnsde Tob. Hij keek over zijn schouder. Aan de straat was iets te doen. Een oude landrover met aanhanger was met veel rumoer voor het huis gestopt. De claxon honkte uitbundig, maar de sneeuw dempte het lawaai voor het de hele straat wakker kon maken. Tob stapte de voortuin in. Zijn voeten zakten tot aan zijn enkels in de sneeuw. Aan de overkant bij Pien ging de voordeur open.

'Ha die Tob. Klaar voor de reis?' riep Pien met haar handen als een toeter voor haar mond. Ze was net zo dik ingepakt als Tob. In haar handen had ze een rugzak, iets kleiner dan de zijne.

'Ik ben er klaar voor,' riep hij. Blozend zwaaide hij terug.

Intussen gingen de deuren van de landrover open en stapte Forek Vink uit. Hij knikte tevreden en klopte wat sneeuw van zijn jas. 'Zo, daar zijn we dan.' Met een uitdagende oogopslag keek hij naar Mirte en Muzak, die aan de andere kant uit de auto klauterden. Ze liepen om en schaarden zich bij Forek, die intussen bij de aanhanger was gaan staan, een metalen koker uit zijn binnenzak haalde en een dikke sigaar opstak.

Pien zette vanaf haar huis de penibele tocht naar de landrover in. Tob liet het niet op zich zitten. Hij glibberde ook naar de auto toe, maar Pien was hem voor. 'Allemachtig,' riep ze uit, onder de indruk van wat ze zag.

Op het moment dat Tob zijn vrienden bereikte, mepte Muzak hem keihard op de schouder. '*IJscool*, vind je niet?'

Wat een dreun! Tob kneep zijn ogen even samen. 'Ja, heel *cool*!' Op de aanhanger stond een rubberboot met een grote buitenboordmotor. In die boot zouden ze makkelijk met zijn vieren passen. 'Geweldig dat je ons wilde helpen, Forek!'

Forek wimpelde de complimenten een beetje af en trok aan zijn sigaar. Blauwe tabakswolken kringelden omhoog. 'Geen moeite, joh. We moeten dat tuig een lesje gaan leren. Ik ga jullie naar de rivier brengen. Heb je je spullen?'

'Ga ik halen,' zei Tob en liep over zijn voetafdrukken in de sneeuw terug naar zijn huis. De afgelopen dagen hadden ze het druk gehad met voorbereidingen, en op de valreep had

Forek de boot kunnen regelen. Het was een superidee van Mirte geweest om hem weer te hulp te roepen.

Bij de deur stonden Maria en Heaven te wachten. 'Ga met God, mijn jongen.'

'Dank je,' stamelde Tob. Hij geloofde niet zo erg in God, maar hij wilde Maria met haar goede bedoelingen niet kwetsen. 'Ik zal goed oppassen.'

Maria had zijn rugzak op de drempel klaargezet. Er blonken tranen in haar ooghoeken. Hij keek er niet naar, om te voorkomen dat hijzelf te ontroerd zou raken. Hij keek naar boven, naar de wolken en de voorgevel. Alsof het de laatste keer was dat hij zijn huis zag, zo nam hij de vertrouwde stenen en ramen in zich op. Het bezorgde hem kippenvel.

'Pas goed op Maria, makker.' Vluchtig aaide hij Heaven over zijn kop, pakte met een snelle beweging de rugzak aan een hengsel op en draaide zich om. Verdikkeme. Nu stonden er toch tranen in zijn ogen, merkte hij. Het drong tot hem door hoe erg hij gehecht was aan zijn nieuwe huis en aan de vrienden die hij in Quillen had gemaakt. Zijn oude leven in de provinciestad leek opeens zo verschrikkelijk ver weg.

'We moeten gaan,' riep Forek, wenkend dat Tob moest opschieten. Wachtend op Tob, liet hij de rest vast instappen. Laconiek nam hij een laatste trek van zijn sigaar, keek er met enige spijt naar en gooide hem in de sneeuw. Sissend doofde de gloeiende punt. Hij spuugde iets uit, gaf een goedkeurende klap op de motorkap en stapte achter het stuur.

'Jij kan naast me zitten. Loop maar om, kerel,' zei Forek, toen Tob was aangekomen.

Tob liep naar de andere kant van de auto en veegde snel zijn tranen af aan zijn mouw. Ze moesten niet denken dat hij een watje was. Met een boog mikte hij zijn rugzak op de grond bij de rest op de achterbank en sprong voorin naast Forek. De deur ging met een stoere klap dicht.

'Moeten wij op je rugzak passen?' zei Pien plagerig tegen Tob.

'Kon je hem niet achterin zetten?'

'Sorry, ik zag dat de jouwe er ook stond,' grinnikte Tob.

'Op naar de rivier,' schalde Forek. Hij startte de motor, en daar trok de landrover met knarsende banden door de sneeuw. De wagen hield even in toen de aanhanger in beweging kwam, maar ploegde vervolgens moeiteloos door de sneeuw de straat uit.

Tob keek uit het raam langs Forek heen en zwaaide, net als de anderen op de achterbank, naar Maria en Heaven. 'Hopelijk zijn we vanavond weer thuis,' zei hij met geknepen stem.

'We hebben slaapzakken en een tentje bij ons, en lucifers, en eten, dus tot morgen kunnen we het uithouden als het moet.' Muzak grinnikte. 'Alleen voor mijn discman was geen plaats meer. Die kreeg ik niet onder al die winterkleren gepropt.'

'Wij drieën zullen wel voor je zingen,' zei Mirte.

'Wij drieën?' vroeg Tob.

'Pien, Mirte en Maxxi.' Mirte had haar lange haren in twee vlechten verdeeld. Ze had wintersportkleren aan, iets bijzonders, want Tob had haar nog nooit in iets anders dan jurken en lange jassen gezien. 'Maxxi kan heel mooi zingen, hoor,' voegde Mirte eraan toe.

'Durfde ze wel mee?' informeerde Muzak.

'Tuurlijk,' kleurde Mirte. 'Alleen heeft het me een uur gekost om haar ervan te overtuigen dat ze niet alleen thuis kon blijven en dat ik per se niet zonder haar wilde gaan.'

'Een verstandig meisje, die Maxxi,' bromde Forek met de handen stevig aan het stuur. Ze volgden de rondweg. De sneeuw was er op sommige plaatsen zo dik dat de aanhanger wegslipte, tot de landrover hem weer in het spoor trok. 'Zo'n winter heb ik in Quillen nog nooit meegemaakt,' zei Forek. 'Anders hebben we hier van die kwakkelwinters. Ooit hadden we een winter waarin de vijvers bevroren, maar met betrekking tot de sneeuw slaat dit alles.'

'Alles ziet er heel mooi uit,' zei Mirte en poetste een van de ramen schoon met haar handschoen. 'Het is net een sprook-je.'

'Als dit sprookje ook maar goed afloopt.' Tob lachte grim-mig. Ze reden nu door de straten aan de rand van Quillen. Doordat de huizen meer in de wind lagen, was de sneeuw tegen sommige muren tot enkele meters opgeblazen. Intussen kwa-men er weer dikke vlokken naar beneden. De ruitenwissers van de landrover veegden ze steeds vinnig van de voorruit. Het was behaaglijk in de auto, maar Tob zat gespannen als een veer op zijn stoel. Muzak, Mirte en Pien achterin waren ook muisstil geworden. De auto passeerde het huisje van Xander Vlemitz. Er stond een bord in de tuin. *Te koop* was met enige moeite te lezen.

'Wordt dat huis verkocht?' vroeg Tob verbouwereerd.

'Ja, ik heb het gisteren in de verkoop gekregen via een schrif-telijke opdracht. Het staat al tijden leeg, toch?' Forek klakte met zijn tong.

'Ik heb er pianoles gehad,' zei Tob.

'Leuk verzonnen van je!' bromde Forek. 'Het is van een boer verderop. Die wil er niets meer mee.' Forek maakte beslist geen grap. Hij vervolgde: 'Volgens mij staat het al tijden leeg.' In verwarring staarde Tob naar Muzak. Die trok een vragend gezicht terug. 'Ik kan er ook geen choco van maken, hoor.'

'Kijk, we naderen de rivier,' riep Forek opgewekt uit. Hij gaf gas bij. De motor loeide en de wielen spinden over het glad-de wegdek. 'Nog even, en we zijn er.'

Tob boog zich voorover naar de voorruit om beter naar bui-ten te kunnen kijken. In de verte liep de rivier, en bij de bocht naderde die de weg op enkele meters. Dat zou een ideale plaats zijn om het water te kiezen. 'Zit er genoeg benzine in de bui-tenboordmotor?'

'Wat dacht je? En jullie krijgen nog een jerrycan van me mee. Probeer als het even kan zo snel mogelijk weer thuis te zijn. Het is vast niet pluis in de heuvels, en ik wil Kerstmis graag met jullie veilig terug vieren.' Forek trommelde op het stuur. '*Jingle bells* zingen en zo, vat je?'

'Beloofd,' zei Tob, en hij wilde nog meer zeggen, maar in de verte bij een oude wilg langs het water ontwaarde hij twee figuren. Ze schuilden onder een paraplu die door de langste werd opgehouden. 'Wie zijn dat?'

'Wacht maar af.' Een geheimzinnig lachje speelde om Foreks mond. 'Dat zul je zo zien.' Hij stuurde zijn auto de berm in. De motor raasde. Uitlaatgassen woeien onder de auto vandaan. Links van hen konden ze het water van de rivier zien stromen. Kort helmgras omzoomde de oevers. Naar de overkant was het slechts een meter of tien, maar Tob wist dat de rivier erg diep was, doordat meestromende kiezels uit de bergen de zachte bodem gedurende duizenden jaren hadden uitgesleten. Het water stond hoog, bijna op gelijke hoogte met de oevers.

Forek trapte op de rem. De auto en aanhanger gleden een stukje door. Buiten viel de sneeuw steeds heviger naar beneden. 'Eindpunt,' zei Forek. 'Als jullie vast uitstappen, manoeuvreer ik de aanhanger met zijn kont naar de waterkant.'

'Doen we.' Tob gooide het portier open. Wie waren die mensen bij de wilg toch? Hij sprong uit de auto. Vlokken dwarrelden in zijn ogen, waardoor hij zich gedwongen zag zijn capuchon op te zetten. Langzaam stapte hij door de sneeuw op de wilg af. 'Hallo?' riep hij op goed geluk naar de in dikke winterjassen gehulde figuren. Hun hoofden gingen schuil achter de paraplu, maar plotseling werd die weggehaald en keerden twee onder mutsen verstopte gezichten zich naar hem toe. 'Papa!' Tob kon zijn ogen niet geloven.

'Tobias,' riep zijn vader blij uit, en Patricia naast hem straalde minstens zo hard.

Hij holde naar de twee toe en omhelsde hen. 'Wat doen jullie hier?'

'Jullie uitzwaaien,' zei Patricia. 'En jullie succes wensen.'

'Is het niet gevaarlijk dat je hier bent, Theo? Ik snap er niks meer van. Waar heb je al die tijd gezeten?'

'Rustig maar,' suste Tobs vader. 'Ik heb me op landgoed Witvleughel verborgen gehouden. Zelfs tot vandaag, zonder dat Patricia ervan wist. Het kruis is mij weken terug, op weg naar Ovil, al op een vreemde manier ontnomen. Een man sprak me aan en zei dat hij jou kende. Zonder dat ik het merkte stal hij het kruis uit mijn tas. Ik dacht werkelijk dat je het nooit zou terugkrijgen, maar durfde je het niet te zeggen.'

'Maar waarvoor ben je dan ondergedoken?'

'Bij Ovil waren ze bang dat ik hen zou verraden. Als ze mij te pakken hadden gekregen, zouden ze dat gebruikt hebben om jou onder druk te zetten. Dan zou je vleugellam zijn, Tob, en zou je niets meer hebben willen doen. Maar dat is nu niet meer van belang. Je hebt alles wat nodig is.'

'Ze hadden evengoed een van mijn vrienden kunnen ontvoeren, toch?'

Patricia schudde haar hoofd. 'Dan hadden ze nóg niet de garantie dat ze je konden weerhouden, Tob. Maar heb je alles bij je? Voor middernacht moeten jullie hem stoppen.'

'De duistere figuur uit de bergen?'

'De duivel zelf.' Patricia wendde haar blik een moment naar de grond. 'Alles hangt van jou af, Tob. Red Quillen!'

Hij knikte en merkte dat verderop de anderen inmiddels ook waren uitgestapt. Op de achtergrond klonk het sonore gebrom van de landrovermotor.

Tob wipte op zijn voeten op en neer om het warm te krijgen. Hij had buik- en hoofdpijn en voelde zich steeds slapper, alsof hij de griep kreeg. 'O Patricia, ik wilde je nog zeggen dat ik Xin heb ontmoet. Hij was mijn pianoleraar.'

Patricia trok wit weg. Hoewel ze bijna altijd alles leek te weten, verraste dit haar. 'De oude Xin? Maar die is toch al jaren dood!'

'En toch heb ik hem gezien en gesproken. Theo wilde dat hij me pianoles gaf.'

'Ik?' Zijn vaders ogen werden groot. 'Ik ken die man helemaal niet. Hoe zei je dat hij heette?'

'Xander Vlemitz.'

Patricia schudde haar hoofd. Plotseling glimlachte ze. 'Natuurlijk…'

Tobs vader fronste. 'Nooit van gehoord. Of toch…?' Hij dacht diep na. 'Warempel! Zo noemde de man zich die het kruis van me afgenomen heeft. Hij was pianoleraar. Hij vond dat jij nodig eens pianolessen zou moeten nemen, en ik zei nog dat je absoluut geen talent had.' Opeens wees zijn vader naar zijn blote handen. 'Tob, doe je handschoenen aan, anders bevriezen je vingers nog. Heb je trouwens geverfd?'

'Hè?' Verbaasd inspecteerde Tob zijn handen. Al zijn nagels waren zwart geworden, en op de rug van zijn hand zaten donkerblauwe plekken.

'Godhemel!' riep Patricia uit. 'Tot het laatst zal hij je tegenwerken.'

Tob slikte. Daarom voelde hij zich dus zo slap. Ineens was het of zijn lichaam niet helemaal meer van hemzelf was. Maar hij moest zich er tot het uiterste tegen verzetten.

'Kom eens helpen, luiwammes,' riep Forek achter hem. 'De boot moet het water in.' Forek en de rest hadden vanaf de aanhanger een paar grote planken neergelegd naar de rivieroever. 'Kom op!'

Tob bande de nare gedachten uit zijn hoofd. Hij glibberde terug naar de landrover en deed snel zijn handschoenen aan. 'Meehelpen, dames!' riep hij tegen Pien en Mirte.

'*Yes, Rambo*,' lachte Pien. 'Wij stonden al klaar, hoor!'

Met zijn allen duwden ze, met Forek als aanvoerder, de boot over de planken het water in. Een rubberboot was niet het zwaarste, dus dat was snel gepiept. Terwijl de boot in het ijskoude water dobberde, laadden ze hun rugzakken, een grote tas met een tent en slaapzakken uit de auto. Muzak sprong in de boot en nam de bagage aan die hem werd aangereikt.

'Om de motor te starten moet je de rode knop indrukken en aan het touw trekken,' instrueerde Forek. 'Met die andere knop kun je hem voor- of achteruit zetten. Nooit doen als je gas geeft, want dan knalt de motor uit elkaar.'

'Makkie,' zei Muzak. Hij leek in zijn element. 'Mijn vader had vroeger ook een boot.'

'Mooi.' Forek wreef zijn handen. 'Dan wordt het tijd dat jullie gaan.'

Muzak stapte uit, en er volgde een kort afscheid.

'Vertrouw op je vrienden,' fluisterde Patricia in Tobs oor.

'Doe ik,' beloofde hij, sprong na Muzak de boot in en hielp de meiden met instappen. 'Tot vanavond. Of zo.'

'Hou je taai, Tob,' riep zijn vader nog.

Meteen startte Muzak de motor en draaide aan de gashendel. De motor knetterde en spuwde zijn uitlaatgassen over de rivier. Ze vertrokken. De drie achterblijvers aan de kant zwaaiden hen na, maar al na tien meter verdween hun beeld achter het zware sneeuwgordijn. Muzak zette koers naar het midden van de rivier, gaf wat extra gas bij, en daar voeren ze, tegen de stroom in, op weg naar de bergen.

Ondanks het feit dat ze door de sneeuwval niet ver voorbij de oevers konden kijken, kregen ze een indruk van het landschap. Kale weiden waar geen vee graasde, met hier en daar omheiningen van prikkeldraad en houten hekken. Soms doemden de contouren van een boerenschuur op. Dit gebied in het achterland van Quillen hadden ze nog nooit gezien. Soms stonden er bomen aan de kant met takken die kraakten onder het gewicht van de sneeuw.

'Hoe lang moeten we?' vroeg Tob.

'Een uurtje of drie, schat ik,' zei Muzak, die de motor bediende. Tob zat in het midden van de boot, en Mirte en Pien in de punt.

'Ik denk dat ik weet hoe we moeten gaan als we in de bergen zijn,' zei Pien. 'Ik had een droom vannacht. Straks komen we bij een meertje waar drie riviertjes op uitkomen. We moeten de meest rechtse rivier hebben.'

'Als jouw droom klopt tenminste,' zei Tob. Hij keek om zich heen. 'Is Maxxi nu eigenlijk meegekomen of staat ze nog aan de kant?'

'Ja,' zei Mirte een beetje vinnig. 'Ze vroeg zich al af of iemand nog aan haar dacht. Bedankt voor de aandacht, zegt ze.'

'Graag gedaan.' Tob durfde niet te lachen. Mirtes onzichtbare vriendinnetje was immers snel op haar teentjes getrapt. 'Ik hoop dat ze het niet te koud krijgt.'

'Ze is warm genoeg aangekleed.' Mirte liet haar denkrimpeltjes boven haar ogen zien. 'Moeten we geen strijdplan maken of zoiets?'

De boot ging op en neer doordat de rivier iets onrustiger werd. Het water stroomde sneller langs hen heen. 'We weten niet wat ons te wachten staat,' zei Muzak, tegen de golven in sturend. Zijn capuchon was wit van de sneeuw.

'Net als in de Griekse mythe varen we over de Styx, op weg naar het schimmenrijk,' mijmerde Tob. 'Niemand weet hoe het daar is, behalve dat het er gevaarlijk is.'

'Hou op, *creep*,' zei Pien en gaf hem een goedbedoelde trap met de punt van haar schoen.

Tob glimlachte. 'Sorry. Als je bang bent helpt het soms om griezelige verhalen te verzinnen.'

'Dat doe ik ook wel eens,' zei Mirte. 'Toen ik klein was, verzon ik altijd dat ik het monster óp het bed was, en dat het monster onder mijn bed hartstikke bang voor me was.'

'Kijk eens!' riep Tob. 'Over eng gesproken.' Het landschap bediende hem op zijn wenken. Even verderop stond langs de rivier een rij bomen waarvan de contouren sprekend leken op gedrochten met grove gezichten en tandeloze monden. Hun takken hielden ze als armen uitgespreid over het water, klaar om hen te vangen.

'Ik eh… ik vertrouw het niet helemaal,' hikte Mirte. 'Moeten we daarlangs?'

'Ik vrees van wel,' antwoordde Muzak. Hij stak zijn tong uit om er enkele sneeuwvlokken mee op te vangen. 'Er is geen andere mogelijkheid.'

'O.' Mirte sloeg haar armen over elkaar, alsof ze zichzelf wilde beschermen. 'Dan moet het maar.'

'Het zijn maar bomen hoor,' wilde Tob haar geruststellen. De boot deinde op en neer. Tob staarde naar het zwarte water. Als je daarin viel, was je in *no time* bevroren en zonk je naar de bodem. Dom dat ze niet aan zwemvesten hadden gedacht. 'Ik wou dat Patricia er bij was. Of Pakdal.' Zijn wangen gloeiden alsof hij flinke koorts had. 'Of mijn vader.'

'Ik denk dat we ze alleen maar in gevaar zouden brengen.' Pien kwam overeind en stopte bij Mirte en Tob een suikerbeestje in hun mond. 'Dat geeft energie.' Ze moest balanceren om de paar stappen naar Muzak te maken. 'Hier. Jij ook een.' Snel dook ze langs Tob terug naar haar plek. Ze waren bij de bomen aangekomen. Met een benauwde blik keek Mirte naar de takken boven haar hoofd. Ze deinden in de opstekende wind, en kreunden zacht.

'Zie je wel. Ze doen niets,' grinnikte Muzak.

Het landschap veranderde. Steeds vaker lagen er langs de kant grote basaltblokken en werd het gras verdrongen door ruwe distels, kale struiken en onkruid. Nauwelijks te zien door de zware sneeuwval verschenen aan de oevers soms vage rotswanden die de indruk gaven dat ze het begin van de bergen bereikt hadden. Het monotone geluid van de buitenboordmotor echode soms terug.

'De bergen!' bevestigde Muzak en nam een beetje gas terug.

'Sst!' Tob luisterde aandachtig. Daar was het weer, het klaagkoor, niet heel hard, maar toch doordringend. Duizenden stemmen die smeekten om bevrijding. 'Horen jullie dat?'

Nee, de anderen hoorden niets.

'Het zijn de stemmen van geesten die je hoort,' vermoedde Mirte. 'Jij kunt toch contact met gene zijde maken?'

'Volgens Patricia, ja.' Hij beet een nieuw suikerbeestje dwars doormidden. Het koor verdween gelukkig weer snel, want het maakte hem verdrietig en bang. 'Muzak heeft het anders ook een keer gehoord, hoor,' zei hij wat verongelijkt, omdat het steeds leek of hij het zich inbeeldde.

'Hoor eens,' riep Mirte plotseling uit.

Verrast keken ze allemaal tegelijk omhoog. Van boven de wolken klonk een naargeestig geluid, een doordringend gekrijs dat ze niet lang geleden voor het laatst hadden gehoord.

'De zwarte vogels! Zouden ze ons volgen?' Mirte kroop tegen Pien aan.

Muzak knikte. 'Ze voelen dat we eraan komen.'

'Ja,' zei Tob. 'Ze wéten dat we komen. Hoe lang varen we eigenlijk al?'

'Een dikke twee uur,' zei Muzak. 'Het zal niet lang meer duren.'

Dat was maar goed ook, want het werd steeds kouder, en de sneeuwval verminderde helemaal niets. Zoals hij dat onderweg al een paar keer meer gedaan had, schepte Tob een paar handen sneeuw uit de boot.

Pien nam zijn voorbeeld over.

'Goed zo,' zei Tob, met kaken die stijf waren van de kou. 'Anders zinken we straks.' Bah! Wat voelde hij zich intens mat en moe.

Aan beide zijden van de rivier waren er intussen hoge rotswanden verschenen waar kleine lichtgroene mosjes op groeiden. Ze voeren in een vrij smalle kloof. Het spaarzame daglicht dat er nog was, werd bijna helemaal opgeslokt door de omringende rotsen.

'Maxxi vind het niet leuk hier.' Mirte wreef over haar snotterige wipneus. 'En ikzelf ook niet.'

Muzak liet de boot onverminderd doorgaan. 'Ik heb een zaklantaarn bij me voor als het te donker wordt.'

Ze kregen tegenwind, waardoor de sneeuw hun recht in de ogen woei. Mirte en Pien gingen met hun rug naar de boeg zitten. Hoog in de lucht krasten de vogels weer. Het rivierwater klotste tegen de kanten. Tob probeerde moed te scheppen uit een van de Latijnse spreuken, maar er schoot hem er geen een te binnen. Zijn hoofd was leeg. Het enige wat hij kon, was rondkijken en alles in zich opnemen. Ze voeren een tijdje door de kloof, tot de rotsen verdwenen en het water breder werd. Muzak zette de schroef stil. De motor sputterde zacht, terwijl ze ronddobberden. Ze waren aangekomen op een meertje met diepgroen water.

'Zie je wel, ik had gelijk,' zei Pien.

De echo herhaalde haar laatste woorden. 'Gelijk, gelijk, ijk, ijk...'

Het deed Tob weer aan de kerk van Quillen denken, en aan het afschuwelijke ongeluk met Black. Hij huiverde en haalde diep adem om het lamlendige gevoel dat hem in zijn greep hield kwijt te raken. Het hielp niets.

'Daar ziet het inderdaad naar uit.' Muzak, met een hand boven zijn ogen, stond op. 'Daar is rechts een riviertje, een in het midden, en nog een links.' Hij tuitte zijn lippen en knikte vol bewondering naar Pien. 'Een voorspellende droom! Welke kant moeten we op?'

'Naar rechts, volgens Piens droom,' fluisterde Tob vol ontzag voor de woeste natuur waarin ze zich bevonden. 'Dat smalle riviertje in.'

Muzak zakte terug op zijn bankje en sloeg zichzelf met zijn handen op zijn rug om het warm te krijgen. 'Mijn arm wordt stijf van dat gestuur.'

'Moet ik even?' bood Tob aan.

'Hoeft niet.' Muzak draaide alweer aan het gas en maakte weer vaart.

Onder de oppervlakte van het water zwommen kleine lichtgevende visjes. Hier en daar dreven er oranjerode kwallen, die zich met hun statige tentakels voortstuwden door het water. De lucht boven hen was asgrauw, en er viel nog onophoudelijk sneeuw. Ze voeren het kleine riviertje in dat net breed genoeg was voor de boot. Meteen rezen weer de dreigende rotswanden op die glommen van het vocht. Het was er zo smal dat het leek alsof ze tussen de rotsen werden vermalen. Plantjes of mosjes groeiden er niet meer, maar er kropen honderden glibberige naaktslakken die zilveren spoortjes achterlieten op de stenige wanden.

'Getver!' Mirte en Pien schoven zoveel mogelijk naar het midden van de boot.

'Maxxi heeft engtevrees,' zei Mirte.

Niemand gaf er een reactie op. Piekerend staarde Tob naar het water voor hen, waar grote sneeuwvlokken op neerdaalden en een fractie van een seconde bleven drijven voor ze wegsmolten. Waar waren ze aan begonnen? En waar kwam dit riviertje uit? Straks had Pien zich nog vergist. Muzak liet de motor minder toeren maken omdat het van de wanden weerkaatsende geluid erg veel rumoer veroorzaakte. Bovendien bracht de boot in de smalle rivier veel golfslag teweeg, waarvan vooral Mirte veel last had.

Pakweg tien minuten waren ze alweer onderweg, zonder dat er iets veranderde. Zelfs de slakken bleven alsmaar kruipen en hun sporen trekken.

'Moeten we niet omkeren?' vroeg Tob.

'Nog even.' Muzak wilde het niet opgeven. 'Misschien komen we zo iets tegen. En trouwens, keren kan ik hier toch niet.'

'Sst,' zei Mirte. 'Ik hoor wat.'

Ze hielden zich stil. Mirte had gelijk. Ze hoorden een vreemd piepend geluid en een merkwaardig geratel. Muzak nam nog meer gas terug. Het geluid was nu beter hoorbaar.

Tob kneep zijn ogen samen. Zag hij daar iets in de verte? Nee, toch niet.

Aan de rotswanden kleefden op dit gedeelte ineens zwarte stroperige druppels die met een nauwelijks waarneembare snelheid naar beneden gleden. Ze leken uit het gesteente zelf te ontspruiten. Het vreemde geluid kwam naderbij.

'Wat is dat toch!' mopperde Muzak.

Tob tuurde in de sneeuw. Ja, ze naderden een gebouwtje, iets donkers en hoekigs. 'Een steiger!' riep hij even later uit. Ze voeren ernaartoe. Een aan een ketting bevestigd stuk drijfhout dobberde in het water. Aan het wateroppervlak dreven dode zilverkleurige vissen. De langs de palen schurende ketting veroorzaakte het geluid dat ze gehoord hadden.

Muzak nam alle gas terug en liet de boot sputterend uitdrijven naar de steiger. Hij pakte het touw van de boot om aan te meren en legde het aan een paal vast. Daarna knikte hij tevreden. 'Geregeld!'

'Moeten we eruit?' vroeg Mirte.

'Lijkt me van wel,' zei Tob. 'Pien, wat denk jij?'

Ze legde twee wijsvingers tegen haar slapen en sloot haar ogen. 'Ik probeer me te concentreren op mijn droom.' Ze zweeg even. 'Ja. Hier moeten we eruit.'

'Oké.' Muzak verdeelde de rugzakken. 'Laten we goed op elkaar passen. Vanaf nu wordt het echt gevaarlijk, denk ik. Akkoord?'

'*Yep*,' stemde Pien in, en Mirte en Tob hadden er evenmin iets tegenin te brengen.

Tob bibberde. De buikpijn werd steeds erger, en het was of iemand de energie uit zijn lijf wegzoog. Zijn benen trilden toen hij opstond, maar hij hield zich groot. Hij deed zijn rugzak om, stapte vanuit de wankele boot op de steiger en hielp de meiden de boot uit. Muzak had de motor stopgezet en sprong naast hen de steiger op. Opeens was het volledig stil. Ze bleven staan luisteren naar het niets. Geen druppel, geen geklater, geen dierengeluid. Ze waren alleen met de geruisloos neervallende sneeuw.

De steiger sloot aan op een dikbesneeuwd pad dat slechts herkenbaar was aan een dunne langs paaltjes gespannen ijzerdraad. Het pad boog vrijwel meteen af om de hoek van een rotspunt, waarna het uit het zicht verdween.

'Hierheen, het pad op,' doorbrak Tob de stilte en ging voorop. 'Pas op. Het is glad hier.' De rugzakbanden drukten in zijn schouders. Hij voelde dat hij steeds zwakker werd. Het moest niet te lang duren, anders zou hij geen stap meer kunnen verzetten. Zijn handen voelden zweterig aan en jeukten. Hij deed een handschoen uit en staarde naar zijn hand.

Pien slaakte een kreet. 'Hij is zwart!'

Vol ontzetting bewoog Tob zijn hand op en neer. De huid zag er perkamentachtig en dof uit, als van een reptiel. '*Shit* zeg!'

Was dat zijn eigen hand nog wel? Zijn hand was een vreemd ding geworden dat niet meer bij hem hoorde.

'Wat is dat?' vroeg Muzak. '*Dirty* zeg!'

Tob sidderde. 'Ik heb het jullie nog niet verteld, maar als we vandaag niet winnen, neemt de duistere kracht mijn lichaam over.'

'Wat!' riep Pien verontwaardigd uit. 'En dat zeg je nu pas!'

'Dus die zwarte nagels en die plek op je buik waren daar het begin van?' Mirte durfde niet langer te kijken. 'Doe maar gauw die hand weg.'

'Volhouden,' zei Muzak. 'Ik denk dat we er bijna zijn.'

'Ik ben misselijk,' klaagde Tob en trok zijn handschoen weer aan. 'We moeten verder.' Hij rilde tot in zijn tenen.

De lucht werd donkerder en donkerder. Gaandeweg werd het pad smaller en dook het weg tussen metershoge rotswanden. Pien pakte de zaklantaarn uit Muzaks rugzak, een knots van een ding dat een zee van licht verspreidde.

'Maxxi is blij dat we wat kunnen zien,' zei Mirte. 'Ze heeft het een beetje koud.'

Moeizaam zette Tob steeds zijn ene been voor het andere, zijn longen voelden verdord aan en namen bijna geen zuurstof meer op. Overal in zijn hoofd klonken kleine knappende geluidjes, als brekende twijgjes van een boom.

Op de glibberige rotswanden verschenen plotseling kleine groene wormpjes die hun kopjes oprichtten zodra ze langskwamen.

'Wacht eens.' Muzak deed de lantaarn uit. 'Gloeiwormpjes!'

Een feeëriek lint van lampjes spreidde zich voor hen uit, hen de weg wijzend langs het pad.

'Ik spaar de batterijen,' zei Muzak en liet de lantaarn uit. Hij tikte Tob op de schouders en nam het voortouw. Het pad werd onregelmatig en hobbelig, maar ondanks de langdurige sneeuwval was het goed begaanbaar.

'Er heeft hier iemand geveegd,' zei Muzak. 'Worden we verwacht?'

Tob knikte. 'Ongetwijfeld.' Zijn koortsige lijf protesteerde bij iedere beweging. 'Zien jullie al iets?' Hij tuurde in de verte, waar het pad een bocht maakte. 'Misschien achter die rotspunt?'

'Ik hoop het,' zei Muzak. 'Ik begin het behoorlijk *depresso* te vinden hier.'

'Laat mij maar.' Pien kreeg peper in haar kont. Ineens haalde ze Muzak in en ging op haar beurt voorop lopen. 'Volgens mij zie ik licht.'

Tob rechtte zijn rug. Pien had gelijk. Er gloorde een vaag schijnsel vanachter de rotsen. 'Zou hij daar wonen?'

'Wie?' Mirte wreef over haar pijnlijke schouders.

'De duivel, of wat het ook mag zijn.' Om de rest niet al te ongerust te maken dwong Tob een grijns op zijn lippen. 'Hij heeft vast een staart en horentjes.'

'O!' riep Pien verrast uit toen ze als eerste de hoek omging.

Ze haastten zich naar haar toe om de bron van haar verbazing te bekijken. Ze stonden aan de rand van een door bergwanden omgeven grote open plek. Aan de rotsen hingen lantaarns die alles in een gelige gloed zetten. Recht voor hen was een enorm kasteel uitgehouwen in het zwarte gesteente. Alle ramen waren afgesloten met zwart-wit geblokte luiken. De uit basaltblokken opgebouwde hoektorens waren zo hoog dat ze boven de omringende rotsen uitstaken. Door de sneeuwbui heen waren in de lucht alleen de vage omtrekken van de kantelen te zien. Tob kreunde. Zijn spieren hadden stuk voor stuk kramp.

Pijnscheuten flitsten door zijn slapen. Hij viel bijna om en wankelde als een dronkeman. Nee! Hij mocht niet aan de vermoeidheid toegeven! Hij moest sterk blijven, hij moest het nog even volhouden.

'Je bent van mij, van mij,' zoemde een vreselijke stem in zijn oren. 'Van mij…'

'Nee,' prevelde hij tegen de lucht. 'Nooit!' Ondersteund door Muzak strompelde hij naar het kasteel toe. In het midden van de gevel bevond zich een grote zwarte poort met een ijzeren ring. Langzaam naderden ze het duistere, dreigende bouwwerk. Een tiental meters ervoor hielden ze stil en wachtten tot Mirte en Pien zich bij hen hadden gevoegd.

'Wat is dat?' fluisterde Mirte. Haar trillende wijsvinger priemde naar de poort.

'Een deur.' Pien knipperde met haar ogen. 'Ik voel… iets.'

Tob knikte. Hij voelde het ook. 'Er komt iets van de poort af, een kracht, iets dreigends.' Hij schudde zijn hoofd. 'Ik weet het niet precies. Het is…'

Op dat moment trilde de poort en het oppervlak veranderde in een zwarte spiegel van water. Er ontstond een vage rimpeling in het oppervlak, heel aarzelend. Toen stegen er bellen uit op, alsof het aan de kook raakte. Spetters zwart water vlogen naar de grond en koelden daar sissend af. Mirte gilde. Tergend langzaam kwam er iets uit de poort. Tob staarde er vol ontzetting naar. Het was een gespierde, behaarde poot met een viervingerige geschubde klauw, de nagels scherp en dreigend op hen gericht. Ze stonden aan de grond vastgespijkerd, totaal verlamd door wat ze zagen. De poot werd langer en langer, en de klauw strekte zijn donkere vingers uit naar Tob. Plotseling klonk er geknetter en schoot er een blauwe flits van de klauw naar de grond. De klauw aarzelde, en de vingers wezen opeens naar Pien, die ineen dook.

Mirte klapperde met haar tanden van schrik. 'Kkkkijk, hij gggaat weg!'

Zonder duidelijke reden trok de poot zich ineens terug en verdween weer achter de poort.

'Ik ben bang,' piepte Mirte. 'Maxxi wil hier weg.'

'Nog niet,' zei Tob. 'Ik wil weten wat er áchter die poort is.'

Hij verzamelde zijn krachten en ging stapje voor stapje alleen op de poort af. Er straalde een warmte vanuit die de sneeuw op de grond ervoor vreemd genoeg niet deed smelten. Toch kon Tob de energie duidelijk voelen. Nog vier meter, nog drie meter. Er gebeurde niets. Nog twee meter. Hij hield halt en ademde diep in. Wat school er achter die geheimzinnige deur? Zou hij nóg dichterbij gaan, of werd dat te gevaarlijk? Zonder enige twijfel was dit de plek waar ze naar gezocht hadden.

Hij schuifelde nog een paar decimeter vooruit. 'Is daar iemand?' Het oppervlak van de deur was volkomen glad, hij kon zijn spiegelbeeld erin zien. 'Wie is daar?' riep hij met stemverheffing.

'Tob,' siste Muzak achter zijn rug. 'Tob!'

Hij negeerde het. Hij moest en zou de duivel uit zijn schuilplaats lokken. Zijn hoofd jeukte. Hij voelde zich nog misselijker en vreemder dan daarvoor. Zijn rechterarm bewoog, en krabde op zijn hoofd. Alleen... hij wist zeker dat hij het zelf niet was die zijn arm bewoog.

Een stem vanachter de duistere poort fluisterde: 'Ik krijg je wel, Tob Timp. Vanavond ben je van mij, vanavond ben je van mij...'

'Nooit,' sprak Tob hardop. 'Ik heb... de kracht van Xin.'

Hij had het woord Xin nog niet uitgesproken, of onmiddellijk viel zijn arm terug naast zijn lijf, slap en krachteloos. Gebiologeerd keek hij naar de poort. De grond trilde. Met een daverende knal stortte de monsterlijke arm zich door de deur en greep naar zijn keel. Hij deinsde terug, en buitelde drie keer achterover, om daarna als een hulpeloze tor op zijn rug te blijven liggen. De spullen in zijn rugzak kraakten, en enkele harde voorwerpen staken pijnlijk in zijn rug. De klauw maaide doelloos een paar keer in de lucht, verkrampte, werd doorzichtig als melkglas, en verdampte in het niets.

Muzak was meteen bezig hem overeind te sjorren. 'Hoorde je me niet? Ik wilde je iets zeggen.'

Tob ging rechtop staan, beduidend dat het hem alleen wel lukte.

Muzak zag bleek, lijkbleek. 'Wat is er?'

'Ik weet ineens wat die poort precies is, en wat erachter zit.'

Muzaks lippen trilden.

'Wat dan?' Tob wankelde. 'Wat dan?'

Van zijn stuk gebracht opende Muzak zijn mond. Even kwam er geen geluid uit. 'Dat daar is... de poort naar een andere dimensie, een plaats die wij de hel noemen.'

'De hel?' gilde Mirte.

'Sst,' zei Pien en legde een vinger op haar lippen. 'Tob, je moet het kruis nu pakken.'

Tob knikte. Pien had gelijk. De kracht van Xin moest zijn werk doen, want anders zou de poort opengaan, en zou alles wat slecht en duivels was zich op Quillen en de rest van de wereld storten. Hij deed een handschoen uit, maakte zijn jas aan de bovenkant los, voelde aan de ketting rond zijn nek, en trok het jaden kruis met de diamanten naar buiten. Zijn hand zag er vreselijk uit. Het had niets menselijks meer. Olieachtige zwarte schubben glommen op zijn knokkels en een laag bruin slijm bedekte de huid bovenop zijn hand. Trillend hield hij het kruis met gestrekte arm voor zich uit, het stevig vasthoudend in zijn weerzinwekkende reptielenhand. 'Ik denk dat ik weer naar de poort toe moet.'

'Niet doen,' riep Mirte. 'Dat is veel te gevaarlijk, ik...'

'Welkom, welkom!' kraste een stem vanuit een nis in de rotsen. 'Eindelijk zijn jullie er.' Breed grijnzend sprong een man in een beige zomerpak tevoorschijn en ging tussen hen en de poort staan. In zijn knoopsgat prijkte een witte anjer. '*Merry Christmas.*'

'Morgan!' riep Tob. 'Jij weer!'

'Tuurlijk,' zei Morgan, die ondanks zijn dunne kleding geen last van de kou en de sneeuw scheen te hebben. 'Ik had je toch gezegd dat je me nog zou zien?' Hij grijnsde vol verachting. 'Nou, daar ben ik dan.'

'Wat moet je van ons? We hebben de kracht van Xin. Je bent te laat om ons tegen te houden,' zei Muzak boos.

Morgan streek zijn gladde haren nog strakker naar achteren. 'Ik ben er om jullie bezig te houden. Zie je, anders blijft dat mooie hartje bij Tob thuis maar kloppen, en dat willen we niet.'

'Wat weet jij daar nu van?' Muzak stak zijn kin uitdagend naar voren.

'Om twaalf uur is het kerst, en dan ben je te laat, Tobbie, want dan had je daar moeten zijn.'

'Waar moeten zijn?' schreeuwde Tob. Hij duwde het kruis voor zich uit. 'Zeg me! Waar had ik moeten zijn?'

'Ergens in Quillen. Van wie denk je dat dat hart is, sullie? Raad eens?'

Tob keek Muzak smekend aan. Deze fronste en klemde zijn kaken op elkaar. Zichtbaar krampachtig probeerde hij Morgans gedachten op te pikken.

'Nou, weet je het?' daagde Morgan hen weer uit. 'Jij soms, Muzakje? Waar denk ik aan?'

'Ma… Maqualte,' stamelde Muzak. 'Het hart is van Tobs moeder!'

'Goed zo!' kakelde Morgan. 'Heel goed. En als je op middernacht, als kerst begint, dat hart niet bij de rest brengt, dan…'

Achter zijn rug klonk een schreeuw uit het kasteel. Een scherp sissend geluid kwam vanuit de poort. Morgan grinnikte vals, waarbij zijn onnatuurlijk witte tanden bloot kwamen. 'Ik denk dat het tijd wordt dat ik de poort maar eens opengooi. Het is nog iets te vroeg, maar *so what*? Eindelijk zullen die arme Quillenaren definitief verdoemd zijn.'

'De mensen die we in die kamer van Ovil zagen?' Tob hield zich aan een schouder van Muzak staande. 'Hun armen en handen?'

'De duivel heeft hun ziel gehaald, en als zombies leven zij in het schimmige omhulsel van hun vervloekte huizen, hopend op bevrijding. Maar na vandaag, als alles in Quillen zwart zal zijn geworden, zijn ze reddeloos verloren. Daar zul jij niets aan veranderen, Tobbie.'

'Stop!' riep Tob uit. 'Ik heb de kracht van Xin.' Hij knikte naar het kruis, waar onrustbarend weinig mee gebeurde. Het straalde niet, het werd niet warm, niets!

Schuddebuikend sloeg Morgan zich op de knieën.

'Wat is er zo leuk, eikel?' vroeg Pien brutaal.

Morgans hoofd zonk weg in zijn kraag. Bloed spoot naar buiten, en kleine blauwe slangetjes kringelden naar buiten. Daar dook zijn lachende hoofd weer op. 'Goede truc, niet? Je dacht toch niet dat ik je in de trein een echte diamant cadeau heb gedaan?' Hij haalde iets uit zijn zak. 'Dit hier, dat is de echte diamant. Je hebt nog geluk dat die eigenwijze Black je er onbedoeld ook nog één bezorgde, en die andere twee mag je ook hebben, want dit is wat ontbreekt.' Tussen Morgans duim en wijsvinger glinsterde de laatste diamant.

'Je hebt ons belazerd!' schreeuwde Tob uit. Een vreselijke pijn gierde door zijn lijf.

'Ik kom eraan, ik kom eraan,' fluisterde de duivelsstem in zijn hoofd.

'Ga weg!' schreeuwde Tob. Kronkelend van ellende liet hij zich met zijn rugzak en al op zijn knieën in de sneeuw vallen. 'Geef hier, die diamant!'

Nadrukkelijk, met een sadistische grijns, schudde Morgan van nee. 'Ik denk dat ik de poort eens opendoe. Laat het feest beginnen!'

'Nee, dat mag niet!' riep Mirte en deed een stap naar voren.

'Ach, het lieve wichtje van de familie,' spotte Morgan. 'Sorry, maar ik heb wel wat beters te doen.' Hij draaide zich om en begon naar de poort te lopen.

'Maxxi, pak hem,' gilde Mirte.

Vol verbijstering keek Tob de zich verwijderende Morgan na.

Hij had de diamant nog steeds tussen zijn vingers vast. Plotseling klonk er het echoënde geluid van voetstappen, korte tikjes van dameshakjes, heel doordringend over de open plek. Het kwam van Mirte af en verplaatste zich naar Morgan, die verbaasd over zijn schouder keek. 'Wat is...?' Perplex bleef hij staan, In de sneeuw was, vanaf Mirte naar Morgan, een spoor van schoenafdrukjes verschenen.

Tob wreef in zijn ogen. 'Wat is...?'

'Iemand bijt me!' krijste Morgan ineens. Bloed spoot vanuit zijn hand in de witte sneeuw. De diamant viel, maar nog voor hij de sneeuw bereikte werd hij door een onzichtbare kracht opgevangen. Zwevend door de lucht zette hij koers naar het kruis dat Tob nog in zijn hand had.

'Goed zo Maxxi,' riep Mirte blij uit. 'Goed zo!'

Tob voelde een schok in zijn hand. Iemand draaide het kruis horizontaal. Maxxi had de diamant op het kruis gelegd. Tobs hand trilde. Er klonk een knal. In zijn handpalm ontstond een blauwe steekvlam die recht omhoog ging, waarna een goud-geel licht zich vanuit het kruis verspreidde, als een bal van vuur. In de kern zweefde een engelenfiguur. Tob voelde een enorme kracht door zijn hand en arm gaan die zich van daar-uit door zijn hele lijf verspreidde, alsof iemand adrenaline recht-streeks in zijn aderen spoot. Het was een goddelijk gevoel, hij voelde zich als... als een engel, ja, zo moest dat voelen.

'De kracht van Xin!' joelde Muzak. 'Het is de kracht van Xin!'

Morgan gilde hartverscheurend en tilde afwerend een arm voor zijn gezicht. 'Nee!'

Boven Tobs hand knetterde de gouden vuurbal, waarin nu klei-ne vonken over en weer sprongen, die de engel aan het zicht onttrokken. Tobs hand werd gloeiendheet en met een donde-rend geweld strekte zich een vlammende lans naar Morgan uit. Voor deze ook maar iets kon doen, brandde zijn hele lichaam als een fakkel. In doodsnood gooide Morgan zich op de grond. Zijn dunne kostuum schroeide in enkele seconden weg onder het vlammengeweld. Krijsend wentelde hij zich door de smeltende sneeuw, terwijl zijn haar, huid en spieren wegbrandden en zijn ribben zichtbaar werden. Smeulende lappen huid bleven op de grond achter. Morgans hart klopte zichtbaar in zijn borst, bezig verteerd te worden door het vuur.

Plotseling opende zich krakend een brede scheur in de grond, waarin Morgan huilend en jammerend wegzakte, eerst zijn benen, daarna de rest van wat er nog van hem over was. Zijn geblakerde vingertoppen omklemden de rand. '*Brexabrabra*,' reutelde Morgan. Opeens liet hij los. Het laatste wat ze van hem zagen was een roodgloeiende hand die een machteloze beweging in de lucht maakte.

'Hij is weg,' riep Tob. 'Hij is weg!'

Maar nog was de kracht van Xin niet uitgewerkt. Midden op de open plek hing de zinderende vuurbal nu, en zijn kern werd paarser en paarser.

'Pas op,' schreeuwde Muzak zijn stem schor. 'Pas op, Tob!'

Door de poort stak een duivelse reptielenfiguur zijn kop naar buiten, met een ruwe zwarte en harige huid, dolktanden en groene ogen. Een vuurrode gespleten tong hing over de kolengrijze lippen. Het monster strekte een benige klauw naar Tob uit.

'Kijk uit, hij pakt je!' riep Pien.

Tob rolde opzij om de klauw te ontwijken. Staalharde nagels sloegen in de stenige bodem onder de sneeuw. Dreigend hief het monster opnieuw zijn klauw op. Tob beschermde zijn gezicht met zijn handen. De vuurbal knetterde, zijn kern werd goudgeel, en een allesverzengende straal van licht boorde zich in het centrum van de poort. Er volgde een explosie die zo heftig was dat alles ervan trilde. Tob kromp ineen, wachtend op een volgende ontploffing. Hij sloot zijn ogen en deed een schietgebedje, maar er gebeurde niets. Langzaam deed hij zijn ogen weer open. De lichtbol was weg, en het gevaar geweken. Het monster was verdwenen, en de poort was weer glad als een spiegel. Alles was rustig en doodstil.

Merkwaardig was dat! Tob voelde zich als herboren. Snel en vol energie krabbelde hij overeind en deed ook zijn andere handschoen uit. Goddank! Zijn handen waren weer roze! En zijn lijf voelde weer oud en vertrouwd aan! Hij fronste. Toch had hij geen reden om helemaal blij te zijn. Het kasteel stond er nog net zo bij als toen ze er waren aangekomen, volledig ongeschonden. Had de kracht van Xin gefaald?

'Alles oké?' vroeg Muzak, die net als Mirte en Pien niet van zijn plaats was afgegaan en nog vlakbij Tob stond.

'Ja,' zei Tob met een brok in zijn keel. Hij raapte het kruis op dat voor hem op de grond lag. 'Maar die poort is er nog.' Gedesillusioneerd keek hij naar het gedoofde kruis in zijn hand. 'De kracht van Xin is niet sterk genoeg.'

'Dan vrees ik het ergste.' Muzak spuugde op de grond. 'Dan kunnen we het schudden.'

'Stil,' zei Tob. 'Ik hoor wat.'

Onder hen begon de grond te trillen, heel zacht, toen aanzwellend als een naderende aardbeving. De torens van het kasteel namen de trilling over, de basaltblokken kraakten in hun voegen en cementgruis viel op de grond. De luiken voor de ramen rammelden, waardoor er een oorverdovend lawaai ontstond. In de sneeuw op de bodem verspreidde zich een netwerk van haarscheuren.

Allevier bleven ze als wassen beelden staan, overweldigd door de heftige gebeurtenissen.

'Alarmfase rood, mensen!' maakte Muzak iedereen wakker, '*moven* hier.'

Uit de lucht kwamen stukken steen en dakpannen van de torens naar beneden om op de grond splinterend uiteen te spatten. In de rotsmuren sprongen vuistdikke gaten, en een schroeilucht waaide hun kant op.

'We moeten maken dat we wegkomen,' spoorde ook Tob iedereen aan. Wacht! Ineens was het hem te binnen geschoten.

Maqualte! Hoe had hij haar kunnen vergeten! Hij borg het kruis op, sloeg Muzak op de schouder en pakte Mirte en Pien bij de hand. 'Voor twaalf uur vannacht moeten we terug in Quillen zijn.'

Knarsend stortte een deel van een toren in. Stofwolken ontnamen het zicht op de kasteelmuren.

'Daar is het pad,' zei Tob hoestend. Het stof belette hem vrij adem te halen. 'Daarheen!'

Haastig struikelden ze naar het pad, en enkele hartslagen later holden ze weer langs de door gloeiwormen verlichte rotswanden. In de verte hoorden ze het gedempte geluid van ontploffingen, en iedere keer trilde de grond onder hun voeten.

'Wat zei je over twaalf uur?' vroeg Mirte.

'Ik snapte er ook niets van,' zei Pien.

Het werd tijd dat Tob vertelde wat hij uitgevogeld had. 'Pas door Morgans opmerking viel bij mij het kwartje. Opeens begreep ik waar die Latijnse spreuken voor bedoeld zijn, en het stukje steen van Patricia.'

'Ik snap er echt nog niks van,' mopperde Pien, net als de anderen in draf om snel bij de boot terug te zijn.

'In de kerk heb ik een blauwe grafsteen gezien. Er stond een Latijnse spreuk op: *Mater semper certa*: wie de moeder is, staat altijd vast. Daar ligt mijn moeder begraven, en als ik haar terug wil krijgen uit het engelenrijk, moet ik het hart daar om twaalf uur brengen. Morgan wilde ons daar weghouden door ons hiernaartoe te lokken. Hij had niet op Maxxi gerekend.' Tob lachte naar een lege plek naast Mirte. 'Dank je, Maxxi!'

Mirte giechelde. 'Graag gedaan, zegt ze.'

Muzak keek bezorgd op zijn horloge. 'We hebben nog maar een paar uur.' Bijna gleed hij onderuit. Het pad was zwaarder besneeuwd dan daarstraks. Even taxeerde hij de donkere hemel. 'Het sneeuwen wordt minder.'

Warempel, Muzak had gelijk, besefte Tob. Eindelijk kon hij

weer lachen. Hij was zichzelf weer, bevrijd van de macht die hem bezeten had. En de verdoemden van Quillen waren gered van een eeuwige verbanning naar de hel.

Ze lieten de gloeiwormen achter zich. Muzak pakte zijn zaklantaarn weer om hen bij te schijnen. Na een stuk ploeteren arriveerden ze eindelijk weer bij de steiger, waar hun boot er tot hun opluchting nog ongeschonden bij lag. De sneeuw uit de hemel was nog slechts fijne poedersuiker. Ze bonkten over de steiger en sprongen in de wiebelige boot.

'Zit er nog genoeg benzine in?' vroeg Tob, de zaklantaarn overnemend.

'Zal wel.' Muzak wachtte tot iedereen zijn positie had ingenomen. Tob had geruild met Pien en Mirte en bezette nu de plaats aan de boeg.

'We hebben nog een jerrycan,' zei Muzak. 'Trossen los, Tob!'

'Dat is waar ook,' antwoordde Tob. Haastig knoopte hij het touw los van de steigerpaal.

Muzak startte de motor. 'Gassen maar.' Hij keerde de boot, en terwijl ze de smalle rivier afvoeren, hield het op met sneeuwen.

'Droog!' lachte Pien. 'Droppie?'

'Graag,' zei Tob en nam er een uit het zakje dat ze hem voorhield. Achter hen kleurde de hemel boven het kasteel rood.

'Kijk, daar heb je die slakken weer.'

Mirte deed haar ogen dicht. 'Roep maar als ze weg zijn.'

Daar hoefde ze niet lang op te wachten, want Muzak zette er een razende vaart in. Een boeggolf spoedde zich voor de boot uit, en ze deinden fors op en neer door de van de rotsen terugkaatsende golven.

'Ik word ziek, hoor,' zeurde Mirte, intussen met de ogen weer open, maar voor het zo ver kon komen, bereikten ze het meertje. Zonder te twijfelen koos Muzak voor de goede rivier waar ze vandaan kwamen. 'We stomen nu door, anders halen we het nooit.'

Tob knikte ernstig. Het zou nog een hele toer worden. Eerst moest hij het hart ophalen, en dan moest hij naar de kerk, en dan maar hopen dat die niet gesloten was. Terwijl de nacht inviel, werd de rivier breder, en de oevers waren niet langer met de bundel uit de zaklantaarn te bereiken. Het enige wat Tob nog zag was het zwarte voor de boot uit golvende water waarin het witte zaklantaarnlicht weerspiegelde als hij het naar beneden richtte. Opeens had hij een vreselijke honger. 'Graag een boterham, dames. En wat drinken.'

'Ja meneer Tob,' antwoordden ze en maakten de rugzakken open, waaruit pakjes chocolademelk en boterhammen met pindakaas en Italiaanse worst tevoorschijn kwamen. Tob viel hongerig op het brood aan.

'Halen we het, denk je?' vroeg Pien.

Hij haalde zijn schouders op. 'Het zal erom spannen. We gaan hard en snel, en als we geen problemen tegenkomen, moet het kunnen.' In de lucht waren de sneeuwwolken geleidelijk verdwenen, en een waterige maan liet zijn schijnsel over de aarde vallen, hen bijlichtend als een gids uit de hemel. Duizenden sterren flonkerden boven hun hoofd, maar geen een was er zo helder als de Poolster op het noorden. 'De kerstster!' riep Tob, ernaar wijzend.

'Voor de geboorte van Jezus,' opperde Pien. 'Zou dat echt ooit gebeurd zijn?'

'Vast wel,' antwoordde Tob. 'Als je ziet wat wij meegemaakt hebben!' Ze naderden een bocht in de rivier. 'Pas op, Muzak!' gilde Tob, die te lang naar Pien had gestaard en te laat voor de boot uit keek. Hij klampte zich vast aan de bootrand.

'Watte?' vroeg Muzak, en zonder in te houden scheurden ze de bocht door.

'Pas op!' waarschuwde Tob weer. 'Uitwijken!' Half hangend over het water, afgescheurd bij de wortels, versperden de bomen die op monsters leken hen de weg. Muzak liet meteen het gas los en maakte een ontwijkende manoeuvre.

'Duiken!' schreeuwde Tob, en net op tijd trokken ze hun hoofd in. Als reuzenbezems zoefden de takken over hun kruinen heen. 'Dat scheelde niet veel.' Tob hield de lantaarn weer goed op het water gericht. Door zijn gemijmer had hij niet goed opgelet.

Pien en Mirte, lagen, over elkaar geduikeld, op de bodem van de boot, hun kleren nat van de gesmolten sneeuw. Boos krabbelden ze overeind.

'Je moet wel uitkijken, zeg!' mokte Mirte. 'Maxxi kreeg een tak in haar gezicht. Dat deed behoorlijk pijn.'

'Heel erg sorry,' zei Tob. 'Ik zal het niet meer doen.' De wind speelde met zijn haren. De boot won weer snelheid. Voorzover Tob kon nagaan, waren ze zeker al halverwege, want doordat ze met de stroom mee voeren, gingen ze een stuk sneller dan op de heenweg.

'Hoe weten we wanneer we in Quillen zijn? Straks varen we er voorbij,' merkte Pien op.

Dat was een goeie, bedacht Tob. In het donker was waarschijnlijk niets te zien van het dorp. 'Misschien kunnen we de kerktoren als baken gebruiken.'

'Nog een krap uur, schat ik,' riep Muzak, een slok chocolademelk nemend. 'Ik hoop dat we het halen.'

Tob beet op zijn onderlip. De tijd gleed als zand tussen zijn vingers door, seconde na seconde. Ze hadden al twee uur gevaren, en nog niets wees erop dat ze ook maar enigszins bij Quillen in de buurt kwamen. Zijn hart klopte in zijn keel. Hoe zou zijn moeder eruitzien? Zou hij haar om twaalf uur in de armen kunnen sluiten? Was zijn vader nu maar bij hem. Zomaar ineens voelde hij zich vreselijk alleen. Aan zijn vrienden lag dat natuurlijk niet, die waren fantastisch. Nee, het was zijn moeder die hij miste. Hij ritste zijn jas goed dicht. Het werd kouder nu de wolken weg waren. Water spatte tegen zijn gezicht. Mirte gaf hem nog een boterham. Het smaakte hem niet meer. Mistroostig keek hij om naar Pien. Haar gezicht was in het maanlicht zacht en lief. Ze merkte niet dat hij naar haar keek. Was hij verliefd op haar? Voelde dat dan zo? Geen vlinders in zijn buik, maar blije liedjes in zijn hoofd, kon dat ook? En dat hij steeds een warm gezicht kreeg als hij aan haar dacht?

'Vóór je kijken!' riep Muzak.

Meteen draaide hij zijn hoofd weer om. Maar goed ook, want hij voelde dat hij bloosde, en niet te weinig ook.

'Nog drie kwartier voor middernacht,' liet Muzak weten.

Het begon er nu toch echt om te spannen. Het gebrom van de motor kaatste gedempt terug van de oeverbegroeiing, en als Tob goed keek kon hij de rietkragen weer zien. Heel ver kon het niet meer zijn. Iemand tikte op zijn schouder. Het was Pien.

'Alles goed met je?'

'Ja,' knikte hij. 'Alleen ben ik bang dat we niet op tijd zijn.'

'We gaan het halen. Vast!' bemoedigde Pien, die was opgestaan, hem. 'Ik voel dat we Quillen naderen.'

'Zeker weten?'

'*Sure*!' Pien glimlachte en boog zich naar hem toe. 'Alles komt goed.' Tob rook de geur van viooltjes, of verbeeldde hij zich dat maar? Ze knikte en ging weer naast Mirte zitten.

Zwijgend voeren ze een tijd door het koude water. 'Nog een half uur voor middernacht,' riep Muzak.

'Nee toch!' Tob kon zijn oren niet geloven. Werkelijk alles zat tegen. De motor sputterde twee keer, en nog keer, en viel vervolgens stil. Tob kreeg er bijna een rolberoerte van. 'Wat is dát nu weer?'

'Benzine op. Pokkepech!' riep Muzak. 'Snel. Geef die jerrycan eens aan!'

Tob pakte de jerrycan uit de kist waar hij op zat en balanceerde ermee tussen Pien en Mirte door naar Muzak, die een luik opende waaronder de oude jerrycan opgeborgen was.

'Bijschijnen *please*!'

'*Shit*!' De lantaarn lag nog vooraan bij de boeg.

Mirte had de lantaarn eerder te pakken en richtte het licht naar Muzak.

'Perfect!' zei hij, koppelde de brandstofslang af, wisselde de jerrycans en duwde tegen het brandstofluik. Het viel met een klap dicht. Muzak trok aan het startkoord. De motor sloeg twee keer kort aan en viel stil.

Tob vloekte. 'Doe het nou, stomme motor!'

Muzak trok weer aan het koord. Hoewel hij niet in dat soort dingen geloofde, deed Tob intussen maar weer eens een schietgebedje. *Yes*! Had het gebedje geholpen? Hoe dan ook: een tevreden geknor steeg uit de motor op.

'We kunnen weer!' lachte Muzak.

Ongeduldig pakte Tob de lantaarn van Mirte over en ging weer in de punt van de boot zitten. Meteen gaf Muzak gas en met een schok spoten ze weg.

'Nog twintig minuten,' riep Muzak.

'Pas een beetje op. Ik kukelde bijna in het water.' Tob had er een hard hoofd in dat ze het zouden halen. Twintig minuten, wat was dat nou? En ze hadden geen enkel benul hoe ver het nog naar Quillen was.

'Kijk!' gilde Mirte ineens. 'Kijk!' Haar vinger priemde naar de oever in de verte.

Tob keek naar de plek die ze aanwees. Aan de horizon knalde vuurwerk. Vuurpijlen en regenbogen van licht doorkliefden de lucht. Ze hoorden de knallen tot in de boot.

'Dat moet Quillen zijn!' lachte Muzak.

'Is er feest?' Tob knipte in zijn vingers. 'Daar zal Louis achter zitten!' Ergens boven Quillen, boven het centrum van het doolhof, brandde een oranje kerstster.

'Geweldig!' Muzak koerste een flauwe bocht door. Aan de waterkant zagen ze een straatlengte bij hen vandaan twee koplampen opgloeien.

'Ze wachten op ons!' Tob kon zijn lol niet op. 'Ze wachten op ons!'

Muzak juichte nog enthousiaster en stuurde de boot op de lampen aan. 'We hebben nog een kwartier de tijd!'

Tob knikte. Het werd heel spannend. Verdikkeme, hij zou zijn moeder toch niet op deze manier mislopen?

'Hoehoi!' riep iemand aan de waterkant. 'Proficiat!'

'Forek!' Tob zag hem voor zijn landrover staan. 'Het is allemaal gelukt, maar ik moet meteen naar huis. Het is belangrijk!'

Muzak zette de motor uit, liet de boot naar de oever uitdrijven en meerde aan.

'Ik moet snel naar huis,' riep Tob weer tegen Forek, die het touw opving dat Muzak hem toewierp. Daarna reikte hij Tob de hand en trok hem als eerste op de wal. 'Waarvoor?'

'Leg ik straks wel uit,' riep Tob. Naast de landrover stond zijn vader. 'Ik kan mama redden!'

Zijn vader schudde zijn hoofd. 'Dat is onmogelijk! Ze is ergens anders, op een plaats die niet voor ons is. Ze is gestorven.'

'Het is tóch zo!'

Zijn vader keek hem een moment stomverbaasd aan, knikte langzaam en kwam in actie. Hij klopte Forek op de schouders. 'Gaan jullie maar. Ik help de rest wel.' Driftig begon hij de anderen uit de boot te helpen.

Tob knikte naar de rest en stak een hand op. 'Tot zo!'

'Opschieten!' Forek sprong al achter het stuur van zijn landrover en zette het andere portier open. 'Kom op dan!'

Tob rende om de auto heen en stapte in. Met doordraaiende wielen scheurde de auto naar achteren. Tob trok zijn deur dicht. 'Ik moet eerst thuis iets ophalen.'

'Stil,' zei Forek. 'Ik moet op de weg letten, want ik maak haast en het is spiegelglad.'

Angstig staarde Tob door de voorruit. Het leek of Forek een rally reed. Slippend en steigerend over bochtige landbouwwegen reden ze Quillen binnen en raasden over de ringweg langs de huizen, waarin opvallend veel lichten brandden.

'De mensen hebben door dat er iets veranderd is,' zei Forek opeens.

'Is het doolhof bevrijd?' Tob hield zich angstvallig vast aan het dashboard.

'Nog niet, maar het acute gevaar is bezworen. Ze hebben weer hoop dat ze hun familieleden ooit terug zullen zien.'

'*Cool*!' zei Tob, maar hij dacht op dit moment vooral aan zijn moeder. Het schoot maar niet op. Eindelijk, daar zag hij zijn huis! Met loeiende motor reed Forek dwars door het gesloten hek de voortuin in, over de oprijlaan, en kwam toeterend bij de voordeur tot stilstand. Tob sprong uit de auto en bonkte op de voordeur.

Maria kwam snel opendoen, alsof ze hem verwacht had. 'Je leeft nog!'

'Wat dacht je dan?' Gespannen keek hij over haar schouders de gang in. 'Sorry, ik heb haast, Maria.' Hij duwde haar zachtjes opzij, duikelde de gang in, rende door de klapdeuren en sprintte de trappen op naar de zolder. Veel meer dan tien minuten had hij beslist niet meer. Buiten luidden de klokken voor de nachtmis. Hij deed het licht aan en gooide, op weg naar de kast, alles opzij wat hem in de weg stond. Bonkend vielen tafels en lampen tegen de grond. Bij de kast bukte hij, aarzelde een moment – zou het hart er nog zijn? – en trok de onderste la open. Hij slikte. Het voorheen heldere glas had een melkachtige kleur gekregen, waardoor het hart nog maar nauwelijks te zien was. Hij pakte de glazen doos op. Het hart reageerde niet meer op hem! Hij moest zich haasten! Springend over alles wat er op de grond lag bereikte hij de overloop en daverde de trappen af.

Verbouwereerd stond Maria midden in de gang te wachten. 'Wat is er toch?'

Tob stopte niet. 'Ik geloof in wonderen, Maria.' Als een pijl scheerde hij langs haar heen de deur uit. Forek had de landrover al gekeerd en stond met snorrende motor te wachten. 'Kom op,' riep hij door het openstaande portierraam vanachter het stuur.

Tob nam een sprong, en daar gingen ze weer. 'Hoorde je de kerkklokken?' vroeg Forek die het gaspedaal ruim bediende 'Die hebben nog nooit geluid in de kerstnacht.' Daar stoven ze de straat alweer op.

'O, mooi,' zei Tob kortaf. Het enige wat op dit moment zijn interesse had was de snelheid waarmee Forek over de ringweg racete. 'Snel, anders zijn we te laat!' Hopelijk kwam de politie geen roet in het eten gooien. De wielen van de landrover spinden rond over de besneeuwde ondergrond.

Forek wierp een snelle blik op zijn horloge. 'Bijna twaalf uur, verdomme!'

Daar was de snackbar van Louis, waar het buiten een uitzinnige toestand was. Jongeren staken vuurwerk af, en zelfs enkele ouderen waagden het nog op dit tijdstip een pilsje te drinken. Ze zwaaiden, maar Tobias groette niet terug. Hij hield de doos als een baby op schoot tussen zijn handen geklemd. Nu de bocht nog door, en ze arriveerden op het kerkplein. De auto bonkte de stoep op en knarste over de sneeuw naar de kerkingang.

'Stop!' Tobias duwde de deur open en veerde naar buiten met de doos in zijn handen geklemd. Uit de kerk golfden orgelmuziek en koorgezang. De nachtmis kon ieder moment beginnen. Hij glibberde naar de ingang, rende het donkere portaal in en duwde met een voet een van de klapdeuren open. Eindelijk! Daar stond hij in de kerk die met honderden kaarsen verlicht was. Hij deed een paar stappen vooruit en hapte van verbazing naar adem. De kerk was leeg! Er was helemaal niemand! Geen bezoekers, geen koor, niets, en zelfs de muziek was verdwenen.

'Tobias!' galmde het vanaf het altaar. 'Schiet op, het is al bijna te laat.'

'Meneer pastoor!' Tobias rende, de doos voor zich uit houdend, door het gangpad in het middenschip.

De pastoor snelde hem tegemoet. Zijn kazuifel ruiste over de stenen vloer. Met een bezorgde blik keken de heiligenbeelden hem na.

Tob struikelde bijna over zijn eigen benen. Daar was de blauwe grafsteen, waaronder zijn moeder begraven lag.

'Zet het hart op de steen, Tobias, snel.' De pastoor had de

steen tegelijk met Tob bereikt. Zijn stem klonk geëmotioneerd. 'Meneer Black heeft zijn honger naar macht niet voor niets met de dood moeten bekopen, toch?'

De pastoor had het lijk van meneer Black dus weggewerkt, schoot het door Tobs hoofd. Dodelijk vermoeid van alle emoties, gehoorzaamde Tob zonder verder iets te vragen. De pastoor ging vlak voor de steen staan en hief een gebed aan. De Latijnse woorden kabbelden de kerk in, langs de pilaren, heiligenbeelden, schilderijen, banken en het altaar. Eerbiedig nam Tob een paar passen afstand van de steen. Plotseling begon het orgel weer prachtig te spelen. Een flits van blijheid schoot door Tob heen. Bach, dat moest Bach zijn. De klanken buitelden door de kerk, kaatsten tegen het dak, de wanden, de pilaren en weer terug, en vermengden zich met de stem van de pastoor. Opeens rilde Tob. Hij zag alles door een waas, niet omdat hij huilde, maar doordat alles zo ver weg en onwerkelijk leek. Waar bleef zijn moeder nou? Waar bleef ze?

Witte dampen stegen op uit de grafsteen. Ze bleven als plukken mist boven de vloer hangen en kringelden vervolgens om het hart heen, waarin een zacht wit licht opgloeide. De mistwolk verdichtte zich en werd witter en groter, tot er zich langzaam een vage mensenfiguur in vormde. Versteend staarde Tob naar de gedaante voor hem. Het was een vrouw met vleugels. Haar huid was melkwit, glanzend als een parel. Haar ogen waren zeeblauw, en dieper dan de diepste oceaan. De mooiste ogen die hij ooit gezien had. Ze keek hem vol liefde aan. 'Tobias, ik blijf voor altijd bij je, ook al zie je me niet.'

'Mama, wacht, ga niet weg,' riep Tobias, beseffend dat hij te laat was gekomen om zijn moeder terug te krijgen. 'Maqualte, wacht!'

De gedaante vervaagde, hij kon er nu dwars doorheen kijken. 'Wacht nou,' riep hij met tranen in de ogen.

'Ik blijf bij je, Tobias,' zei zijn moeder opnieuw. Ze sloeg haar vleugels uit en vloog naar het plafond, waarna ze langzaam vervaagde en verdween.

Tobias zakte op zijn knieën, de tweede keer die dag. Alles was voor niets geweest! Voor niets! Gefaald had hij, wat een afgang! Het enige dat hij kon was de wereld redden, maar niet zijn eigen moeder. Overmand door schaamte verborg hij zijn gezicht in zijn handen. Nooit zou hij zijn moeder meer zien, nooit meer… Opeens voelde hij een zachte hand op zijn schouder en keek omhoog.

'Het is het lot. Je moeder heeft nog taken te verrichten,' zei de pastoor. 'Haar tijd komt nog.'

'Hoe weet u dat zo zeker?'

'Een meneer Vlemitz kwam vanmiddag langs. Hij vertelde mij dat het jouw moeder was die onder de blauwe steen ligt. En dat jij zou proberen haar tot het rijk der levenden te roepen. En dat het de vraag was of dat zou lukken. Of het mócht lukken.'

'Mócht lukken?' Tobias keek de pastoor door een waas aan. 'Van wie?'

De pastoor glimlachte. 'God misschien, of hij die over ons waakt.' Hij gebaarde dat Tob overeind moest komen. 'Vertrouwen, heb vertrouwen, Tob.'

Tob ging rechtop staan. 'Ik zal het proberen.'

'Geloof is geloof, jongen,' zei de pastoor met een begripvolle glimlach. 'En behoeft geen bewijs.'

Als het allemaal zo simpel lag, hoefde Tob zich geen zorgen te maken. Maar voor zijn idee lág het niet zo simpel. Hij bedankte de pastoor, keek met zijn betraande ogen nog een keer naar het graf waar de doos met het hart ook in rook was opgegaan, en draaide zich om.

'Wakker worden, Tob, het is tijd voor het ontbijt.'

Tob opende zijn ogen en kneep ze meteen samen tegen het daglicht. De gordijnen waren opengeschoven. Zijn vader stond naast zijn bed. 'We hebben een echt kerstontbijt. Maria heeft haar best gedaan.'

'Je blijft nu echt thuis?' was het eerste wat Tob vroeg voor zijn vader verder iets kon zeggen.

Theo stak een duim op. 'Helemaal. In de grote stad heb ik niets meer te zoeken.'

'Echt?'

Zijn vader schakelde op een ander onderwerp over. 'Ik ben vanochtend samen met Louis in het doolhof gaan kijken. Alles huizen zijn weer zoals ze waren. Doods, vreemd, en saai, maar al het zwarte spul is verdwenen.'

'En de bewoners?'

'Nog steeds spoorloos, vrees ik. Maar het is een feit dat jullie Quillen voor een ramp hebben behoed.'

Tob ging rechtop in zijn bed zitten. 'Het kwaad kan dus nog steeds opduiken?'

'Voorlopig zijn we veilig. Ik hoop van harte dat iemand Quillen ooit geheel zal bevrijden en het doolhof weer tot een gewone buurt zal maken.'

'Ja ja.' Bedachtzaam slingerde Tob zijn benen over de bedrand. 'Hoe zit dat nou precies met mama? Ben ik echt de zoon van Maqualte?'

Theo ging naast hem zitten. 'Zoals je weet heb ik hier, in dit huis, als kind enige tijd met mijn ouders gewoond, voor ze me uit Quillen wegstuurden, voor mijn eigen veiligheid. Jaren geleden, enige tijd voor je geboorte, toen ik weer voor korte tijd naar Quillen terugkeerde, leerde ik een vrouw kennen. Ze woonde net buiten het dorp in een eenzaam huisje. Niemand sprak met deze prachtige vrouw, omdat ze volgens de verhalen half engel en half mens was. We werden verliefd en ze raakte zwanger. Vlak voor jouw geboorte sloegen de duivelse krachten in Quillen weer toe. Er werden kinderen ontvoerd naar het duistere rijk, om nooit meer terug te komen. Je moeder heeft zich met goddelijke kracht verzet, maar moest het met haar leven bekopen. Dat wil zeggen: met haar leven op aarde.'

Tobias zuchtte. Dit verhaal was te maf om waar te zijn. 'Dus mama was echt voor een deel een engel?'

'Ik denk het. Maar zelfs ik weet het niet zeker. In stilte heb ik haar begraven in de kerk, met alleen de toenmalige pastoor erbij, want niemand wilde met haar te maken hebben. Iedereen in Quillen was bang.'

'Vreselijk,' zei Tob opeens. 'Ik vind echt het vreselijk dat ik te laat was gisteren.'

'Je hoeft jezelf niets kwalijk te nemen. Het is jouw schuld niet.' Zijn vader stond op. 'Fris je op en kleed je aan. Er zitten bij het ontbijt drie vrienden op je te wachten.'

'Muzak, Mirte en…' hij aarzelde blozend, 'Pien?'

'Goed geraden. Ik zal zeggen dat je zo komt.' Met grote passen liep zijn vader naar de deur. 'Gelukkig kerstfeest, Tobias.'

'Gelukkig kerstfeest, papa,' antwoordde Tob. Zijn vader verliet de kamer en ging de trap af. Tob liep naar het raam en keek naar buiten. Alles was wit, smetteloos wit, en de zon scheen. Het was een prachtige kerstdag. Buiten in de voortuin had iemand een kerstboom neergezet. Heaven draafde als een dolle door de sneeuw achter een ronddwarrelend snoeppapiertje aan. Tob glimlachte. Hij zou er een mooie dag van maken, ter ere van zijn moeder. Misschien zou het ooit allemaal nog goed komen, zoals de pastoor zei. Hij moest blijven geloven en hopen. Wie weet, want morgen was er weer een nieuwe dag… in Quillen.

Bij Uitgeverij Ellessy verschenen de volgende jeugdboeken:

Het geheim van Smart
Watjes wereld deel 1
door Peter de Zwaan
ISBN 90-70282-53-4

De ontdekking van Mascha
Watjes wereld deel 2
door Peter de Zwaan
ISBN 90-70282-70-4

De woede van Wino
Watjes wereld deel 3
door Peter de Zwaan
ISBN 90-76968-09-8

Mijn rotvriend
door Peter de Zwaan
ISBN 90-70282-29-1

De jongen die niet bestond
door Renate Marlis
ISBN 90-70282-96-8

De geheimenbewaarder
door Gabriëlla Croiset
ISBN 90-70282-73-9

Brief uit het verleden
door Gabriëlla Croiset
ISBN 90-70282-95-X

De schaduw van het verleden
door Martine Letterie
ISBN 90-70282-79-8

Het geheim van de kroonprins
door Johan Diepstraten
ISBN 90-70282-18-6

Dubbelspel
door Guido van der Kroef
ISBN 90-70282-44-5

Duivelsspel
door Guido van der Kroef
ISBN 90-70282-82-8

Bizar!
Griezelverhalen voor 11+
door Nick Neem
ISBN 90-70282-58-5

Bizar! deel 2
Griezelverhalen voor 11+
door Nick Neem
ISBN 90-70282-92-5

De beestmeester
door Jan Kuppens
ISBN 90-70282-63-1

Nachthelverans
door Jan Kuppens
ISBN 90-76968-22-5

De Moechtar
door Jan Kuppens
ISBN 90-70282-91-7

Sarah Elisabeth
door Renate Marlis
ISBN 90-76968-18-7

Hannah en de grote K
door Marja Kema
ISBN 90-76968-23-3

Quillen
door Nick Neem
ISBN 90-76968-28-4